バーチャル世界をめぐる哲学の挑戦

デイヴィッド・J・チャーマーズ　高橋則明 訳

上

REALITY+

Virtual Worlds and the Problems of Philosophy

David J. Chalmers

NHK出版

装幀　水戸部 功

クラウディアに

目次

第3部　リアリティの定義

［下巻目次］

・本文中の（　）は原注、〔　〕は訳注を表す。注番号は巻末の原注を参照。
・本文中の書名のうち、邦訳版がないものは初出に原題とその逐語訳を併記した。
・本文中の書籍等からの引用は、すべて本書訳者による翻訳である。

序章

テクノフィロソフィーの冒険

私がコンピュータに出会ったのは10歳のときだった。それは父が働く病院にあったPDP－10大型汎用コンピュータだ。そのときの私は独学でプログラミング言語のBASICを習得して簡単なプログラムを書けるようになっていた。普通の10歳の子どもらしく、そのコンピュータに収められているゲームを見つけて喜んだ。ゲームのひとつには「ADVENT」という単純なタイトルがついていた。私はそれを開けて中を見た。

君は道の行き止まりにある小さなレンガ造りの家の前に立っている。
まわりは森だ。
その家から小川が出ていて、峡谷に続いている。

「北へ進む」とか「南へ進む」というコマンドを入力すると、ゲーム内の世界を歩きまわれることがわかった。建物の中に入り、食料と水と鍵とランタンを手に入れた。外を歩きまわり、排水溝から地下の洞窟世界に降りた。ほどなく私はヘビの群れと戦い、宝物を集め、しつこい攻撃者に斧(おの)を投げた。ゲーム画面に絵はなく、文字だけだったが、洞窟が地下に延びる様を容易に想像できた。数か月かけて、より深く遠くへ進んで、地下世界の地図をつくっていった。

これは１９７６年のことだ。そのゲームの名は『コロッサル・ケーブ・アドベンチャー』〈アドベンチャーゲームというジャンル名の由来になったコンピュータゲーム〉といった。私がバーチャルの世界を経験した最初だった。

それからの数年間で私はテレビゲームに出会った。遊びはじめは、卓球ゲームやブロック崩しだった。インベーダーゲームが地元のショッピングモールに置かれると私と兄弟は夢中になった。やがてアップルⅡコンピュータを手に入れて、家で『アステロイド』や『パックマン』を延々とプレイした。

時間とともに、バーチャル世界は豊かになっていった。１９９０年代には『*Doom*(ドゥーム)』や『*Quake*(クエイク)』などのゲームがプレイヤー視点を採用するさきがけとなった。２０００年代には「セカンドライフ」や『*World of Warcraft*(ワールド・オブ・ウォークラフト)』といった、複数のプレイヤーが参加できるバーチャル世界に人々が膨大な時間を費やしはじめた。２０１０年代に入ると、オキュラス・リフトなどのユーザー向けＶＲ〈バーチャル・リアリティ、仮想現実〉ヘッドセットが登場した。同じころにＡＲ〈拡張現実〉環境が広く利用されるようになり、『ポケモンＧＯ』などのゲームが、現実世界にバーチャルな事物をつけ加えた。

最近の私は、ヘッドマウントディスプレイのオキュラス・クエスト2やＨＴＣヴァイヴをはじめとするたくさんのVRシステムを書斎に置いている。ヘッドセットを装着し、アプリを起動すると、もうそこはバーチャル世界だ。現実世界はすっかり消え、コンピュータがつくった環境に置きかわる。私はバーチャルな事物に囲まれ、そのあいだを動きまわり、それらを操作することができる。

卓球ゲームから『フォートナイト』まで普通のゲームと同じように、VRはバーチャルな世界を持つ。それはコンピュータのつくったインタラクティブ（相互作用的）な空間だ。VRの特徴は、そのバーチャル世界が「没入的」であることだ。2次元画面ではなく、3次元の世界にあなたを浸して、あなたはまるでその世界に存在するかのように、見たり聞いたりすることができる。VRは没入的、インタラクティブ、コンピュータ生成という特徴を持つ。

これまでVRでいろいろとおもしろい体験をしてきた。女性の体になったし、暗殺者と戦った。鳥のように大空を飛んだし、火星にも行った。ニューロン（神経細胞）に囲まれながら人間の脳を内側から見ることもした。峡谷にさし渡された板の上に立ち、恐怖にすくんだこともあった。板から足を踏みはずしても、すぐ下にある現実の床に足をつくだけなのだ、と頭では完璧にわかっていたのだが、震えた。

新型コロナウイルス感染症のパンデミックのあいだは、多くの人と同じように、私はZoomなどのウェブ会議用サービスを利用して、友人や家族、仕事仲間と話すことに長い時間を費やしてきた。Zoomは便利ではあるものの、制約も多い。相手と目を合わすことがむずかしいし、グループで利用すると映像や音声が不安定になることもある。自分たちは共通の空間にいる、という感覚にはとうていなれない。そこには、オンライン会議はＶＲではないという根本的な問題がある。インタラクティブだが没入的ではなく、共通のバーチャル世界もない。

パンデミック中は、ＶＲで哲学者の陽気な仲間たちと週に1度会っている。私たちはいろいろなプラットフォームでいろいろなアクティビティを試してきた。「Altspace（オルトスペース）」で天使の羽をつけて空を飛び、リズムゲームの『*Beat Saber*（ビートセイバー）』で、リズムに合わせて立方体を切っていった。「Bigscreen（ビッグスクリーン）」のバルコニーで哲学について議論し、「RecRoom（レックルーム）」でペイントボールを投げて遊んだ。「Spatial（スペイシャル）」では講義をし、「VRChat（チャット）」ではカラフルなアバターを試した。現在のＶＲテクノロジーは完成にはほど遠いが、共通の世界にいる感覚を参加者に与えてくれる。ＶＲ空間で短いプレゼンテーションのあと、私と仲間５人で一緒に立っていたとき、ひとりが言った。「まるで哲学の会議の休憩中のようだな」。10年後か20年後に次のパンデミックが来たときには、社会的交流用に設計された没入型のバーチャル世界に、多くの人が入り浸ることだろう。

ＡＲシステムも急速に進歩している。このシステムは一部が現実で一部がバーチャルでできている世界を提供する。通常の現実世界がバーチャルのもので拡張される。私はまだＡＲグラスを持っていないが、アップルやフェイスブック（現メタ・プラットフォームズ）、グーグルなどがＡＲグラス（スマートグラスの一種）を導入する予定だと言われている。ＡＲシステムはディスプレイを持ったコンピュータに完全にとって代わる可能性を持つ。少なくとも、ディスプレイは現実からバーチャルのものに変わるだろう。バーチャルの事物と触れあうことが日常生活の一部になるかもしれない。

現在のVRとARはまだ原始的なシステムだ。ヘッドセットとグラスは大きいし、バーチャル世界の視覚解像度は粗い。バーチャル環境は没入型の視覚像と音を提供するが、その世界ではバーチャルなものに触れたり、バーチャルな花の香りを嗅いだり、バーチャルなワインの味を楽しんだりすることはできない。

こうした一時的な制約はやがて克服されるだろう。物理演算エンジン〔物理運動をシミュレートするソフトウェア〕がVRの進歩を支える。将来において、ヘッドセットはどんどん軽くなり、ついにはメガネやコンタクトレンズに埋めこむ形になり、最終的には網膜や脳に埋めこむようになるだろう。解像度も上がっていき、バーチャルな世界と現実世界がまったく同じに見えるまでになる。食感や嗅覚、味覚を刺激する方法も見つけるだろう。私たちは人生のうちかなりの時間をバーチャルな環境で過ごして、そこで働き、人と交流し、娯楽に興じるようになるかもしれない。

私の予想としては、これから100年以内に現実世界と見分けのつかないVRが実現される。脳とコンピュータが直接に信号をやりとりするブレイン・コンピュータ・インターフェース（BCI）用の装置をつけて、目や耳などの体の感覚器を迂回するようにもなるだろう。その装置は、現実世界の精緻（せいち）なシミュレーションが可能で、その現実空間にあるすべてのものの動きを追跡するために物理法則をシミュレートしている。

ときにVRは別バージョンの日常世界となる。またときには、私たちをまったく新しい世界へ没入させてくれる。おそらくアップル社はVR上に職場を持つようになる。そこでは情報は厳密に保護され、現実世界で開発中のものに関する最新情報が漏（も）れることはない。アメリカ航空宇宙局（NASA）がつくるVRの宇宙では、光速を超える宇宙船で銀河を探検する。また、人々が永久に生きつづけられる世界もつくられるだろう。バーチャル不動産の開発業者は顧客の求めに応じて、ビーチの近くで、申し分のない気候の世界や、活気のある都市に建つ豪華なマンションを競って提供するだろう。

アーネスト・クラインの小説『ゲームウォーズ』とその映画化作品『レディ・プレイヤー1』では、2045年の地球は人口増加により住みにくくなっていて、バーチャル世界が新しい風景と可能性を提供していた。これまで人々はしばしば決断を迫られてきた。「新しい生活を始めるために新天地に移住するべきか？」。未来においても同様の決断を迫られることになるだろう。「バーチャル世界に移るべきか？」。移民のときと同じで、「イエス」が妥当な答えであることも多い。

シミュレーション技術がある程度の水準に達すると、シミュレートされた環境はシミュレートされた脳と体を持つ人々に占拠されることにさえなるかもしれない。彼らはシミュレーションの中で生まれて成長し、年をとり、死ぬまでのすべてのプロセスを経験する。多くのゲームでプレイヤーが遭遇するノンプレイヤー・キャラクター〔プレイヤーが操作しないキャラクター、いわゆるモブキャラ〕と同じように、シミュレートされた人々はシミュレーションの中の生き物になる。研究や未来予測のためにつくられる世界もあるだろう。たとえば、イギリスのドラマシリーズ『ブラック・ミラー』で見るようなマッチングアプリは、カップルの相性を確かめるためにいくつもの未来をシミュレートする。また、ヒトラーがソ連に侵攻しなければどうなったかを探究する歴史家が出てくるかもしれない。

科学者は、ビッグバン以降の全宇宙を少しずつバリエーションを変えてシミュレートし、さまざまな結果を検証するかもしれない。宇宙ではどのくらいの頻度で生命が発生し、知性が生まれ、文明が生まれるのか？

23世紀に生きる少し変わったシミュレーション実行者は、シミュレーションの対象を21世紀はじめにするかもしれない。彼らの生きる世界では、2016年のアメリカ大統領選挙で、民主党のヒラリー・クリントンが共和党のジェブ・ブッシュ（父と兄を大統領に持つ元フロリダ州知事）を破っているとしてみよう。彼らは問いかける。ヒラリーが負けるとしたら、歴史はどのように変わるだろうか？　パラメータをいくつか変えると、2016年の勝者がドナルド・トランプになるかもしれない。イギリスのEU離脱やパンデミックもシミュレートされるかもしれない。

シミュレーションの歴史に興味を持つ者は、シミュレーション技術が真価を発揮しはじめた世紀として21世紀に興味を抱くかもしれない。起こりうる未来のシミュレーションに関する本を書く人々や、それを読む人々をシミュレートすることもあるだろう。自己陶酔的な実行者はパラメータを動かして、21世紀の哲学者が23世紀のシミュレーションについて大胆な予測をすることをシミュレートするかもしれない。23世紀のシミュレーション実行者について考察した文章を読む21世紀の読者（そう、今のあなたのように）の反応にとりわけ関心を抱くかもしれない。

このようなバーチャル世界の住人の一部は、自分たちは21世紀はじめの現実世界に住んでいると信じているだろう。トランプがアメリカ大統領に選ばれ、イギリスがEUを離脱し、パンデミックに襲われている世界だ。これらの出来事は起きた当時は驚きだったとしても、人間の順応力はとても高いので、しばらくすると普通のことになる。シミュレーション実行者は、シミュレーション世界の住人たちをバーチャル世界に関する本を読むように誘導するけれど、住人たちは自分の意志でその本を読んでいると思っている。彼らが今読んでいる本は、あなたたちはバーチャル世界にいるかもしれないというメッセージをはっきりと伝えていて、彼らはそれを冷静に受けとめて、それについて考えはじめるかもしれない。

現在のところ、私たちが問えるのは次のことだ。「あなたは自分が今、コンピュータ・シミュレーションの世界にいないことを、どうやって確かめるのですか？」

この考えは、スウェーデンの哲学者ニック・ボストロムが名づけた〈シミュレーション仮説〉〔以下〈シミュレーション説〉とする〕という名称で呼ばれることが多い。映画『マトリックス』に描かれたのが有名だが、通常の現実世界に見えるものがじつは、巨大なコンピュータ群と人間の脳を接続した結果だというのだ。マトリックスの世界の住人は、現実世界の私たちと同じような経験をするが、そこはバーチャル世界なのだ。

あなたは今バーチャル世界にいるのだろうか？　今ちょっとこの問題を考えてほしい。これを考えるとき、あなたは哲学をしていることになる。

哲学は「知恵への愛」と言い換えられるが、私は「万物の基礎」だと考えるほうを好む。哲学者は質問ばかりしている子どもと同じで、いつでも「どうして」「あれは何？」「どうして知ってるの」「それはどういう意味？」「それをしなければならない理由は何？」と問いつづけている。

こうした質問を何度か続ければ、すぐに基礎までたどり着く。私たちが当たり前だと思っている事柄の根底にある仮定を検証することになるのだ。

そんな子どもだった私が、哲学に興味があると気づくまでには時間がかかった。最初は数学、物理学、コンピュータ科学を学んだ。それらの学問は万物の基礎からは遠く離れたものだったので、私はもっと深いところまで学びたいと思い、哲学に転向した。そして、科学のしっかりした土台に錨（いかり）を下ろしておくために認知科学も学びながら、その土台の下にある基礎を探っていったのだ。

私が最初にはまったのは心に関する問いだった。「意識とは何か？」。キャリアの多くの時間をかけて、それらの質問に取り組んできた。だが、「現実とは何か？」〔哲学的に言えば、「実在とは何か？」〕などの世界に関する問いも同じように哲学の中心をなしていた。おそらく核にある問いは、心と世界の関係を問うものだろう。たとえば、「私たちはどのようにして現実を知ることができるのか？」という質問だ。

最後の質問は、フランスの哲学者ルネ・デカルトが１６４１年に出版した『省察（せいさつ）』の中で中心課題に置いたものだ。デカルトはその本により、その後の数世紀に西洋哲学が検討すべき課題を定めた。デカルトは私が〈外部世界の問題〉と呼ぶ問いを提示した。「あなたは自分の外にある現実をどうやって知るのか？」

デカルトはその問題に次のように質問することで取り組んだ。「外部世界に対するあなたの感覚が錯覚でないことをどうやって知るのか？」「今あなたが夢の中にいないことをどうやって知るのか？」「悪魔（悪しき霊）にだまされて、これが現実だと思わされているのではないことをどうやって知るのか？」。デカルトが現代に生きているなら、これから私がする質問と同じ問いかけをするかもしれない。「あなたがバーチャルの世界にいないことをどうやって知るのか？」

外部世界に関するデカルトの問いについて、長いあいだ私はあまり語ることができないと思っていた。だが、VRについて考えることで新しい視点を得た。シミュレーション説について思考をめぐらせていると、自分がバーチャル世界を過小評価していることに思いいたったのだ。外部世界の問題については、デカルトやほかの哲学者もそれぞれの方法で考えてきた。私の場合は、バーチャルな世界について思考を明確にすると、この問題を解決する端緒になるのではないかと思ったのだ。

本書の中心的主張

本書の中心となる主張は次だ。VRは真の実在である（哲学的概念で「実在」とは意識から独立して客観的に存在するもの）。少なくとも、VRの中には真の実在もある。VRは「実在もどき」である必要はない。本当の実在でもありうるのだ。

このテーマを3つの部分に分けてみよう。

1．バーチャル世界は錯覚でも虚構でもないし、少なくともそうである必要はない。VRの中で起きることは現実に起きている。私たちがVR内で相互作用している事物はリアルなのだ。
2. 原則としてバーチャル世界での生活はバーチャルの外、つまり現実世界の生活と同じくらいよいものになりうる。バーチャル世界で意義のある生活を送ることができる。
3. 私たちが今生きている世界はバーチャル世界かもしれない。断言はできないが、その可能性は排除できない。

この3つの小テーマ、とくに最初のふたつは、VRテクノロジーが私たちの生活に与える影響について考えるものだ。原則として、VRは現実逃避の手段以上の価値がある。真の生活を送るための完全なる環境にもなりうるのだ。

バーチャル世界が一種のユートピアだと言う気はない。インターネットと同じようにVRテクノロジーは良いことをもたらす一方で、悪いこともたらすだろう。乱用されることは確実だ。乱用は現実世界にもある。現実と同じでバーチャル世界には、人間のあり方に関して、良い部分、悪い部分、醜い部分などすべてを内包する余地がある。

私は実用としてのVRよりも、原理としてのVRに焦点を合わせるつもりだ。実用においてはフルスケールのVRを実現するまでには紆余曲折があるだろう。テクノロジーが進歩していくなかで、向こう10年や20年は、VRの広い適用が制限されることは充分に考えられる。また、私が予測していない方向に進むこともあるかもしれない。だが、ひとたびVRテクノロジーが成熟したレベルに達すると、それは現実世界の生活と同じか、それを超えるVR上の生活を支えてくれるはずだ。

本書のタイトルは私の中心的主張をうまく言い表している。このタイトルは何通りにも解釈できる。ひとつひとつのバーチャル世界が新しい現実だから、リアリティ＋（プラス）。ＡＲは現実にバーチャル事物を追加することだから、リアリティ＋。一部のバーチャル世界は現実世界と同じかそれよりもよいだろうから、リアリティ＋。もしも私たちがシミュレーションの中にいるとしたら、私たちが考えている現実に加わるところがあるので、リアリティ＋。さまざまな現実を選べるようになるから、リアリティ＋。

私の言っていることが多くの人の直感に反していることは承知している。おそらくあなたはVRはリアリティ－（マイナス）だと考えているのだろう。バーチャル世界は真ではなくフェイクの現実にすぎない。現実世界と同じくらいよいバーチャル世界などありはしない、と。だが本書を読めば、リアリティ＋が真実に近いことを納得してもらえるはずだ。

本書は私が〈テクノフィロソフィー〉（テクノロジー＋哲学（フィロソフィー））と呼ぶプロジェクトになる。それは、(1)テクノロジーに関して哲学的な問いかけをおこなう。(2)伝統的な哲学の問いに答えるのにテクノロジーの助けを借りる、というふたつのプロジェクトで構成されている。

この名称は、カナダ出身のアメリカの哲学者、パトリシア・チャーチランドによる「ニューロフィロソフィー」という造語[1]に触発されたものだ。その語は彼女が１９８７年に出版した本

『ニューロフィロソフィー（*Neurophilosophy*）』のタイトルにもなっている。それは神経科学と哲学体系を統合した学問で、神経科学に関して哲学的な問いを投げかけ、あわせて伝統的な哲学上の問いに神経科学の助けを得て答えるものだ。私は神経科学の代わりにテクノロジーを使って同じことをする。

テクノフィロソフィーは人気のある分野で「技術哲学（フィロソフィー・オブ・テクノロジー）」と呼ばれることも多いが、それはテクノフィロソフィーのプロジェクトの1番目、テクノロジーに関して哲学的な問いかけをおこなうことを表している[2]。だが、真に特異な点は、2番目のプロジェクト、伝統的な哲学の問いにテクノロジーの助けを借りて答えることにある。テクノフィロソフィーの肝（きも）は、哲学とテクノロジーの双方向の交流にある。哲学は、テクノロジーに関する（ほとんどが新しい）問いに光を当てるのを助ける一方で、テクノロジーは、哲学に関する（ほとんどが古くからある）問いに光を当てるのを助ける。私はその両方に一度に光を当てるために、この本を書いた。

本書で取り上げるテーマ

まず、最古の哲学の問題をいくつか、とくに外部世界の問題にテクノロジーを利用して取り組みたい。最低でも、デカルトの問いかけ、つまり「自分のまわりの現実をどのようにして知るのか？　現実が錯覚でないことをどうやって知るのか？」を説明するのにVRテクノロジーは役立つはずだ。第2章と第3章で、シミュレーション説を紹介することでこれらの問いを明確にしていき、「あなたがバーチャルの世界にいないことをどうやって知るのか？」という問いに答えよう。

だが、シミュレーションという概念は、これらの問いを説明する以上の働きをする。悪魔をもち出したデカルトの現実離れした問いを、コンピュータが関係する現実的なシナリオに、つまり私たちが真剣に取り組むべきシナリオに変えることで、問いを明確にする。第4章では、シミュレーションという概念が、デカルトの問いに対するこれまでの答えの多くを無意味にすることを話そう。第5章では、私たちは自分たちがシミュレーションの世界にいないことを知ることはできない、という主張を考察するために、シミュレーションに関する統計的推論を利用する。これらはすべてデカルトの問いをもっともむずかしいものにするだろう。

もっとも重要なのは、VRテクノロジーを考察することが、外部世界問題に答える助けになることだ。第6章から第9章でこれについて考えていく。もしも私たちがシミュレーションの世界にいるのならば、テーブルや椅子は錯覚ではなく完全にリアルなものだが、それらはビット（情報の基本単位）でできたデジタルのものになる。ここから現代物理学における〈ビットからイット（it-from-bit）説〉につながっていく。物理的なものはリアルであると同時にデジタルなのだという理論だ。現代のコンピュータがひらめきを与えた、シミュレーション説とビットからイット説というふたつの仮説を考えることが、デカルトの古典的な問いに答える端緒になるのだ。

デカルトの議論は次のようにとらえ直される。私たちは自分がバーチャル世界にいないことを確認できないし、バーチャル世界ではリアルなものは何もないので、私たちは何がリアルなものかを知らない。この議論は、バーチャル世界は真の実在ではないという仮定にもとづいている。だからバーチャル世界は真の実在である、とりわけ、バーチャル世界の事物がリアルであると主張できれば、私たちはデカルトの問いに答えられるのだ。

だが大げさにそれを主張してはならない。なぜなら、私の分析はデカルトの言ったことすべてに対処できてはいないし、私たちが外部世界をよく知っていることは証明できないからだ。それでも、この分析が機能すれば、古くから西欧で唱えられてきた、外部世界の知識を疑う懐疑論の最大の理由をつぶすことができる。それによって私たちは、まわりの現実に関する知識を持っているという主張を確立する足がかりが得られるのだ。

心に関する古典的な問いにもテクノロジーで光を当てることができる。「心と体はどのように相互作用するのか？」（第14章）。「意識とは何か？」（第15章）。「心は体を超えて拡張できるのか？」（第16章）。それぞれの章でVR、AI（人工知能）、ARというテクノロジーについて考えてみると、問いに光を当てることができる。逆も真なりで、それぞれの問いを考察することで、テクノロジーに光を当てることになる。

ここで断っておきたいのは、意識と心に関する私の見方は本書の中心テーマではないことだ。[3] その点についてはこれまでに考察してきており、本書はその考察とはほとんど独立している。だから、意識に関する私の見解に反対の人も、リアリティ（実在）に関する私の意見を気に入ってもらえることを願っている。とはいうものの、そのふたつの分野には多くの結びつきがある。だからとくに第15章と第16章は、「VRは真の実在である」というテーマに次のひねりをつけ加えるものと見ることもできる。つまりこういうことだ。「バーチャルな心と拡張された心は真の心である」

さらにテクノロジーは、価値と倫理に関する古典的な問いにも光を当てる。価値は、良い悪い、およびその比較の分野の話であり、倫理は正しい、まちがっているの分野の話だ。「何が良い暮らしをつくるのか?」(第17章)。「正しい、まちがっているの違いは何か?」(第18章)。「社会はどのように組織化されるべきか?」(第19章)。私はこれらのテーマに関する専門家ではないが、少なくともテクノロジーはそこにおもしろい視点を与えるはずだ。

ほかの章では、長きにわたり神聖視されてきた哲学上の問いをとりあげる。「神は存在するのか?」(第7章)。「宇宙は何でできているのか?」(第8章)。「言語はリアリティをどのように記述するか?」(第20章)。「科学はリアリティについて何を教えてくれるのか?」(第22、23章)。VRは真の実在である、と私たちが主張するためには、こうした古くからある問いを熟考しなければならないことがわかる。やはりここでも光は双方向のもので、テクノロジーについて考えることは古典的な問いを照らすことにもなるのだ。

また私は、テクノロジーに関する新しい問い、とりわけバーチャル世界のテクノロジーに関する問いに哲学を利用して取り組んでみたい。問いの対象は、ゲームからARグラス、VRヘッドセット、全宇宙のシミュレーションまで多岐にわたる。

〈VRは真の実在である〉という中核テーマについてはすでに話した。VRが関係するところでは、次のような問いかけをしていく。「VRは錯覚なのか？」（第6、10、11章）。「バーチャルな事物とは何か？」（第10章）。「ARは本当に現実を拡張しているのか？」（第12章）。「VRの中で良い人生を送れるのか？」（第17章）。「バーチャル世界ではどのようにふるまえばいいのか？」（第19章）

そのほかのテクノロジー、AIやスマートフォン、インターネット、ディープフェイク（ディープラーニング技術を活用して作成されたフェイクメディア）、コンピュータについても触れたい。「自分がディープフェイクにだまされていないことをどうやって知るのか？」（第13章）。「AIは意識を持つことができるのか？」（第15章）。「スマートフォンは私たちの心を拡張するのか？　インターネットは私たちを賢くするのか、バカにするのか？」（第16章）。「コンピュータとは何か？」（第21章）

これらはすべて哲学の問いだが、その多くはきわめて実際的な問いでもある。ゲームやスマートフォン、インターネットの使い方について、私たちは今すぐに決断をくださなければならない。これからの数十年間で、私たちが直面する実際的な問いは増えていくだろう。バーチャル世界で過ごす時間が増えるにつれて、そこでの生活が満ちたりた生活かどうかという問題に取り組まなければならなくなる。最終的には、自分をクラウドの世界にアップロードするかどうかを決断するときが来るかもしれない。哲学的に考えることは、人生をどう生きるかという決断を明確にしてくれるだろう。

本書を読み終わるまでに、あなたは哲学における中心的な問いの多くを知ることになる。その中で、数百年、数千年前の歴史的偉人や現代の人物やこの数十年続いている議論に出会うだろう。本書では哲学の中心テーマの多く、たとえば、知識、実在、心、言語、価値、倫理、科学、宗教などをとりあげている。これらのテーマを考えるうえで哲学者たちが開発してきた強力なツールについても紹介しよう。とはいえ、本書で示すのはひとつの見方にすぎず、重要な哲学の多くがとりあげられずに残っている。それでも本書を読み終えたときに、あなたは過去と現在における哲学の景色の一部に触れられたことを実感できるはずだ。

あなたがこうした問題をじっくりと考えられるように、できるかぎりSFなどの大衆文化と関連を持たせて話している。多くのSF作家はこれらの問題について、哲学者に負けないくらい掘り下げて考えてきた。これまで私はSFについて考えることで、新しい哲学的アイデアを何度も得てきた。SFが問題を正しくとらえていることもあれば、まちがっていることもある。どちらにしても、それが提示するシナリオは実り多い哲学的分析をもたらしてくれるのだ。

私が思う、哲学を紹介する最良の方法は、自分で哲学を「実践する」ことだ。だから、多くの章の冒頭に、バーチャル世界と関連する哲学的問題を置き、その哲学的背景を説明している。それからすぐに、その問題について深く考察しはじめる。バーチャル世界の内側と外側から問題を分析し、リアリティ+の見方を支持できるように議論を組みたてていく。

その結果、本書は私がこれまでに書いてきたものと同じで、私自身の哲学的テーゼと議論に満ちている。一部の章は、私が学術論文で論じたことをくり返しているが[4]、半分以上はまったく新しいものだ。だから、あなたが哲学にくわしくても、ここから得られるものがあることを願っている。オンラインサイト（consc.net/reality［英語］）による補足では、本書でとりあげた問題をより深く追究するために、ときに学術論文までも紹介している巻末の注記と付録の拡大版を載せている。

本書の構成

本書は7部構成になっている。第1部（第1、2章）では、本書の中心となる諸問題と、大きな役割を果たすシミュレーション説について紹介する。第2部（第3〜5章）では、知識に関する問題に焦点を当てる。とくに、外部世界の知識に懐疑的だったデカルトの主張を見ていく。第3部（第6〜9章）は、リアリティ（実在）に関する問題を中心にし、VRは真の実在であるという私の主張を展開する。

次からの3つの部では、VRは真の実在であるという主張について、さまざまな面を見ていく。第4部（第10〜13章）では、実際のVRテクノロジー（VRヘッドセット、ARグラス、ディープフェイク）に焦点を合わせることで現実の世界に引き戻す。第5部（第14〜16章）は心に関する問いをテーマとする。第6部（第17〜19章）は価値と倫理に関する問いに焦点を合わせる。最後の第7部（第20〜24章）では、リアリティ＋のビジョンを完成させるために必要な言語、コンピュータ、科学に関する基本的な問題を見ていく。最後の第24章では、デカルトの外部世界問題がどうなったのかを確かめるために、すべてのピースをひとつにまとめる。

読者によってさまざまな読み方がなされていいだろう。第1章は全員が読むべきだが、そこから先は好きな方向に進んでもらってかまわない。巻末注では、あなたの興味に応じて進むべき道を提示している[5]。多くの章はおおむね独立している。第2、3、6、10章はそれ以降の章の背景を説明しているのでとても有益だが、必読のものではない。

ほとんどの章では、本文の前に前置きの材料を置いた。ときに議論は、各章の終わりに向け、本の終わりに向けて深くなっていく。もっと薄い本や軽い読み物を求めている人は、各章の冒頭のふたつか3つの節を読んで、あとは飛ばして、次の章に進んでもいいだろう。

私たちは今、真実とリアリティが攻撃を受けている時代に生きている。真実が意味をなくしたポスト真実（トゥルース）〔客観的事実より感情に訴えかける情報のほうが強く世論を動かしていくような情勢〕の政治の時代にいると言われることもある。絶対的真実も客観的リアリティもないという発言はよく耳にする。リアリティはすべて人の心の中にあるので、何がリアルかは人次第だ、と考える人もいる。本書は複数のリアリティを提示するために、真実やリアリティは安っぽいものだと言いたいのだろう、と最初は思われるかもしれないが、それは違う。

私の見方はこうだ。「人の心はリアリティの一部だが、心の外には膨大な量のリアリティが存在する。リアリティは私たちの世界を内包し、それ以外にも多くを内包しているかもしれない。私たちは新しい世界と新しいリアリティの一部をつくることができる。私たちはリアリティについて少ししか知らないが、より多くを知ろうと努力することは可能だ。リアリティには私たちが決して知ることのできない部分もあるのかもしれない」

もっとも重要なのは次のことだ。「私たちとは独立した形でリアリティは存在する。真実は重要だ。リアリティに関する真実もあり、私たちはそれを見つけようと努力することができる。複数のリアリティが存在する時代でも、私は客観的リアリティがあると信じている」

第1部

バーチャル世界に関する重要な問い

第1章

これは実在するのか？

イギリスのロックバンド、クイーンの1975年のヒット曲『ボヘミアン・ラプソディ』は、リードボーカルであるフレディ・マーキュリーが歌う5つのパートのハーモニーで始まる。[1] そこで、これは現実か、それともただの幻想にすぎないのか？と問いかけるフレーズがある。

この問いかけには歴史がある。古代の偉大な哲学者3人（中国とギリシア、インドにいた）が、クイーンと同じ問いを発している。

3人の問いは、リアリティ（実在）に関する問いを言いかえたものでもある。

「これは現実なのか、それともただの夢？」
「これは現実なのか、それともただの錯覚？」
「これは現実なのか、それともただの現実の影？」

今日の私たちは次のように問いかけてもいい。

「これは現実なのか、それともただのVR？」

夢と錯覚、影は、古代においてバーチャル世界に相当するものだと言えよう。ただ、そこにコンピュータはない。荘子（そうし）と古代インドとプラトンの時代から2000年間は発明されなかったからだ。

コンピュータのあるなしにかかわらず、これらのシナリオは、哲学におけるもっとも深い問いかけを浮かびあがらせる。こうした問いを紹介し、バーチャル世界に関する考察のガイドとするために、これらのシナリオを利用することができる。

荘子の蝶の夢

荘子（荘周）は紀元前300年ごろの古代中国に生きた哲学者で、道教の始祖のひとりだ。彼は「胡蝶（こちょう）の夢」という有名な故事でこのシナリオを語っている。[2]

あるとき荘子は自分が胡蝶（蝶のこと）になった夢を見た。ひらひらと飛びまわり、彼はとても幸せで、飛んでいることが楽しかった。自分が荘子であることを知らなかった。突然に目が覚めると、自分は荘子でたしかにそこにいることがわかった。だが、はたして自分は蝶になった夢を見ていたのか、それとも今の自分は蝶が見ている夢なのかわからなかった。

荘子の蝶の夢：荘子が蝶になった夢を見ていたのか、それとも蝶が荘子になった夢を見ていたのか?

荘子は、自分が経験している荘子としての人生が本当のものかわからなかった。蝶のほうが本物で、荘子は夢かもしれない。

夢の世界は、コンピュータのないバーチャル世界だと言えるだろう。自分は今夢の中にいるという荘子の話は、自分は今バーチャル世界にいるという説のコンピュータをなくしたバージョンなのだ。

ウォシャウスキー姉妹が脚本を書き、監督をした1999年の映画『マトリックス』のプロットには、すばらしい類似が見られる[3]。主人公のネオは平凡な生活を送っていたが、あるとき赤い薬を飲んで寝て、目覚めると別の世界にいた。そこでネオは、彼がいた世界はシミュレーションだと聞かされる。もしもネオが荘子のように深く考えたならば、こう思っただろう。「前の人生が本物で、今の新しい人生がシミュレーションなのかもしれない」。そう考えて当然だろう。退屈でつまらない前の世界に比べて、新しい世界は戦いと冒険の世界で、ネオは救世主として扱われているからだ。ネオが飲んだ赤い薬はしばらくのあいだ彼の意識を失わせ、そのあいだにネオは、ワクワクするシミュレーションの世界と接続されたのかもしれなかった。

ひとつの解釈において、荘子の「胡蝶の夢」は知識に関する問いを提起する。「自分が今、夢を見ていないとわかる人はいるのか？」。これは序章で示した問いの親戚だと言えよう。「自分が今、バーチャル世界にいないことをわかる人はいるのか？」。

これらの問いはもっと根本的な次の問いにつながる。「自分の経験していることが本当のことだとわかる人はいるのか？」

ナーラダの変身

古代インドの哲学者たちは、錯覚と現実の問題に魅了されていた。[4]〈ナーラダの変身〉という民話では、その問題の中心的モチーフが見られる。複数のバージョンを持つ話だが、そのひとつでは、苦しい修行の末に賢人ナーラダはヴィシュヌ神に次のように言った。「私は錯覚を克服できるようになりました」。ヴィシュヌ神はナーラダに錯覚の真の力（ヴィシュヌの持つマーヤーという不思議な力）を見せてやろうと約束した。朝、目覚めると男性のナーラダはスシラという女性になっており、ナーラダとしての記憶をすべて失っていた。スシラは王様と結婚し、妊娠し、ついには8人の息子と多くの孫に恵まれた。だが、あるとき敵が攻めてきて、スシラの息子と孫全員が殺された。悲嘆に暮れるスシラ王妃の前にヴィシュヌ神が現れた。「なぜ悲しんでいる？　これは錯覚にすぎないのだ」。気づくと、ナーラダは元の体に戻っていて、ヴィシュヌ神と会話を交わしてから1秒しか経っていなかった。スシラとしての人生と同じように、自分の人生も錯覚なのだ、と彼は思った。

スシラとしてのナーラダの人生はバーチャル世界の人生と似ている。それは、ヴィシュヌ神が作成し、動かしたシミュレーションなのだ。ヴィシュヌ神は、ナーラダの日常の世界もバーチャル世界だと思わせた。

ナーラダの変身と似たエピソードが、アメリカのテレビアニメシリーズ『リック・アンド・モーティ』にある。次元間の移動を可能にした科学者リックとその孫モーティの年代記だ。あるときモーティはVRヘルメットをつけて、『ロイのよき人生』というタイトルのゲームをプレイしていた（女性が主人公で『スーのよき人生』というゲームならば、ナーラダの話ともっと似るのだが、それは望みすぎだろう）。モーティはロイとして55年の人生を生きた——子ども時代、フットボールのスター選手、引退後はじゅうたんのセールスマン、そしてガンになり、死を迎える。モーティがバーチャル世界から戻ってくるとすぐに祖父のリックから、シミュレーションの中でまちがった人生の選択をしたことをひどく叱られた。これは、このアニメシリーズでくり返し語られるテーマだ。日常的なシチュエーションにいるように見える主人公たちが、じつはシミュレーションの世界にいたことがわかる。だから視聴者は、彼らが今いるのは現実なのかバーチャル世界なのか、

ヴィシュヌ神は『リック・アンド・モーティ』のリック博士のように、スシラに変身したナーラダを監督している

とたびたび考えさせられるのだ。

ナーラダの変身は、現実に関する深遠な問いを投げかける。スシラとして生きたナーラダの人生は本物なのか、錯覚なのか？　ヴィシュヌ神は錯覚だと言ったが、それが正しいかどうかわからない。『ロイのよき人生』などのバーチャル世界についても同様の問いかけができる。「これは現実なのか錯覚なのか？」。さらには、より切迫した問いも浮上してくる。ナーラダが変身した人生と同じように、私たちの日常生活も錯覚かもしれない。「私たちのいるこの世界は現実なのか錯覚なのか？」

プラトンの洞窟

荘子と同じ時代に、古代ギリシアの哲

学者プラトンは洞窟の寓話を考えだした。『国家』という長大な対話篇でプラトンは、洞窟で鎖につながれた囚人の話をしている。縛られている彼らは振りむくことができない。囚人たちの背後で、人形をあかりにかざすと、囚人たちの目の前の壁面に人の影絵が映る。その影しか知らない彼らはそれを本物だと考えた。あるとき、囚人のひとりが脱走して、洞窟の外にある色に満ちた本当の世界に出会う。のちに彼は洞窟に戻ってきて、仲間に外の世界の話をするが、だれも信じようとしないのだった。

この影を見る囚人の話から映画館の観客を連想する。現在のテクノロジーを加味すれば、囚人はVRヘッドセットをつけて映画を見ていることになる。2016年のモバイルテクノロジー会議で、フェイスブックCEOのマーク・ザッカーバーグが観客席の通路を歩く有名な写真がある。暗くした会場で着席している観客は全員がVR用ヘッドセットをつけているので、だれもザッカーバーグに気づいていない。これは現代版プラトンの洞窟の写真だ。

プラトンは複数の狙いを持ってこの寓話を語った。私たちの不完全な現実は、どこかこの洞窟に似ていると示した。また、自分の生きたい人生はどういうものか私たちに考えることをうながすためにこの寓話を利用した。プラトンの師であり、プラトンの思想を伝える代弁者でもあるソクラテスが、私たちは洞窟の中か外かどちらの人生を選ぶべきか、重要な一節で質問を提起している。

ソクラテス　一度洞窟を出た者は、洞窟の中の囚人たちをうらやましいと思ったり、洞窟の

21世紀版プラトンの洞窟

中で高く評価されている者や権力を持つ者と張りあっていくことを望んだりするだろうか？　それとも、ホメロスがうたった言葉と同じ心境になって、「貧しい小農となってでも地上に生きる」ことを望むだろうか？　囚人たちの言うことに同調し、洞窟にとどまって彼らと同じように生きるよりは、すべてを我慢するほうを選ぶだろうか？

グラウコン（プラトンの次兄）　囚人のような人間になるよりは、地上で何事も我慢することを選ぶでしょう。

この寓話は、価値に関する深遠な問いを投げかける。良い悪いについて、少なくともより良いか、より悪いかについて。洞窟の中と外の生活はどちらが良いか？　プラトンの答えは明確だった。「たとえ下働きでも外の世界で生きるほうがはるかに良い」。バーチャル世界に関しても、同じ質問を発することができる。「バーチャル世界と外の世界はどちらが良い人生だろうか？」。これはより根本的な問いをもたらす。「良い人生とはどういうものか？」

3つの問い

伝統的な見方のひとつでは、哲学は知識（私たちはどのようにして世界を知るのか？）と実在（世界の本質とは何か？）と価値（良いと悪いの違いは何か？）を探究する学問だとされる。

私が紹介した3つの話もそれぞれの問いを提示するものだ。知識：荘子はどのようにして自分が夢を見ていないことを知るのか？　実在：ナーラダの変身は実在の一部か、それとも錯覚なのか？　価値：プラトンの洞窟で良い人生は送れるのか？

3つの話は、夢と変身と影の話だったが、仮想性（バーチャリティ）の話に置きかえれば、バーチャル世界に関する3つの重要な問いが浮かびあがる。

第1の問いは、知識にかかわる荘子の胡蝶の夢という話から出たもので、私はこれを〈知識の問い〉と名づけよう。「自分がバーチャル世界にいるかどうか、私たちは知ることができるのか？」

第2の問いは、実在にかかわるナーラダの変身の民話から出たもので、私はこれを〈実在（リアリティ）の問い〉と名づける。「バーチャル世界はリアルなのか、それとも錯覚なのか？」

第3の問いは、価値にかかわるプラトンの洞窟の話から出たもので、私はこれを〈価値の問い〉と名づける。「バーチャル世界で良い人生は送れるのか？」

この3つの問いは、より一般的で哲学の中核をなす3つの問いにつながっている。「私たちはまわりの世界について何を知ることができるのか？」「この世界は本物なのか錯覚なのか？」「良い人生をもたらしてくれるものは何か？」

本書を通じて、知識と実在と価値に関する3つの問いは、バーチャル世界を探検することの中核をなし、哲学を探検することの中核をなす。

知識に関する問い：自分がバーチャル世界にいるかどうか、知ることができるのか？

1990年製作の映画『トータル・リコール』（2012年にマイナーチェンジでリメイクされた）では、観客は映画のどの部分がバーチャル世界でどれが現実世界の話なのかわからないままだ。アーノルド・シュワルツェネッガー演じる主人公のダグラス・クエイドは建設労働者だったが、地球と火星で数々のとんでもない冒険を体験する。映画の終わりでクエイドは火星の表面を眺めながら、これは現実のことなのかそれともバーチャル世界のことなのかと悩みはじめる（観客もそうだ）。だが、クエイドはバーチャル世界にいると思えるヒントが映画にはある。冒険の記憶を埋めこむことのできるVRテクノロジーがプロットの鍵となっているのだ。火星での英雄的な活躍は現実よりもバーチャル世界で起きた可能性が高く、クエイドがじっくり考えたならば、自分はバーチャル世界にいると判断するだろう。

では、今のあなたはどうだろうか？　あなたはバーチャル世界にいるのか現実世界にいるのかわかるだろうか？　あなたの人生はクエイドほどスリルに満ちたものではないだろう。でも、今バーチャル世界に関する本を読んでいることはあなたを不安にさせるかもしれない（それを書いている私はなおさら不安になる）。なぜだろうか？　シミュレーション技術が進歩すれば、シミュレーション実行者は、人々がシミュレーションについてどのように考えるかをシミュレートして、人々がどこまで真実に迫っているかを探るかもしれないからだ。ごく普通の人生を生きているように思えても、ここがバーチャル世界かどうか知る方法はないのだろうか？

正直に言おう。自分がバーチャル世界にいるのかどうか私にはわからないし、あなたにもわからない。決してわからないだろう。原理的に言って自分がバーチャル世界にいるということは確認できる可能性がある。たとえばシミュレーション実行者が自分の存在を参加者に知らせて、どのようにシミュレーションが実行されるのかを教えることもできる。だが、バーチャル世界にいないことは、決して確かめられないのだ。

確かめられない理由をこれからの数章であきらかにしよう。根本理由は第2章で話す。私たちがコンピュータ・シミュレーションの中にいないことを絶対に証明できないのは、通常の実在であることを示すどんな証拠も、おそらくシミュレートできるからだ。壮大な自然も、ネコのユーモラスな仕草も、人々の行動もすべてシミュレートできる。

何世紀ものあいだ多くの哲学者が、私たちがバーチャル世界にはいないことを確かめる方法を考えてきた。第4章で、それらの方法について紹介し、それがうまくいかないことを話そう。ここまで来ると、私たちがバーチャル世界にいる可能性を真剣に考えるべきときだ。哲学者のニック・ボストロムは、一定の前提における統計的推論から、宇宙にはシミュレートされていない人よりも、シミュレートされた人のほうが多く存在すると主張してきた。それが正しいのならば、私たちはシミュレーションの中にいる可能性が高いと考えるべきだ。第5章では、次のようなもう少し弱い結論について論じよう。「これらすべてを考えあわせると、自分たちがシミュレーションの世界にいないことを、私たちは決して確かめられない」

この判断はデカルトの問題（あなたは自分の外にある世界の現実をどうやって知るのか）に対する重要な答えになる。自分たちがバーチャル世界にいるかどうかわからないうえに、バーチャル世界にあるものがすべてリアルではないとするならば、外部世界のすべてがリアルであるかどうか私たちにはわからない。よって、私たちは外部世界を何も知ることはできないようなのだ。

とてもショッキングな結論だ。私たちはパリがフランスにあるかどうかもわからない。私は自分がオーストラリアで生まれたこともわからない。自分の前に机があることも確認できない。

多くの哲学者がこのショッキングな結論を回避しようと、知識の問いに肯定的な答え（私たちはシミュレーションの世界に自分がいないことを知ることができる）を出そうとした。それを知ることができれば、外部世界についてある程度はわかることになる。しかしながら、私が正しければ、それを頼りに安心することはできない。私たちはシミュレーションの世界に自分がいないことを知ることはできないのだ。それによって、外部世界に関する知識の問いはさらに難問になる。

実在の問い：バーチャル世界はリアルなのか錯覚なのか？

ＶＲについて議論されるとき、いつも同じ文句がくり返される。「シミュレーションは錯覚だ」「バーチャル世界はリアルではない」「バーチャルの事物は本当には存在しない」「ＶＲは真の実在ではない」

この考えは映画『マトリックス』の中でも見られる。シミュレーションの世界にある待合室で主人公のネオは念力でスプーンを曲げている少年を見かける。ふたりは会話を交わす。

少年　スプーンを曲げようとしちゃダメだよ。それは無理。その代わりに、真実を見ようとすればいいんだ。

ネオ　真実って?

少年　スプーンなんてないんだ。

「スプーンなんてない」という言葉が深遠な真実として提示される。マトリックス内のスプーンは本物ではなく錯覚にすぎない。それが含意するのは、マトリックスの中で経験することはすべて錯覚だということだ。

アメリカの哲学者のコーネル・ウェストは映画『マトリックス・リローデッド』と『マトリッ

クス・レボリューションズ』の両編に地下都市ザイオンのウェスト評議員役で出演したが、彼はDVD版のコメンタリーで、錯覚説をさらに推し進めている。マトリックスから覚醒することについてウェストは「あなたが覚醒したと思うことも、別の錯覚かもしれない。端から端まですべて錯覚なのだ」。この発言は、ヴィシュヌ神の言葉と重なる。「シミュレーションは錯覚であり、普通の現実もまた錯覚かもしれない」

テレビドラマシリーズの『アトランタ』でも同趣旨のことが語られる。登場人物3人が深夜にプールサイドに座ってシミュレーション説について話しあっている。ナディンは納得する。「私たちは無なのね。これはシミュレーションなのよ、ヴァン。私たちはフェイクっていうわけね」。シミュレーションの世界にいるのなら、私たちは本物ではないとナディンは当たり前のように思っている。

この主張はまちがっている。私の考えはこうだ。「シミュレーションは錯覚ではない。バーチャル世界はリアルだ。バーチャルの事物は真に存在する」。マトリックスの少年は次のように言うべきだったと思う。「真実を見ようとすればいいんだ。ここにスプーンがある。それはデジタルのスプーンなんだ」。ネオの世界は完全にリアルだ。そしてナディンの世界も。たとえ彼女がシミュレーションの中にいるとしても。

これは私たちの世界にも当てはまる。たとえ私たちがシミュレーションの中にいたとしても、その世界はリアルなのだ。そこには依然としてテーブルも椅子も人も存在する。町もあれば、海も山もある。もちろんそこには多くの錯覚が存在し、私たちは自分の感覚にだまされ、人々にだ

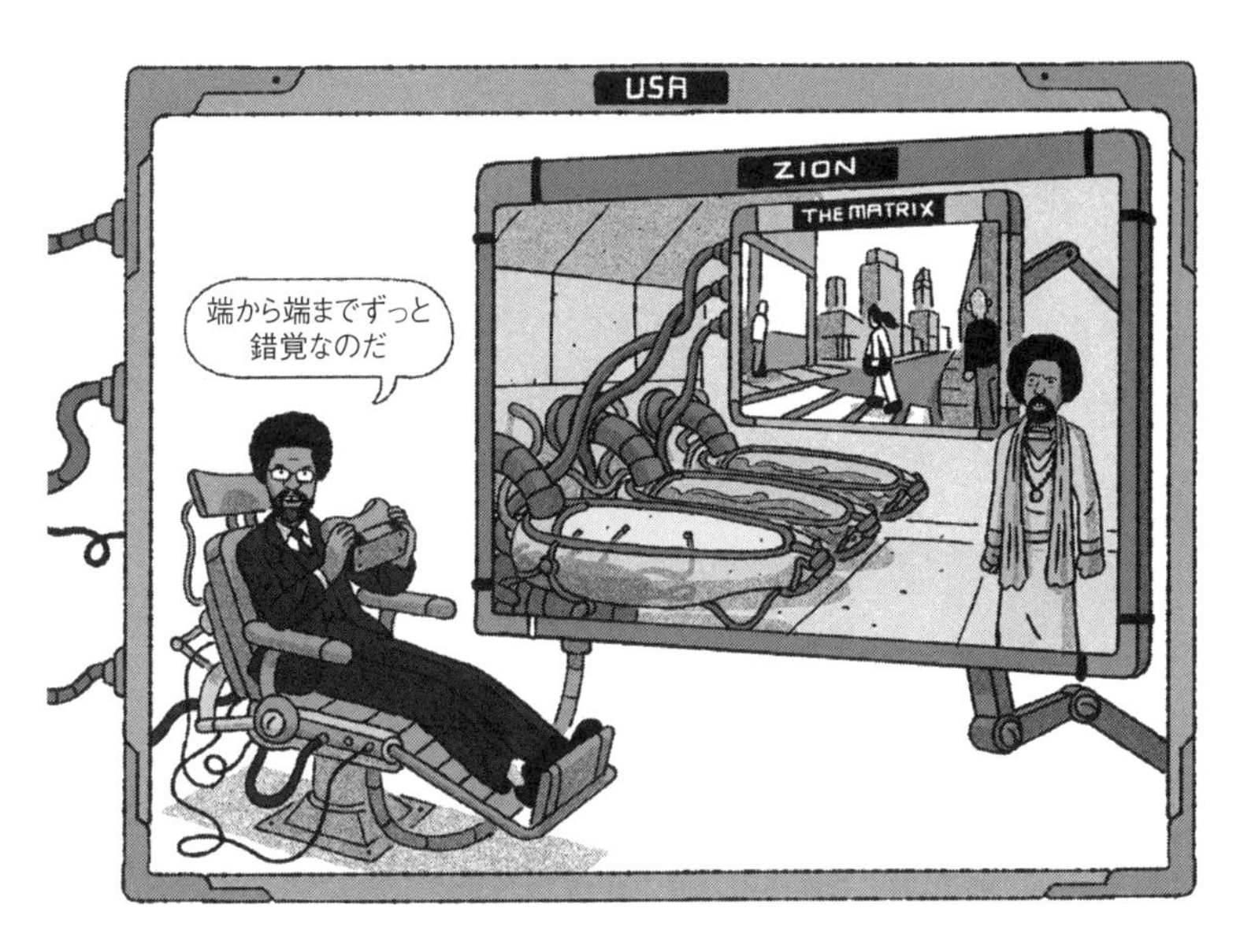

ザイオンのウェスト評議員としての人生から目覚めた哲学者のコーネル・ウェスト。錯覚と現実

まされることもあるだろう。それでも私たちのまわりにある普通の事物はリアルなのだ。

では、「リアル」とはどういう意味だろうか？　なかなかむずかしい。「リアル」という言葉は確固たるひとつの意味に限定できない。第6章では「リアル」であるために必要な5つの基準を話すつもりだ。私たちがシミュレーションの世界にいるとしても、私たちが知覚するものはすべて、そのリアルの基準を満たしているのだ。

それではヘッドセットをつけて体験する一般的なVRはどうなのだろう？　ときどき錯覚が含まれることはある。もしも自分がVRの世界にいることを知らずに、バーチャルの事物を本物だと思っていたら、あなたはまちがっている。だが、第11章で説明するが、経験豊富なVRユーザーは自分がVRを使っていることを知っているから、そこに錯覚は必要ない。VRの中でリアルなバーチャル事物を経験しているのだ。

VR（仮想現実）は現実とは異なる。バーチャルな家具は現実の家具と同じではない。バーチャルの存在物は、コンピュータと情報処理プロセスでできたデジタルの存在物だ。簡単に言うと、ビットでできている。コンピュータ内にあるビットパターンにもとづいたリアルなものだ。だからあなたがバーチャルのソファと相互作用すれば、ビットパターンと相互作用することになる。ビットパターンはリアルなものだから、バーチャルなソファもリアルなのだ。

「バーチャル・リアリティ」はときどき「フェイク・リアリティ」だとみなされる。それはまちがった定義だと私は考える。VRは「デジタル・リアリティ」に近いものを意味している。バーチャルな椅子やテーブルはデジタルプロセスでできていて、それは物質の椅子やテーブルが原子とクォークで、最終的には量子プロセスでできているのと同じだ。バーチャルな事物は現実の事物とは違うが、どちらも等しくリアルなのだ。

私が正しければ、ナーラダの女性としての人生もすべてが錯覚だったとは言えない。フットボールのスター選手やじゅうたんのセールスマンになったモーティの人生もそうだ。ふたりが経験した長い人生は本当に起きたことなのだ。バーチャルな世界でのことだが、ナーラダはスシラとして本当に人生を生きたし、モーティも本当にロイの人生を生きた。

この見方は、外部世界問題に関する重要な答えとなる。たとえ、自分がシミュレーションの中にいるのかどうかわからなくても、自分のまわりにあるものがリアルなのかどうかわからない、という主張がそのあとに続くことはない。シミュレーションの世界にいるのならば、テーブルはリアルなもの（ビットパターンでできている）だし、現実世界にいるのならば、テーブルはリアルなもの（ビットパターン以外の材料でつくられている）だと言える。つまり、どちらの場合でも、テーブルはリアルなのだ。この見方は、外部世界問題に新しいアプローチを与えてくれる。それを本書の中で説明していこう。

価値の問い：バーチャル世界で良い人生は送れるのか？

SF作家のジェームズ・E・ガンが1954年に著した『不幸な男（*The Unhappy Man*）』という小説では、[5]ヘドニクスという企業が「幸福に関する新しい科学」を用いて、人々の人生をよくしようとする。人々は「sensies（センシーズ）」という一種のバーチャル世界に移る契約書にサインをする。センシーズではあらゆるものが完璧に整えられていた。

われわれはあらゆるお世話をいたします。あなたが人生で二度と困ることのないようすべての準備をします。この不安の時代に、あなたは二度と不安になることはありません。この恐怖の時代に、二度と恐怖を覚えることはありません。衣食住はつねに満たされていて、つねに幸福です。あなたは愛を与え、愛を受けとるでしょう。あなたにとって人生は純粋な喜びなのです。

ガンの描く主人公は、ヘドニクス社に人生すべてをゆだねるのを拒否した。

アメリカの哲学者ロバート・ノージックは1974年の著書『アナーキー・国家・ユートピア』[6]で、読者に同種の選択を提案した。

あなたが望む経験を何でも与えてくれる〈経験機械〉があるとしよう。優秀な神経心理学者たちがあなたの脳をシミュレートして、望みをかなえてくれる。それによって、偉大な小説を書く、友人をつくる、おもしろい本を読むときの思考と感情を経験できる。そのあいだ、あなたは水を張ったタンクの中に浮かんでいて、脳には電極がとりつけられている。あなたはこのマシンのプラグを差しこんで、人生の経験をプログラムし直すべきだろうか？

ガンのセンシーズとノージックの経験機械は一種のVR機器だ。ふたりは尋ねる。「選べるならば、この種のつくられた現実にあなたの人生を費やしますか？」

ガンの主人公と同じように、ノージックも「ノー」と言い、読者にも同じことを期待する。ノージックは経験機械を二流の実在だと見ているようだ。ユーザーはマシンの中で経験していることを実際には経験していない。これでは真に自律した人間とは言えない。ノージックによると、経験機械の中での人生はたいして価値も意味もないのだ。[7]

ノージックに賛同する人は多いだろう。2020年に哲学を職業とする人々に尋ねた調査[8]では、経験機械に入りたいと答えた人は回答者のわずか13パーセントで、77パーセントが拒否した。より規模の大きい調査でも、ほとんどの人がノーと答えた。だが、バーチャル世界が身近なものになっている今、イエスと答える人の数は増えつつある。

一般的なVRに関しても同じ質問ができる。VRを体験する機会があったら利用しますか? それは妥当な選択ですか? あるいは、価値の問いを直接ぶつけてみてもよい。「VRで価値や意味のある人生を送れますか?」

普及しているVR機器はノージックの経験機械とは異なる点がある。VR世界にいることを自覚しているし、多くの人が同じVR環境に入ることができる。さらに一般のVR機器はあらかじめすべてをプログラムしてはいない。インタラクティブなバーチャル世界では、台本どおりに動くことよりも、その場その場で選択をしていくことが多い。

それでもノージックは、2000年のフォーブス誌の記事で[9]、経験機械への否定的評価を一般のVR機器まで広げた。「たとえすべての人が同じVRに接続したとしても、そのコンテンツを真にリアルなものにするには充分ではない」。VRについてはこうも言った。「これが与える喜びは大きいので、大勢の人が昼も夜も多くの時間を費やすだろう。その一方で、残りの人々はそうした傾向を深く憂慮するのだ」

VRについてノージックの意見はまちがっていると思うが、それは第17章で論じよう。フルスケールのVRでは、ユーザーはみずからの選択によって人生を築いていき、周囲の人と深く交流し、意味も価値もある人生をかなえられるのだ。VRは二流の実在ではない。

2003年に運営を始め、これまでバーチャル世界を牽引してきた「セカンドライフ」は、日々の暮らしを築いていくサービスだが、そうした既存のバーチャル世界でさえも、とても価値のあるものになりうる。今のバーチャル世界には、適切な体や触覚、飲食の感覚、誕生と死など足りない要素は多いが、それでも大勢の人が意味のある関係を結び、アクティビティを楽しんでいる。足りない要素の多くは、将来登場する完全没入型VRによって克服されるはずだ。原理的に、VR内での生活は、現実と同じくらい良くも悪くもなる。

すでに大勢の人がバーチャル世界で膨大な時間を費やしている。未来においては、もっと多くの時間を、あるいはほとんどの時間をVR内で費やすことも選べるだろう。そして私の予測が正しければ、それが妥当な選択にもなりうる。

これをディストピアだと思う人も多いだろうが、私はそうは思わない。たしかにバーチャル世界は現実世界と同じようにディストピアにもなりうるが、それはバーチャルだからという理由によるのではない。大半のテクノロジーと同じで、VRは使い方によって良くも悪くもなるのだ。

重要な哲学的問題

要約すると、バーチャル世界に関する重要な問いは次の3つだ。実在に関する問い：バーチャル世界はリアルなものか？（私の答えはイエスだ）　知識に関する問い：私たちは、自分がバーチャル世界にいるかどうかわかるのか?(私の答えはノーだ)　価値に関する問い:バーチャル世界で良い人生を送ることができるか?(私の答えはイエスだ)

このリアリティ、知識、価値に関する問いは、次の3つの重要な哲学的問題に合致する。

1. 形而上学(けいじじょう)、すなわち実在の研究。形而上学は次のような問いを発する。「実在の本質は何か?」

2. 認識論、すなわち知識の研究。認識論は次のような問いを発する。「私たちはどのようにして世界を知ることができるのか?」

3. 価値理論、すなわち価値の研究。価値理論は次のような問いを発する。「良いと悪いの違いは何か?」

単純化するとこうだ。「これは何?」が形而上学、「どうやって知るのか?」が認識論、「それは良いことなのか?」が価値理論。

つまり私たちが、実在、知識、価値に関する問いを発しているときは、バーチャル世界に関する形而上学と認識論、価値理論について考えていることになる。

バーチャル世界に関する哲学的問いは、ほかにも次のようなものがある。

心に関する問い:バーチャル世界で心のありかはどこか?[10]

神に関する問い:もしも私たちがシミュレーションの世界にいるのならば、そこに神は存在するのか？
倫理に関する問い：バーチャル世界で私たちはどのように行動すればいいのか？
政治に関する問い：バーチャル社会をどのように築くべきか？
科学に関する問い：シミュレーション説は科学的なものか？
言語に関する問い：バーチャル世界における言語の意味は何か？

重要な3つの問いと同じように、これら6つの問いもそれぞれが哲学の領域に対応している。[11]順に、心の哲学、宗教哲学、倫理学、政治哲学、科学哲学、言語哲学となる。

それぞれの領域で6つの問いに対応する伝統的な問いはなじみがあるだろう。「実在する世界で心のありかはどこか？」「神は存在するのか？」「他人とどう接するべきか？」「どのように社会を組織するべきか？」「実在について科学は何を教えてくれるのか？」「言語の意味は何か？」

バーチャル世界の問いに取り組むにあたり、私はできるだけこれらの伝統的な問いに結びつけるように努める。そうすれば、答えは私たちの人生におけるバーチャル世界の役割を理解する助けになるだけでなく、実在それ自体をより理解する助けになるからだ。

哲学的問いに答える

哲学者は問いを投げるのは得意だが、答えるのはそれほど得意ではない。2020年に私は共同研究者のデイヴィッド・ブルジェとともに、哲学を職業とする約2000人を対象に、哲学における重要問題100問について尋ねる調査をおこなった[12]。だれも驚かなかったが、ほとんどの問題で答えはバラバラだった。

ときどき哲学者はある問いに答えを出すことがある。アイザック・ニュートンは自分のことを哲学者だと考えていた。彼は宇宙と時間に関する哲学的問いに取り組み、そのいくつかで答えを出した。その結果、物理学という新しい学問が生まれたのだった。その後、似たような経緯で、経済学、社会学、心理学、現代論理学、形式意味論〔自然言語を形式体系としてとらえ、その意味を形式的に記述する学問〕などが生まれた。これらはすべて哲学者が単独か共同で、重要な問いに明快な答えを出したことで、派生的に新しい学問に発展していったのだ[13]。

哲学は事実上、他の学問の培養器として機能している。哲学者が哲学的問いに厳密に取り組む方法を考えだしたとき、その方法が派生して新しい分野と呼ばれる。この何世紀ものあいだ、哲学はとても栄えてきたので、今に残されているのは、哲学者が取り組んでいる最中の難問が詰まったカゴなのだ。哲学者の答えがバラバラなのはそのためだ。

それでも私たちは問題を提示して、できるかぎり答えようと努力することはできる。ときどき幸運にも、すでに答えを待っている状態の問いに出会える。答えが出せなくても、取り組むことに価値があることも多い。少なくとも、問題を提示して、答えを探すことは、その主題の理解を深めることにつながる。その理解を足場にして、他の者がいつかは正しい答えを得るのだ。

本書では、これまで私が提示してきた問いのいくつかに取り組むつもりだ。あなたが私の答えに全面的に賛成することは期待していないが、この試みから理解を深めてくれることを望んでいる。ツキがあれば、だれかの足場になるものを示せるかもしれない。そういうわけで、哲学から発したバーチャルな世界に関する問いが、いつかはバーチャル世界に関する新しい学問にまで発展することを、私は願っているのだ。

第2章
シミュレーション説とは何か？

「アンティキティラ島の機械」は、ギリシアのアンティキティラ島沖に沈んでいた難破船から1901年に発見された。推定で2000年も前の機械である。機械部分は青銅製で、横幅が13インチ（約33センチ）の木の箱に収められていた。外見は置き時計に似ているが、複雑な装置で、30個かそれ以上の歯車によって正面と背面にある針と目盛りを動かす。20世紀に実施された骨の折れる解析によって、針は黄道帯(こうどうたい)における1日ごとの太陽と月の位置を示していることがわかった。表示は、古代ギリシアはロードス島にいた天文学者のヒッパルコスの理論にもとづいていた。近年、残されている文字と歯車の断片を数学的に解析した結果、それは当時知られていた5つの惑星の運行をも示しているという有力な証拠が得られた。アンティキティラ島の機械は、太陽系をシミュレートしようとしていたのだ。[1] これまで知られている中で、最古の宇宙のシミュレーションとなる。

これは機械的シミュレーションで、部品の位置がシミュレートする目標の位置を示す。アン

アンティキティラ島の機械の復元図。太陽と月の位置をシミュレートしていて、さらには5つの惑星の運行もシミュレートしていたと思われる

ティキティラ島の機械では歯車の動きが、星に対する太陽と月の動きを表そうとしている。それによって未来の日食の年を予測することに使えただろう。

機械的シミュレーションは今でもときどき利用される。有名な例では、サンフランシスコ湾と周辺環境のシミュレーションを目的としたもので[2]、サンフランシスコ市を出てすぐのところにある広さ1エーカー（約4000平方メートル）以上の巨大倉庫で実施された。それはサンフランシスコ湾の数分の1のスケールモデルで、潮の流れやそのほかの力をシミュレートするために、莫大な量の水を油圧装置により動かした。湾内に堰（せき）をつくる計画の有効性を検証する目的だったが、結果は悪く、堰がつくられることはなかった。

きわめて複雑なシステムの機械的シミュレーションはつくるのがむずかしい。そのため、シミュレーションの技術と科学は、20世紀なかばにコンピュータ時代が幕を開けるまで盛んになることはなかった。第二次世界大戦中にイギリスのブレッチリー・パークには政府の暗号学校が置かれていた。そこで、数学者のアラン・チューリングをはじめとする優秀な暗号解読チームは、エニグマ暗号機を利用したドイツ軍の暗号システムを分析し、シミュレートするために最初のコンピュータをつくった（その様子は映画『イミテーション・ゲーム』に描かれている）。戦後、数理物理学者のスタニスワフ・ウラムとジョン・フォン・ノイマンは、核爆発の際の中性子のふるまいをシミュレートするためにＥＮＩＡＣ（エニアック）コンピュータを利用した。

これらのモデルは最初のコンピュータ・シミュレーションだ。機械的シミュレーションは物理的メカニズムによって動くが、コンピュータ・シミュレーションはアルゴリズムによって動く。現代のコンピュータ・シミュレーションが惑星の位置を示すのに使うのは、針や歯車ではなくビットパターンだ。観察で得た惑星運行の法則をアルゴリズムに組みこんだシミュレーションは、ビットが惑星の位置を確実に示すように展開する。私たちはこの方法を使って、太陽系の正確なシミュレーションを実施でき、並はずれた正確さで火星の位置を予測できる。

コンピュータ・シミュレーションは科学と工学の分野に広く普及している。[3] 物理学と化学では原子や分子について、生物学では細胞や組織について、神経科学では神経回路網についてシミュレーションが実施される。工学では自動車や飛行機、橋、建物について、惑星科学では、数十年に及ぶ地球の気候について、宇宙論では既知の宇宙全体についてシミュレーションがおこなわれる。

社会の領域では、人間の行動に関して多くのシミュレーションが実施されてきた。[4] 早いところでは１９５５年にアメリカの運輸工学者ダニエル・ガーラウが、高速道路交通シミュレーションをテーマに博士論文を書いた。１９５９年に、選挙運動のメッセージがさまざまな有権者のグループに与える影響をシミュレートし、予測するサイマルマティクス社が設立された。同社のシミュレーションと予測は、1960年のケネディ対ニクソンのアメリカ大統領選挙で大きな成果をあげたと言われている。成果は誇張されているかもしれないが、それ以降、社会的、政治的シミュレーションは主流になった。広告会社、政治コンサルタント、ソーシャルメディア企業、社会科学者は当たり前のようにモデルをつくり、人間集団のシミュレーションをおこなっている。

シミュレーション技術は急速に進歩しているが、まだ完璧にはほど遠い。シミュレーションは通常、特定のレベルに限定された形でおこなわれる。人間集団のシミュレーションは、単純な心理学的モデルを使って人間の行動を近似するのであって、心理の基礎にある神経回路網までは通常シミュレートしない。同時に複数のシステムをシミュレートできる多重スケール・シミュレーションを扱うシミュレーション科学も進歩していて注目を集めているが、まだ限界がある。人間の脳内にある原子の動きをシミュレートして、人間の行動を予測する有効なシミュレーションはまだない。ほとんどのシミュレーションは、せいぜい対象システムの動きを大まかに予測するだけのものだ。

全宇宙のシミュレーションについても同じことが言える。現在のところ、巨大な単位（あるいは区画）に分割した宇宙の一領域に網をかける形で、宇宙の進化をシミュレートすることに絞っている。シミュレーションはこれらの区画が時間の経過とともにどのように進化し、相互作用するかを表す。一部のシステムは網の大きさを変えられるので、特定の領域にある区画を小さくして、より精緻な分析が可能になる。しかし、個々の星のレベルまで細かなシミュレーションはほとんどない。単独の惑星やそこにいる生命体は言わずもがなだ。

だが22世紀のうちに、人間の脳や行動をかなり正確にシミュレートできるようになるだろう。そのあとは、社会全体のシミュレーションが納得いくレベルでできるだろう。最後には、太陽系や宇宙、さらには全宇宙の原子レベルまでシミュレートできるかもしれない。そのようなシステムのシミュレーションでは、宇宙にある全実在に対応するビットがあるだろう。

人間の脳のあらゆる活動について精緻なシミュレーションが可能になったときには、シミュレーションの脳が意識や知性を持つ可能性を真剣に考えるべきだ。人間の脳や体の完璧なシミュレーションは人間とまったく同じふるまいをするのだから。それは独自の主観的視点を持つかもしれない。人間とまったく同じように周辺環境から経験を得るかもしれない。現時点の私たちは、人間がシミュレーションの中にいるという仮説を楽しむまであと一歩の位置にいる。

可能世界と思考実験

現実（リアリティ）にもとづいたシミュレーションもあれば、そうでないものもある。フランスの哲学者ジャン・ボードリヤールは1981年に著した『シミュラークルとシミュレーション』[5]の中で、現実を映す尺度によってシミュレーションを4つのフェイズに分けた。第1のフェイズは「リプレゼンテーション（表象）」で「現実の忠実な反映」を意味する。最後のフェイズは「シミュラークル」（虚像、イメージ、模造品などの意味を持つフランス語）で「現実とは無関係な」状態だ。ボードリヤールの話は文化的シンボルに関するものだったが、[6] 彼の分類の遠い親戚を利用すれば、同じようにコンピュータ・シミュレーションも4種類に分けられる。

ボードリヤールの「リプレゼンテーション」の同族であるシミュレーションは、現実の特定の一面をできるかぎり厳密に、地図がその地域を詳細に表すようにシミュレートするものだ。歴史シミュレーションは、ビッグバンや第二次世界大戦などの過去の出来事をできるかぎりくわしく再現することを目指す。水の沸騰（ふっとう）の科学シミュレーションは、水が沸騰したときに何が起きるかをシミュレートする。

現実に起こりうることをシミュレートしようとするものがある。通常、フライトシミュレーターは過去の飛行ではなく、起こりうることをシミュレートするのが目的だ。アメリカ陸軍は核戦争が起きたという想定でシミュレートをするかもしれない。

また、実際には起こらなかったが起こりえたことをシミュレートするものもある。進化においては、もしも巨大小惑星が地球に衝突しないで恐竜が絶滅しなかったらどうなったかを見るかもしれない。スポーツに関するものでは、1980年のモスクワ五輪をアメリカがボイコットしなければどうなったかをシミュレートするかもしれない。

最後に、ボードリヤールの「シミュラークル」の同族であるシミュレーションは、現実とはまったく異なる世界を描く。たとえば、重力のない世界や7次元宇宙を描くことができるだろう。

つまり、シミュレーションは実際の宇宙を理解する指針となるだけではなく、広く起こりうる複数の宇宙（ユニバース）を含む、全体宇宙（コスモス）の指針ともなりうるのだ。[7] 哲学者は後者の宇宙を「可能世界」と呼ぶ。

　私たちの生きる世界（つまり、この宇宙）で、私は哲学を職業とした。だが、近くにある可能世界では数学者になっているかもしれない。私がプロのスポーツ選手になる可能世界はもっと遠いところにあるだろう。現実世界でヒトラーはドイツの指導者になり、第二次世界大戦が起きた。ヒトラーが権力をとれず、第二次世界大戦が起きなかった可能世界もある。現実世界では、生命は地球で発展した。だが、太陽系が形成されなかった可能世界もある。それどころか、ビッグバンが起きなかった可能世界もあるのだ。

　コンピュータ・シミュレーションは、私たちがすべての可能世界を探究する役に立つ。全体宇宙（コズミック）シミュレーションで私たちの銀河（天の川銀河）が形成されない宇宙を試すことができる。進化シミュレーションでは、人類が進化しなかった地球を見て、軍事シミュレーションでは、ヒトラーがソ連に侵攻しなかった世界を見ることができる。個人のシミュレーションでは、たとえば私が専攻を数学から哲学に変えなかった場合を試すことができる。

　可能世界を探るもうひとつの方法は〈思考実験〉である。ただ考えてみるという実験だ。可能世界（もしくはその一部）を想定し、どうなるか考えるのだ。プラトンの洞窟は思考実験の例となる。洞窟の壁に映る影しか見ることのできない囚人を想定して、洞窟の外にいる人と比べて、囚人の人生はどのようなものかを考えた。荘子の胡蝶の夢も思考実験で、荘子は自分が蝶になった夢を見たのか、あるいは、蝶が荘子になる夢を見たのかどうやって確かめればいいのかを考えた。

　思考実験はＳＦ小説の燃料となる。哲学と同じで、ＳＦも起こりうる世界を探究する。どれもが思考実験で、SF作家はシナリオをつくり、それがどう動いていくかを見る。H・G・ウェルズは『タイムマシン』で、タイムマシンの発明された世界を用意して、それがもたらす結果を提示した。アイザック・アシモフは『われはロボット』で、知性を持つロボットを用意し、人間がロボットとどのように交流すればいいかを論じた。

アーシュラ・ル＝グウィンが1969年に著した『闇の左手』は、ゲセン星に住む人類には固定された性別（ジェンダー）がないという可能世界を描いている。[8] ル＝グウィンは1976年の「ジェンダーは必要か？」という記事で、「ジェンダーをなくしたときに何が残るのかを見つけようとした」と語り、その小説を紹介して次のように書いている。

あなたは、この本とほかの多くのSF小説を思考実験として読むこともできる。たとえば、若い医師が研究室で人間をつくり出したら（メアリー・シェリーの『フランケンシュタイン』）、第二次世界大戦で連合国側が負けたとしたら（フィリップ・K・ディックの『高い城の男』）、あれがああなったりこうなったりしたら、どうなるか……。ストーリーが考えだされるとき、現代小説にふさわしい道徳的複雑性は犠牲にするべきではないし、はじめから結果を決めておくべきでもない。思考や直観は実験の条件が定めた範囲内で自由に動きまわっていい。そして、その条件はとてもスケールの大きなものだ。

思考実験は多くの洞察を生む。ル＝グウィンの思考実験は、ジェンダーに起こりうることを示

アーシュラ・ル＝グウィンの思考実験：「ジェンダーをなくしたときに何が残るのか？」

して、私たちが可能性について理解するのを助けてくれた。ロバート・ノージックの経験機械に関する思考実験は、価値に関する洞察となり、私たちにとって価値のあるもの、ないものを明確にしてくれる。荘子の胡蝶の夢は知識に関する洞察で、私たちに知ることができるもの、できないものは何かを教えてくれた。

思考実験は一部の概念（時間と知性）について、その境界を広げる。ほかの概念（知識と価値）については、反対に境界を定めることを助ける。境界を探索することで、時間の本質や知りたいことに関する知識が得られるのだ。

ありそうもないことを考える思考実験もあるが、それでも私たちにリアリティについて教えてくれることは多い。ル＝グウィンはジェンダーに関する小説を書いたことについて、「精巧な状況的嘘を練りあげるという小説家の流儀で、心理学的実在の一面を描いた」と語っている。ジェンダーのないゲセン星人は実際には存在しないかもしれないが、彼らの本質が持ついろいろな側面は、ノンバイナリー〔男性にも女性にも分類されない性別認識〕を含め、多くの人の実体験と共鳴するかもしれない。ロボットが搭載するＡＩに関するアシモフの探究は、実際にＡＩシステムが開発されたときに人間がどうかかわればいいかを助言してくれる。プラトンの洞窟の話は、外観と実在の複雑な関係を分析する役に立つ。こうした理由で、思考実験は哲学や科学、文学の中心にあるのだ。

ＳＦ小説におけるシミュレーション

ＳＦと哲学において強烈な思考実験は、シミュレートされた宇宙というアイデアだ。もしも私たちのいるこの宇宙がシミュレーションだとしたらどうか？　何が起きるだろうか？

ジェームズ・Ｅ・ガンの１９５５年の小説『裸の空（*The Naked Sky*）』[9]は、第１章で紹介したヘドニクス社の話（『不幸な男』）の続編だ。両作品は１９６１年の小説『快楽発生器（*The Joy Makers*）』で一冊にまとめられた。ヘドニクス評議会の経験機械は破壊されたようだったが（「たくさんの青いかたまりの中に空が溶けはじめた」）、主人公は自分がまだ機械の中にいるのか、現実にいるのかわからなかった。

自分たちが現実にいるのか、あるいは評議会の別の経験機械の中にいるのか、どうしたらわかるのだろう？　自分たちがあのマシンを破壊し、もう水を張ったタンクで錯覚を見て生きているのではないことが、どうしたらわかるのだろう？　決してわからない、というのが答えだ。

ガンのこの一節は、「私たちはコンピュータ・シミュレーションの中に生きている」というシミュレーション説を明確に述べた最初の例として有力だ。当時、コンピュータが出てきてまもないときで、ガンの機械はコンピュータ・シミュレーションとしてはっきりと描かれたわけではなかった。だが、ガンの第1作に出てくる「センシーズ」（センス＝感覚）は、高度に没入型の映画に似ており、それはのちの作品で「リアリーズ」（リアル＝現実）に改良され、後者は完全に現実と違わないものになっている。アーサー・C・クラークの1956年の小説『都市と星』には、コンピュータ・シミュレーションが小さな役を担っているが、シミュレーション説はまだ考えられていない。

コンピュータ・シミュレーションとシミュレーション説というふたつのアイデアは、デイヴィッド・ダンカンが1960年に書いた短編小説の中で、はじめてひとつになった。「古代ギリシア・ローマの神々（The immortals）」という題名で、洗練されていたが注目されなかったその小説で、主人公のロジャー・スタグホーンはコンピュータ・シミュレーション・システムを発明し、「Humanac（ヒューマナック）」と名づけた。想定した出来事が将来どういう結果になるかを予測するシステムだ。スタグホーンと同僚のペカリー博士はシステムの中に入り、100年後の未来に生きている人々と交流した。ふたりは冒険をし、あやういところでその世界から脱出することに成功した。現在に戻ると、システムの電源を落とした。小説はこう結ばれている。

「考えずにはいられない」と物思いにふけるスタグホーンは言った。「われわれは今、だれかのコンピュータの一部なのだろうか、と。いつ始まったのかは神しか知らないことで、われわれはいずれ終わってしまう因果連鎖の中のちっぽけな要素にすぎないのだから……」

「始まったのは、だれかがスイッチを入れたときだよ」。ペカリー博士は答えた。

初期においてコンピュータ・シミュレーションのアイデアが大きく前進したのは、1964年にダニエル・F・ガロイが『模造世界』という小説を出したときだ。[10] シミュレーション世界の中にまたシミュレーション世界があるという複雑な入れ子構造をしたSFで、ドイツの偉大な映画監督ライナー・ヴェルナー・ファスビンダーの目にとまり、1973年にドイツのテレビ局で『あやつり糸の世界（*Welt am Draht*）』というタイトルでドラマ化された。映画やテレビでシミュレーション説がデビューしたのは本作だと思われる。ファスビンダーのこの作品は、1999年にハリウッドでローランド・エメリッヒの製作でリメイクされた。その映画は『13F（サーティーンフロア）』というタイトルで、のちにシミュレーションを扱った多くの映画に影響を与えた作品として広く評価されている。

同じ1999年に『マトリックス』の第1作が公開された。現在でもシミュレーション世界を描いた映画としてもっとも有名な作品だ。主人公はネオ（演じたのはキアヌ・リーブスで、印象的な演技だった）は平凡な世界に生きていた。仕事に行き、本を読み、パーティによく顔を出す。多かれ少なかれ私たちと同じ生活だ。だが身の回りでささやかだが、奇妙なことがいくつか起きる。世界が淡い緑色がかる。気持ちはつねに落ち着かない。まるで種明かしをするかのように、ネオはジャン・ボードリヤールの『シミュラークルとシミュレーション』を読んでいる。やがてネオは赤い錠剤を飲んだあと、自分がずっとコンピュータ・シミュレーションの中に生きていることを教えられるのだった。

私がシミュレーションの分野に足を踏みいれた一因は『マトリックス』にある。この映画の監督とプロデューサーが哲学にかなり興味を持っていて、多くの哲学者に声をかけ、映画の公式ウェブサイトに哲学的アイデアを書いてほしいと頼んだのだ。[11] そこで私は2003年に「形而上学としてのマトリックス」を寄稿し、マトリックスは錯覚でないと主張した。本書の第3部で話すことの一部の初期バージョンだ。

その寄稿文で私は、自分はつねにマトリックスの中にいる、という説を〈マトリックス仮説〉と名づけて発表し、マトリックスを「人工的に設計された世界のコンピュータ・シミュレーション」と定義した。

同じ年にニック・ボストロムは重要な論文「あなたはコンピュータの世界で生きているのではないか?」を書いた。[12] ここで彼は、このアイデアを真剣に受けとめるべきだと統計的推論を展開した（この推論については第5章で見る）。同じ年の別の論文でボストロムはこのアイデアに〈シミュレーション仮説〉という名前をつけた。これは私の命名よりすぐれていた。シミュレーションのアイデアは普遍的であるのに対して、映画は一時的だからだ。本書では、今やスタンダードになった〈シミュレーション説（仮説）〉という表現を使おう。

シミュレーション説

シミュレーション説とはどういうものか。ボストロムは簡単に「私たちはコンピュータ・シミュレーションの中に生きている」と言った。私の定義はこうだ。「私たちは現在、そしてこれまでも、世界を人工的に設計したコンピュータ・シミュレーションの中にいる」。両説は同じものだと思う。私の定義は、ボストロムが言わなかった点をいくつか明確にしているだけだ。ひとつ目は、シミュレーションの中には一生いる必要がある。少なくとも記憶にあるかぎり長くいなければならない。きのうシミュレーションの中に入ったばかりというケースは含まれない。ふたつ目は、シミュレーションはシミュレーション実行者によって設計される必要がある。コンピュータプログラムがランダムにつくったものは含まれない。このふたつの要素は一般に考えられるシミュレーション説に入っている。

シミュレーションの中にいるとはどういうことなのか？　要するにシミュレーションとインタラクト（相互作用）することだと私は思う。シミュレーションの中にいるとき、あなたの感覚入力はシミュレーションから発せられ、あなたの運動出力はシミュレーションに影響を与える。こうしたインタラクションを通して、あなたはシミュレーションの世界に完全に没入していくのだ。『マトリックス』の冒頭で、ネオの体と脳は現実世界のポッドの中にあって、ほかの場所にあるシミュレーションと接続されている。空間的な意味で「中」という言葉を使えば、ネオの脳はシミュレーションの「中」にはいない。だが彼のあらゆる感覚入力はシミュレーションから発せられていて、彼の出力もすべてシミュレーションの中でおこなわれるので、その意味でネオはシミュレーションの「中」にいるのだ。赤い錠剤を飲むと、彼の感覚は現実世界に反応するようになるので、もはやネオはシミュレーションの中にはいなくなる。

私はシミュレーションの中にいる人を〈シム（sim）〉と呼ぶことにする。[13] 少なくとも2種類のシムがいる。ひとつは〈バイオシム〉で、生物学的生き物が空間的な意味でシミュレーションの外にいて、シミュレーションと接続されている。ネオの脳はポッドの中にあって、コンピュータとつながっているので、バイオシムにあたる。このバイオシムを含むシミュレーションは、シミュレートされていない（バイオシムという）要素があるので、〈非純正シミュレーション〉に分類される。

ふたつ目は〈純正シム〉で、対象はシミュレーションの内部に完全に入っている。ガロイの『模造世界』に出てくる人のほとんどは純正シムだ。彼らはシミュレーションの一部となっているために、シミュレーションから直接に感覚を入力される。重要なのは、脳もシミュレートされているということだ。純正シムだけからなるシミュレーションは〈純正シミュレーション〉になるかも

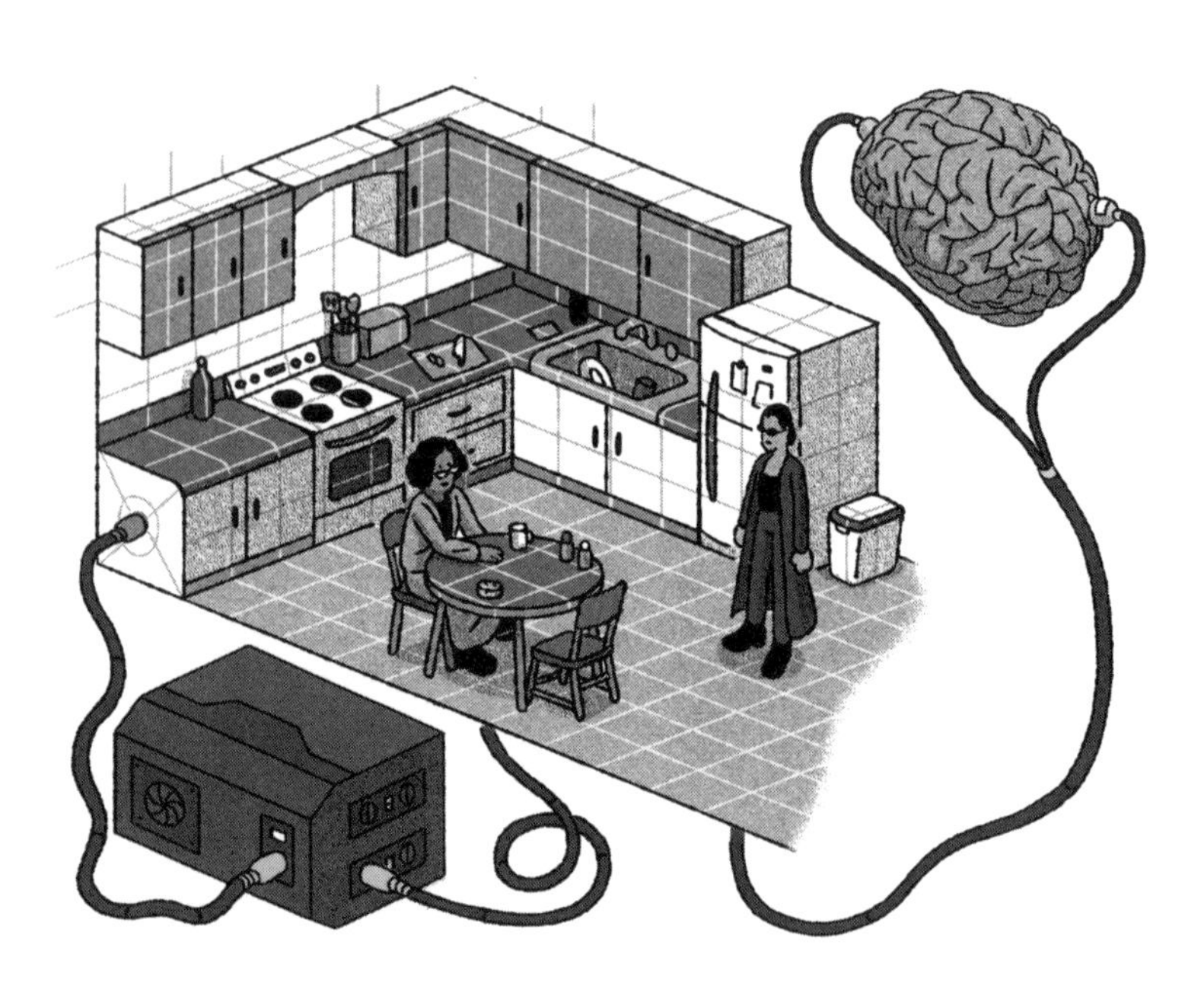

脳によってコントロールされているバイオシムと、コンピュータにコントロールされている純正シムのいるシミュレーション世界。『マトリックス』のトリニティとオラクルからアイデアを得た

しれない。そこでは、シミュレーションの中で起きることはすべてシミュレートされたものだ。

さらには、バイオシムと純正シムが併存する〈混合シミュレーション〉もありうる。『マトリックス』では、ネオとトリニティはバイオシムで、コンピュータの生んだキャラクターであるエージェント・スミスと預言者オラクルは純正シムだ。2021年の映画『フリー・ガイ』でライアン・レイノルズ演ずる主人公のガイはゲームにおける完全デジタルのノンプレイヤー・キャラクターだ。一方、ゲーム内でガイのパートナーとなるジョディ・カマー演ずるモロトフ・ガールはゲームプレイヤーで、現実世界ではデザイナーをしている。だからガイが純正シム、モロトフ・ガールはバイオシムとなる。

シミュレーション説は、純正、非純正、混合シミュレーションのどれにも適用される。このようなシミュレーションのアイデアを生んだ手柄はSFと哲学で折半できる。短期的には非純正シミュレーションが純正よりも一般的になるだろう。なぜなら、私たちは人間とシミュレーションをどのように接続すればいいのか知っているものの、まだ人間をシミュレートする方法を知らないからだ。しかし、長期的には純正シミュレーションのほうが普及するかもしれない。非純正シミュレーションへ供給できる脳の数は無限ではないし、人によって接続するのがむずかしいこともあるだろう。それに対して、純正シミュレーションは長期的に見て簡単だ。正しいシミュレーション・プログラムを組みこみさえすれば、あとは見ているだけでいい。

ほかの分類もある。〈グローバル・シミュレーション〉は、全宇宙を詳細に描くものだ。たとえば、宇宙のシミュレーションでは、私やあなたをはじめ地球上の全人類、そして地球や太陽系、(太陽系のある)天の川銀河、その先まですべてシミュレートしているのだ。対する〈ローカル・シミュレーション〉は、くわしく描いているのは宇宙の一部だけだ。[14] 対象は私だけとか、ニューヨークだけ(下巻第24章の263ページのイラストを参照)、地球と地球上の全人類だけ、あるいは天の川銀河だけとかになる。

短期的に見ると、ローカル・シミュレーションのほうがつくりやすい。必要とされるコンピュータの能力がはるかに小さくて済むからだ。だが、ローカル・シミュレーションは、くわしくシミュレートされていない部分と相互作用させせなければならず、それがトラブルの原因になりかねない。映画『13F』では、シミュレートの範囲は南カリフォルニアに限定されていた。そのため主人公がとなりのネヴァダ州に車で行こうとしたとき、彼は「道路封鎖中」の表示に出くわした。さらに車を走らせると、まわりの山々は淡い緑色になった。それは信憑性のあるシミュレーションを設計するためには賢明な方法ではない。一定の地域だけを描いたローカル・シミュレーションは、外の世界と相互作用することを正しくシミュレートできないという欠点があるのだ。

ローカル・シミュレーションをうまく動かすためには、柔軟でなければならない。私をシミュレートするために、シミュレーション実行者は私のまわりの環境をシミュレートする必要がある。私は行く先々で人と話をするし、世界中で起きている出来事をテレビで見るし、よく旅行もする。私が会った人はまた別の人と交流する。だから、私に関するすぐれたローカル・シミュレーションをつくるためには、世界のほかの部分のシミュレーションもかなりくわしく設定しなければならない。シミュレーションを運用するにつれて、多くの詳細を足していく必要がある。たとえば、月のシミュレーションでは、もしも宇宙船が裏側の写真を撮り、地球に送ってきたならば、その写真に従って修正をしなければならない。これ以上はくわしくシミュレートしないという自然の停止点がいくつかあるだろう。おそらく実行者は地球をくわしくレンダリング〔コンピュータプログラムを用い、抽象的なデータを処理し、画像や映像、音声などの表示にすること〕し、必要に応じて太陽系もくわしく描き、そこから先の宇宙は初歩的なシミュレーションで済ませることもできるだろう。

哲学者はシミュレーションを分類することを楽しんでいる。[15] ほかの分類方法も多数ある。一時的と永久（体験者はシミュレーションの中に短期間いるか、一生いるか）、完全と不完全（すべての物理法則を正確にシミュレートするか、近似化や例外を許すか）、あらかじめプログラムされているか、オープンエンドか（前もってプログラムされたとおりにイベントが発生するか、初期条件とシムの選択によってさまざまなことが起きるか）。あなたがこれら以外の分類を思いついても、すでに哲学者が思いついているだろう。

自分がシミュレーションの中にいないことを証明できるのか?

あなたは自分がシミュレーションの中にいないことを証明できるのか?いないことを示す決定的な証拠がある、とあなたは思うかもしれない。しかし、どんな証拠もシミュレートできるのだから、証明することは不可能だ。[16]

たとえば、まわりにある立派な森が、ここがシミュレーションの世界ではない証拠だと考えるかもしれない。だが、森は細部までもれなくシミュレートできるし、森からあなたの目に届く光線をビット単位でシミュレートできる。あなたの脳は現実世界のときとまったく同じように反応するので、シミュレートされた森も現実のものとまったく同じに見えるのだ。あなたは自分の見ている森がシミュレートされたものではないと本当に証明できますか?

あるいは、あなたはペットのかわいいネコは決してシミュレートできないと思うかもしれない。

だがネコは生物学的システムであり、生物学的メカニズムはシミュレートできるのだ。充分なテクノロジーがあれば、本物と見分けがつかないほどのネコをつくることができる。あなたは自分のネコが本当にシミュレーションでないとわかりますか？

人々の創造的行動や愛情行動は決してシミュレートできない、と思うかもしれない。だが、ネコでできることは人間でも可能で、ヒトの生物学的プロセスはシミュレートできるのだ。人間の行動は脳により引き起こされ、その脳は複雑なマシンのように見える。脳の完全なシミュレーションは人の行動の細かいところまで再現できないと確信が持てますか？

自分の体は決してシミュレートできない、と思うかもしれない。空腹や痛みを感じる、動きまわる、手でものにさわる。食べて飲む、自分の体重を感じる、それらは直感的にリアルだと思える。しかし、生物学的システムである人の体はシミュレートできる。あなたの体を精巧にシミュレートすれば、その体はあなたの脳に本物の体とまったく同じ信号を送るので、脳には違いがわからない。

自分の意識をシミュレートするなんて不可能だ、と思うかもしれない。自分は一人称視点から世界を主観的に経験している。自分が経験する色や痛みや思考や記憶は自分に属していると思える。単なる脳のシミュレーションがこの意識を経験できるはずはない、と。

意識の問題と、シミュレーションが意識を持てるかという問題はほかよりもやっかいだ。これはあとの章で取り組むことにして、今は非純正シミュレーションに集中しよう。つまり、マトリックスのように、あなたがシミュレーションと接続するバイオシムである場合だ。バイオシム自体はシミュレートされていない。普通の生物学的脳を持っていて、おそらく私たちと同じような意識を持っているだろう。あなたが普通の人間であっても、脳が同じ状態のバイオシムであっても、物事の見た目も、そこから感じることもあなたにとって同じなのだ。

シミュレーション世界の中にいる人のすべてがシミュレートされている純正シミュレーションの場合は、シミュレートされた人間（シム）は意識を持つことができるか、という問題が発生する。シムは意識を持てないと証明することができれば、私たちは純正シミュレーションの中にはいないと証明できる（自分たちに意識があると確信できていることが前提となるが）。だが第15章で私は、シムは意識を持ちうると主張する。もしもシミュレートされた脳が生物学的脳を正確に写したものであるならば、意識経験も同じになるはずだからだ。それが正しければ、自分が非純正シミュレーションの中にいないと証明できないように、純正シミュレーションの中にいないことも決して証明できないのだ。

自分がシミュレーションの中にいることを証明できるのか?

自分がシミュレーションの中にいないことを証明できないと言ったが、その逆はどうだろうか?　つまり、シミュレーションの中にいることは証明できないのか?

『マトリックス』で、ネオが自分はシミュレーションの中に生きていることを知ったのは、赤い錠剤を飲んで目を覚ましたときに、異なる世界にいたからだった。だが、すでに述べたように、ネオは自分がシミュレーションの中にいたという確信を持つべきではなかった。前の世界が現実で、赤い錠剤のせいでシミュレーションの中に飛びこんできた、とも考えられるのだから。

それでも、ここがシミュレーションの中であることを示す有力な証拠は入手できる可能性がある。たとえば、シミュレーション実行者はオーストラリアのシドニー・ハーバーブリッジを空に浮かせて、逆さまにすることができる。シミュレーションのソースコードを示すこともできる。シミュレーションがつくった私たちの過去の個人的エピソードを話すこともできる。階層が上の世界でコードに接続された私の脳の映像を見せ、シミュレーションの中で私が経験した思考や感情を記憶装置から読みだすこともできる。私にシミュレーションの制御を任せ、ボタンをいくつか押すだけで、まわりの山々を動かせることを示してもよい。

だがこれらも、シミュレーションの中にいる証拠としては絶対ではない。私たちは現実の魔法の世界にいるのかもしれない。ハリー・ポッターの世界のように、全能の魔法使いが魔法により私たちはシミュレーションの中にいると信じさせているのだ。あるいは、私は人生のほとんどを現実世界で生きていたが、一時的にシミュレーションの中に入っていて、そこでシミュレーション実行者にだまされているのかもしれない。あるいはドラッグによる幻覚を見ているのかもしれない。それでも、このような証拠を得られれば、私は自分がシミュレーションの中にいることを納得できるだろう。

シミュレーション説は科学的なのか？

シミュレーション説は科学的仮説として扱われることがある。つまり観察や実験によって検証可能だとされる。私たちがシミュレーションの中にいることを示す科学的証拠はあるのだろうか？

2012年の論文で、物理学者のサイラス・ビーンとゾーレ・ダヴディ、マーティン・サヴェージは、将来においてシミュレーション説の科学的証拠を得られると主張した。[17] その基本概念は次のとおりだ。宇宙のシミュレーションは近似化をするために、宇宙の端っこを切っている可能性があり、それこそが証拠である。「超立方体時空格子(ハイパーキュービック)」を用いた物理的近似化についてビーンたちは、どのような具合にそれが標準的な物理学から検証可能な仕方で逸脱するかを数学的に分析する。もしもシミュレーション実行者が宇宙に一定の大きさの格子を使っているのならば、高エネルギー宇宙線に特徴的なパターンが見られるはずだ。3人の物理学者は、現状ではそのような証拠は集められないが、将来においてシミュレーション説を検証できるとした。

この証拠はシミュレーションが不完全なものという前提で存在しうるので、前段で話していた可能性のある証拠と同じことが言える。赤い錠剤、シミュレーション実行者との会話、近似化もすべて不完全シミュレーションにのみ当てはまる。つまり、そのシミュレーションが不完全だから、シミュレートする世界の法則から逸脱している点を指摘できるのだ。『マトリックス』では、同じ黒ネコが2度、自分の前を横切ったというデジャブ体験はプログラムの不備から起きたことだと言われている。しかし、完全シミュレーションではそのような異常は起こらない。

完全シミュレーションは、シミュレートする世界を鏡のように正確に映すことだと定義される。シミュレートした世界が物理法則に厳格に従っているならば、完全シミュレーションはそれらの法則を正確にまねて、決して逸脱しない。したがって、赤い錠剤やシミュレーション実行者との会話、近似化の可能性は排除できる。

次のような主張は可能だ。すなわち、連続量を扱う物理法則は、正確な連続量を扱うので、デジタルコンピュータ〔不連続量・離散量を基礎とする〕はそうした法則を完璧にシミュレートすることは不可能だ、と。それでもデジタル・シミュレーションは、既知の物理法則を任意の正確さで近似することができる。そして少なくとも、連続量を扱うアナログコンピュータ[18]があれば（おそらくアナログ量子コンピュータ[19]がそれに当たる）、既知の法則を完璧にシミュレートすることは可能なのだ。

私たちが完全シミュレーションの中にいるならば、その証拠を得る方法はないだろう。シミュレーションの中にある証拠は、現実世界にある証拠をつねに正しく模倣しているからだ。また、完全シミュレーションの中にいないという証拠も得られない。どんな証拠もシミュレートできるからだ。完全シミュレーションの中では現実と同じ証拠を得ることになる。シミュレートされた脳は現実の脳と同じ意識経験を持つと推定するならば、現実世界と完全シミュレーション世界の違いを内部から見分ける方法はなくなる。

ときどきメディアに、われわれはシミュレーションの世界にいないことを科学者が証明した、という記事が出る。たとえば、２０１７年にサイエンス・アドバンシーズという学術雑誌に、従来型コンピュータでは有効な量子過程をシミュレートできないという研究報告が掲載された。[20]執筆者のゾーハー・リンゲルとドミトリー・コヴリジンは、これがシミュレーション説を否定するとは言っていないが、一部のジャーナリストは否定の根拠としてこの論文を利用している。しかし、従来型コンピュータが宇宙を有効にシミュレートできないという事実は、私たちがシミュレーションの中にいないことの証拠にはならない。コンピュータ科学者のスコット・アーロンソンは、この問題を回避するには、シミュレーションに量子コンピュータを使っていると仮定するだけでよい、と指摘した。シミュレーションは低速で非効率的な従来型コンピュータを動かして量子過程をシミュレートしていると仮定することさえできる。内部からは違いがわからないからだ。

いかなる宇宙もみずからの完全シミュレーションを含有できない、[21]と唱える人もいる。なぜなら、そうした宇宙はそのシミュレーションのシミュレーションも含むことになるが、さらに後者に関するシミュレーションも含むことになり、シミュレーションの無限の階梯(かいてい)ができるからだ。しかし、それが絶対に不可能だとは言いきれない。というのも、おそらく無限の宇宙は、やはり無限のそのシミュレーションを動かすために、みずからのリソースのひとかけらを捧げる余裕があるからだ。だから無限の宇宙にとってシミュレーションが無限に続いても、問題にはならない。さらに、有限だが拡大する宇宙も、現実よりも少しだけ遅らせたシミュレーションを動かすことができる。[22]

宇宙はみずからを含有できない、という説が正しくても、シミュレーション説を排除する理由にはならない。シミュレートする宇宙とシミュレートされる宇宙がまったく同じだと仮定する理由はないからだ。もしも私たちがシミュレーションの中にいるならば、オリジナルの宇宙は私たちの宇宙とはまったく異なる物理法則を持っていたり、規模がもっと大きかったりする可能性がある。オリジナルの宇宙が無限ならば、リソースも無限になるので、有限宇宙をシミュレートすることは簡単だ。

まとめよう。不完全シミュレーション説[23]については、さまざまな点で証拠を得ることができる。なぜなら、不完全シミュレーションは検証可能な経験的帰結を持つと考えられるからだ。だからその説は科学的仮説とみなせるだろう。その説を支持する科学的証拠がないので、まだ重要な科学的仮説にはなっていないかもしれないが、検証可能なものだ。

一方、完全シミュレーション説については、実験的証拠を得ることは不可能だ。現実世界とそれを完璧にシミュレートした世界はまったく同じに見える。だから、検証可能性を基準にすると、私たちは完全シミュレーション世界にいるという説は科学的ではない。その代わりに、私たちの世界の本質に関係する哲学的仮説として考えることはできる。

一部の頑固な科学者と哲学者は、完全シミュレーション説は検証できないので、意味がないと主張する。第4章でそれはまちがいであることを指摘したい。原理的に、私たちはシムのいる完璧にシミュレートされた世界をつくることができる。中のシムは決して自分たちがシミュレーションの中にいるという事実を知ることはない。彼らにとってシミュレーション説はまぎれもなく真実であるがゆえに、この説には意味があるのだ。私たちにとってもそれは真実かもしれないし、偽りかもしれない。私たちにその答えは出せないだろうが、いずれにせよシミュレーション説は真か偽のどちらかである。

私たちの世界はコンピュータ・シミュレーションである、というオリジナルのシミュレーション説についてはどうだろうか？　これは科学的仮説なのか哲学的仮説なのか？

科学哲学者のカール・ポパーは科学的仮説の特徴として反証可能性をあげている。つまり、科学的証拠により誤りであると証明できることだ。シミュレーション説はいかなる証拠をもシミュレートできるので、反証可能性を持っていないことはすでに見た。だからポパーならば科学的仮説ではないと言うだろう。

だが、私も含め今日の哲学者の多くは、ポパーの基準は厳しすぎると考えている。たとえば、初期宇宙に関する科学的仮説は反証可能性を決して持つことができない。シミュレーション説は100パーセントの科学的仮説ではないものの、一部は科学的で一部は哲学的な仮説なのだ、と私は言いたい。この説の中には検証できるバージョンもある。しかし、検証可能かどうかに関係なく、シミュレーション説は私たちの世界に関する有意義な仮説であることはまちがいない。

シミュレーション説とバーチャル世界説

コンピュータ・シミュレーションとバーチャル世界の関係はどのようなものか？　バーチャル世界はインタラクティブで、コンピュータ生成空間だ。すべてのバーチャル世界はシミュレーションなのだろうか？　すべてのシミュレーションはバーチャル世界なのだろうか？

ゲームにあるバーチャル世界の大半はシミュレーションだと見ることができる。たとえば、釣りや飛行やバスケットボールなど、現実世界の活動をシミュレートしたゲームはあきらかにそうだ。これらのゲームはボードリヤールの言う「リプレゼンテーション（表象）」に近いもので、完璧にリアルであることは目指していないが、現実世界を反映しようとしている。一方、『スペースインベーダー』や『ワールド・オブ・ウォークラフト』のように風変わりなゲームは、ボードリヤールの「シミュラークル」に近い。現実世界を反映しようとはしていないが、可能世界のシミュレーションになっている。『スペースインベーダー』はエイリアンによる地球侵略を模しているし、『ワールド・オブ・ウォークラフト』はモンスターと冒険と戦いのある物理的環境を模している。

『テトリス』や『パックマン』のような、あきらかに物理的環境をシミュレートしていないゲームでさえ、正しい角度から目をこらして見れば、シミュレーションとみなすことができる。[24]『テトリス』は空からレンガが落ちてくる2次元ないし3次元の世界をシミュレートしたもので、『パックマン』は捕食者と獲物が物理的迷路の中を走りまわるシミュレーションだと見ることができるのだ。これらのゲームをシミュレーションとするのはこじつけかもしれない。ユーザーはそう思わないだろうし、製作者にもその意図はないだろう。でも私はシミュレーション説を理解するにつれて、ユーザーや製作者の見方は気にしなくなった。だから、私たちの目的のためにここでは、これらのバーチャル世界もシミュレーションだとする。

同じ理屈がすべてのバーチャル世界に当てはまる。どの世界も何かしらの空間を有するが、原理的にその空間は仮説上の物理的空間〔現実の物質的世界の空間〕のシミュレーションだと解釈できるからだ。この広い意味で、すべてのバーチャル世界はコンピュータ・シミュレーションを含むことになる。

では逆はどうだろうか？　厳密に言えば、コンピュータ・シミュレーションのすべてがバーチャル世界になるわけではない。たとえば宇宙形成シミュレーションのようにユーザーとやりとりをしないシミュレーションもある。インタラクティブでないためにバーチャル世界の定義を満たさない。一方、「私はコンピュータ・シミュレーションの中にいる」という説は、私の感覚入力と運動出力を通してコンピュータ生成世界と相互作用することを必要とする。この説は、「私はバーチャル世界にいる」という説と同じことだ。

結果として、シミュレーション説は、「私はバーチャル世界の中にいる」という〈バーチャル世界説〉と同じことを言っているのだと見ることができる。

くわしく見ていこう。シミュレーション説は、私たちは完全没入型のバーチャル世界に生きている、と主張する。バーチャル世界は没入型で、現在のVRヘッドセットのように、その世界で起きることをあなたはその場にいるように経験する。本書の最初で、私はVRを没入型のバーチャル世界だと定義した。バーチャル世界は完全没入型で、ユーザーはあらゆる感覚でその世界を感じ、その経験は実在の世界と変わらない。そして今、私たちのいるこの世界は完全没入型だと言える。だから、もしも私たちがバーチャル世界にいるのならば、それは完全没入型の完全VRに違いない。

シミュレーション説はバーチャル世界説と同じものだが、これからは主にシミュレーション説を使っていく。同じ精神で、シミュレーション説に関連してマトリックス風にシミュレートされた宇宙について「シミュレーション」という言葉を使う。そこは、ユーザーは自分がシミュレーションの中にいるのを知らないこともある没入型で、一生続くシミュレートされた世界だ。バーチャル世界とVRという言葉は、より実際的なバーチャル環境という意味で使う。つまり、ユーザーはそこにいることを知っていて、利用期間も限定されている。この対象範囲は広く、ゲームや現在のVRヘッドセットから、そのテクノロジーを拡張し、『レディ・プレイヤー1』のように人々がよく接続する完全没入型のバーチャル世界まで含まれる。

バーチャル世界と言っても、既存のものから、『マトリックス』のようなフルスケールのシミュレーションまで幅は広い。厳密な意味でそのすべてをバーチャル世界とするが、完成度の高いものは、「VRは本物のリアリティだ」をはじめとする私のもっとも重要な主張とかかわってくる。それでも素朴なバーチャル世界と、シミュレートされた宇宙では発生する問題が異なる。これからの数章はシミュレートされた宇宙を主役に話をしよう。

第2部

知識を疑う

第3章
私たちに知識はあるのか？

テレビアニメシリーズの『ボージャック・ホースマン』の中で、あるテレビ番組が流れる。タイトルは『Hollywoo（ハリウー）スターや有名人：彼らは何を知っているのか？　彼らに知識はあるのか？　はっきりさせよう！』。このアニメに登場する映画スターが解答者になるクイズ番組で、彼らは「Hollywood（ハリウッド）」の最後のdがない「Hollywoo」というパラレルワールドに住んでいる。このシリーズは哲学的な話になりやすいが、この回も例外ではない。現実世界において、ジョージタウン大学の哲学者クイル・クークラは「ボージャック・ホースマンと哲学」という講座を持っている。その講座のキャッチフレーズは「私たちは何を知っているのか？　私たちに知識はあるのか？　はっきりさせよう！」だ。このキャッチフレーズは西洋の認識論、つまり「知の理論」の歴史をうまく要約している。

私たちは何を知っているのか？　ほとんどの人は自分は多くを知っていると思っている。きのう起きたことも、明日起きるであろうことも知っている。家族や友人のことも知っている。歴史や科学や哲学のこともある程度知っている。自分のことさえ少しは知っている。

昔から哲学者はこうした知識について、本当に知っているのかと疑問を呈してきた。[1] 古代ギリシアの哲学者セクストス・エンペイリコス（2世紀から3世紀ごろ）は、自分たちの科学知識を疑った。同時代のインド仏教の僧、龍樹（りゅうじゅ）（サンスクリット名ナーガールジュナ）は、哲学から知識を得られるのか疑問を呈した。11世紀ペルシアの哲学者ガザーリーは、自分たちが見聞きしたものの知識を疑った。18世紀スコットランドの哲学者デイヴィッド・ヒュームは未来に関する人間の知識を疑った。現代アメリカの哲学者のグレース・ヘルトンとエリック・シュウィッツゲーベルはそれぞれ、私たちに他人の心がわかるのか、自分の心がわかるのかと疑問を呈している。

私たちに知識はあるのか？　人間の知識に疑いを抱く哲学者もいる。古代ギリシアの哲学者ピュロンとその信奉者は、自分たちの知覚と信念を信用するべきではない、と説いた。信用すると知識を得ることも幸せになることもできない。何かを信ずることをやめれば、心配から解放されるのだ、と。ほとんどの人はピュロンに反対する。私たちは物事を知っていると信じている。だが、本当に知っているのだろうか？

はっきりさせよう！　私たちに知識はあるかどうかをあきらかにするためには、知識とは何かを定め、それを持っているかどうかを確かめることが必要だ。そして、長年、哲学者が唱えてきた知識に対する多くの問題を評価する必要がある。

プラトンの時代までさかのぼるが、知識に関する一般的な見方は、「正当化された真なる信念」である。何かを知るには、それを真実だと思い（信念）、そう思っていることが正しく（真なる）、信じるに足る理由を持つ（正当化）必要がある。

たとえば私がヒラリー・クリントンは児童売春に関与していたと誤って信じたとしても、それは知識ではない。私はまちがっていて、それは偽りの信念だからだ。もしも私が単なる偶然でだれかの誕生日を言い当てても、それも知識ではない。信じるに足る理由がなく、正当化されないからだ。知識には、「正当化された真なる信念」以外の条件があるかもしれないが、大半の哲学者はその3条件が核心だと考えている。

ほとんどの人は知識を欲する。16世紀、イギリスの科学哲学者フランシス・ベーコンは「知識はそれ自体が力なり」と言った。アメリカ大統領のトマス・ジェファーソンは、「知識は幸福の源であり、安全の保障である」とつけ加えた。ジャネット・ジャクソンは「The Knowledge」という曲で歌う。「知らないことはあなたを傷つける……知識を得よう」

だが、物事を知るのは骨の折れる作業だ。容易に失敗する。何かを信じるに足る理由は私たちが望むほど強力ではないからだ。その結果、多くの思想家が、私たちに知識はあるのかと疑ってきたのだ。

外部世界に対する懐疑論

ウィリアム・ゴールドマンは、映画『明日に向って撃て!』や『大統領の陰謀』の脚本で有名だが、彼が1983年に出版した本『映画界での冒険（*Adventures in the Screen Trade*）』の冒頭は、知識について疑問を投げかけ、「だれも何も知らない」と宣言している。本は映画産業について話したものだが、この宣言にはもっと根深いものがある。

ゴールドマンのこの有名な一節は懐疑論を表したものだ。懐疑論はまさに「だれも何も知らない」という見方で、長い歴史を持つ。

哲学において懐疑派とは、特定の領域に関する信念に疑いを投げかける人のことだ。ゴールドマンは映画産業に懐疑的だった。ヒット映画をつくることに関する私たちの信念は知識と呼べるほどのものではない、と彼は考えたのだ。超常現象に関する懐疑派は、幽霊やテレパシーに関する私たちの信念に疑問を抱く。ニュースメディアに対する懐疑派は、ニュースメディアから得た信念に疑いを投げかける。

ニュースメディアと超常現象に関する懐疑論は、特定の対象や領域に関する信念を疑う〈ローカル懐疑論〉の例だ。それはさまざまな形がある。未来に対する懐疑（明日起こるであろうことに関する信念を疑う）、科学に対する懐疑（科学的発見を疑う）、他人の心に対する懐疑（他人の考えていることはわかるはずがないと思う）などなど。

もっとも毒のある懐疑論は、あらゆる信念を疑い、私たちは何も知ることができない、と主張する〈全面的（グローバル）懐疑論〉だ。私たちは世界に関して多くの信念を持っているかもしれないが、どれも知識と呼べるほどのものではない、というのだ。

おそらくもっとも有名な懐疑論は、私たちのまわりにある世界に関する信念すべてを疑う、外部世界への懐疑だろう。この見方は、もっとも有名な主唱者であるルネ・デカルトにちなんで

〈デカルト的（方法的）懐疑〉と呼ばれることも多い。厳密には、論理と自分の心については少しだけ知っていると考えるので、グローバル懐疑論とは異なる。だが、きわめて包括的に疑うので、グローバル懐疑論のひとつと考えてよいだろう。

外部世界に対するデカルト的懐疑を論駁するのは、現代哲学における最難問のひとつだ。多くの哲学者が挑んできたが、コンセンサスを得られた反論はまだない。本書では（とくに第6、9、22、24章で）、私が最適と思う反論を披露しよう。私も失敗するかもしれないが、この試みから何らかの知恵が得られることを願っている。

私の野心は大きくない。外部世界に対するデカルト的懐疑の論理の一部が誤っていると言いたいだけだ。ローカル懐疑論を論駁するつもりはないが、ニュースメディアに関する懐疑論は第13章で扱う。私の標的は伝統的なデカルト的懐疑だ。それはラディカルな仮説を用いて、外部世界に関する私たちの信念すべてを疑うものだ。

あなたの感覚があなたをだましていない、とどうしてわかるのか?

デカルトは『省察』を1641年に出版した。彼は私たちが知るものすべての基礎を築こうとし、そのためにはまず、すべてを壊す必要があった。デカルトの解体作業員は、錯覚と夢と悪魔に関する3つの伝統的議論を用いて、外部世界における私たちの知識について疑いを投げかけた。こうした議論のすべてが新しいわけではない。錯覚と夢については、懐疑論ではよく出てくるもので、古代ギリシアの哲学者セクストス・エンペイリコスや古代ローマの雄弁家キケロ、また中世の思想家で5世紀は北アフリカの聖アウグスティヌスや、ペルシアの哲学者ガザーリーも論じた。また、悪魔についてはデカルトと同時代の人々も利用したが、それでも影響力のある言葉で議論を進めたのはデカルトだった。

彼は錯覚に関する議論から始めた。「これまでにあなたの感覚はあなたをだましたことがある。今はだましていない、とどうしてわかるのか?」

ほとんどの人が、現実とは異なって見える錯視（視覚による錯覚）を経験したことがあるだろう。煙や鏡によってだまされる。過去に自分の感覚にだまされているのだから、今もだまされているかもしれない。だから、私たちは外部世界で観察したことが見たままであるのかどうかわからないのだ。

デカルトは錯覚の力に限界があることを認めていた。いかなる錯覚でも、自分がまったく異なる体を持っていると感じられたり、まったく異なる環境にいると思えたりはしない。デカルトはこう書いている。「とても小さいか、遠くにあるものに関して、私たちの感覚はときおり私たちをだますことがある。だが、感覚に由来するものであっても、疑いようのない信念は多くある。たとえば、私はここにいる、暖炉のそばに座っている、冬用の部屋着を着ている、手にこの紙を持っている、などだ」

21世紀の読者なら「ちょっと待て」と言うだろう。VRの研究者はよく「全身の錯覚」について語っている。それはデカルトがだますのは不可能だと考えた感覚だ。自分の生物学的体ではな

VR内でデカルトは、自分が暖炉のそばに座り、冬用の部屋着を着て、手に紙を持っているという感覚を持っている

いものを自分の体だと感じ、その体を見ることもコントロールすることもできる。VRの中でデカルトは暖炉のそばに座り、部屋着を着て、手に紙を持っている感覚を得ることもできるのだ。それゆえに、錯覚に関するデカルトのオリジナルの議論はVRによって強化される。つまり今、私たちが錯覚を経験しているかどうか見きわめることは、テクノロジーの進歩によっていっそうむずかしくなったのだ。

私たちは、デカルトの錯覚議論の21世紀版を仕かけることもできる。それはVRからの議論だ。「VR機器はこれまでにあなたの感覚をだましたことがある。今はだましていないとどうしてわかるのか?」。原理的に、あなたが見るもの、聞くものすべてをVR機器はつくることができる。あなたは今、自分がその機器を使っていないと言いきれるのか？

その主張が説得力を持つには、テクノロジーはもっと進歩しなければならない。しかし、いつかはＶＲコンタクトレンズや、つけていることに気づかない機器が開発されて、あなたの感覚すべてを操るかもしれない。寝ているあいだに、だれかがそのようなＶＲ機器をあなたに装着することもありうる。そして、朝にあなたはバーチャル空間のベッドの上で目覚めて、バーチャルな一日を過ごすのだ。さすがに、火星などのまったく異なるバーチャル空間に放りこまれたら、おかしいと思うはずだ。その場合に、記憶まで改竄（かいざん）されるかもしれないが、ここの議論ではそこまで考えていない。だからＶＲ環境はあなたの住んでいる家か、今いる場所をシミュレートしたものだとして話を進めよう。その場合、あなたはおかしいことに気づかないだろう。

あなたは今そのようなＶＲ機器を使っていないと確信できるだろうか？　確信できるのなら、ＶＲ仮説をどのように退けるのか？　確信できないのならば、まわりの世界であなたが知覚していることが本物だと言えるのか？　今、読んでいる本は本物か、座っている椅子は本物か？　今いる場所、あなたが見ているものは本当にそこに存在するのか？

このＶＲ議論は、あなたが今見て、聞いているものに、そして近い過去の知識に疑念を投げかける。しかし、知っていることすべてが疑わしいわけではない。ＶＲは記憶をいじらないので、あなたが故郷で育った記憶が脅かされることはない。また、一般的な科学や文化の知識を変えることもないので、フランスのパリに関するあなたの知識は安全だ。

ＶＲ議論をこれらの領域への脅威にまで拡大することは可能だ。たとえば、記憶改変装置が脳の中に入って記憶を変えてしまう。ずっとVR機器をつけることによって、あなたの記憶と科学的知識はすべてVRから与えられたものにされてしまう。このように議論を広げていけば、通常のVRを超えてシミュレーション説の領域に入る。それについてはすぐに触れよう。

自分が今夢を見ていないことをどうやって知ればいいのか?

デカルトの第2の議論は夢についてだ。「夢は現実のようだ。今、自分が夢を見ていないことをどうやって知ればいいのか?」

通常、私たちは自分が夢を見ていることに気づかない。そして、夢の中の世界はリアルに感じる。ときおり、夢であると自覚しながら見ている夢（明晰夢）もあるが、例外だ。ほとんどの夢は現実よりも奇妙で安定していないが、現実と見分けがつかない夢もある。今あなたはそのような夢を見ているのではない、とわかるだろうか？　自分の体をつねったり、何かの実験をすればいいかもしれない。だが、どんな結果も夢でも得られるのだから、説得力はない。そして、自分が今、夢を見ているかどうかわからなければ、まわりのものがリアルなのかどうかわからない。

２０１０年のSF映画『インセプション』では（ネタバレ注意！）、登場人物は眠って夢の世界に入り、その中でさらに夢の世界に入る。映画の大半において、レオナルド・ディカプリオ演ずる主人公のドミニク・コブは、自分が夢の中にいて、現実には寝ていることを知っている。だが、キリアン・マーフィー演ずるロバート・フィッシャーなど、ほかの登場人物はそのことを知らない。フィッシャーは夢の中で夢を見ていて、夢を現実だと思っている。映画の最後でコブたちは実在する世界に戻ってきたようだが、そこで疑問が生じる。「これが別の夢の世界でないとどうしてわかるのか？　確実に知ることは不可能だろう」

デカルトは錯覚よりは夢のほうが強力だと考えた。夢のほうが、自分が部屋着を着て暖炉のそばにいることを本当だと信じやすい。夢は彼に別の体を与えることもできる。だがデカルトにとって、この議論にも限界があった。夢はまったく新しいものを与えてくれることはない。夢でだれかの顔や体を見るとき、それは実在する世界であなたが知覚した顔や体が元になっている。あるいは、夢に出てくる形や色は、実在する世界の形や色に対応している。

夢に関するテクノロジーはVRほど開発が進んでいないので、デカルトの夢に関する議論は、錯覚よりもテクノロジーの変化に影響されない。しかしながら、夢に関する科学は、あなたが夢を見ていることを知る方法を見つけた。このページに書いてあるどれかの文字を2回見てほしい。夢の中では通常、2回目は別の文字になっている。夢の外では同じ文字だ。ほかの研究では、私たちは現実では見ていない色を夢で見ることができる。たとえば、特定の色を見たあとの残像は「暗い黄色」の色合い[2]になるが、この色合いを私たちが通常の知覚において見ることはない。

錯覚やVRの議論と同じで、夢の議論も、まわりの世界に関する私たちの現在と最近の知識に疑問を投げかける。今見ているものや、1秒前に見たものが本物であることはどうしたらわかるのか？　これまでの知識が怪しくなる。夢はときに記憶を変えるし（夢の中では、実際と異なる子ども時代の記憶がある）、文化的信念を変える（夢の中では、ビートルズは解散していない）ことがあっても、通常、記憶をそっくり変えることはない。一生夢の中にいて、その人の現実の要素はすべて夢に由来するケースも考えられるが、それはまたSFの範疇になる。

デカルトの錯覚と夢の議論は、外部世界の知識全体ではなく、その一部に疑義を呈するローカル懐疑論を支援するのにもっとも有効になる。だが、デカルトはこれに満足しなかった。外部世界に関する知識全体を疑うグローバル懐疑論に興味を持っていたので、より強力な議論を必要としたのだ。

デカルトの悪魔

デカルトの第3にしてもっとも評判の悪い議論は、だますことに関する議論だ。「全能の存在ならば、存在しない世界での経験を与えて、私を完璧にだますことができる。これが今の私に起きていないことをどうやって確認すればいい？」

第一省察でデカルトは、だます存在を全能の神とした。何でもできる神ならば、私たちを完璧にだます力も持っているはずだ。だが、だれもが知るとおり、デカルトの議論でだますのは悪魔（＝悪い霊）だ。慈悲深き神は人をだますことを断るが、悪い霊に良心の呵責はない。悪い霊についてデカルトは次のように書く。

私はそこで、真理の源泉たる最善の神ではなくて、悪意に満ちた霊、この上なく力があるとともに狡智(こうち)にたけた悪い霊が、全力で私をだまそうとしている、と想定してみる。そして、空、空気、大地、色、形、音、その他外界のものすべてが、夢によるだましにすぎず、私の判断を惑わすために悪い霊がつくったことだ、と私は考えることとしよう。

悪魔は人間をだますことに専心している。あなたの人生すべてで、悪魔のつくった感覚と知覚を外の世界のものとしてあなたに与える。私は子ども時代をオーストラリアで過ごした記憶があり、近年は哲学教授としてニューヨーク市で楽しく暮らしている。だがもしも、〈デカルトの悪魔の説〉が正しければ、私の過去と現在の知識は、すべて悪魔によって与えられた感覚と知覚にもとづいていることになる。実際の私は悪魔の巣にいて、感覚を操作されながら、人生を送っているのだ。

悪魔の思考実験はまったく新しいものではない。コロンビア大学の哲学史家のクリスティア・マーサーは最近、16世紀スペインの神学者アビラの聖テレサに関する研究結果を発表した。[3]瞑想中に悪魔が出てきてだまそうとしたことを、テレサはどのように記録したのかを図表にしたのだ。テレサにとって重要なことは神への信仰であり、悪魔は信仰を失わせるべくだまそうとする。テレサの著書『霊魂の城』はデカルトの生きた時代に大ヒットしたので、デカルトが読んだことはほぼ確実だ。デカルトの読者は16世紀フランスの随筆家ミシェル・ド・モンテーニュの有名な著作[4]に出てくる錯覚と夢の議論にも出会っているだろう。デカルトの『省察』は先人たちの仕事の上に立ち、思考を深めたものなのだ。

悪魔の話のいくつかの側面が、1998年の映画『トゥルーマン・ショー』に描かれている。ジム・キャリー演ずる主人公のトゥルーマン・バーバンクは何も知らずに、役者たちが演ずるドーム型の巨大なセットの世界で生きている。エド・ハリス演ずるテレビプロデューサーのクリストフは、トゥルーマンに普通の人生を送っている感覚を与えるために、セット内を動かしている。つまりクリストフが悪魔の役を担っているのだ。だがトゥルーマンの世界の一部は現実のものだ。現実に彼は生身の体を持ち、地球上に生きていて、人々と交流している。その点においてクリストフはトゥルーマンをだますことはできない。思考実験の悪魔の犠牲となるのは、生身の体を持たず、人とも交流しないバージョンのトゥルーマンなのだ。そこでは、犠牲者の経験することすべてが、悪魔のつくり出すものになる。

あなたが今、悪魔に操作されていないことをどうしたら確かめられるだろうか？　それは不可能なことに思える。悪魔の仕業だというヒントがあるかもしれない。たとえば、ここであなたに悪魔に関する文章を読ませるのは、悪魔のユーモア感覚で、あなたが悪魔について考える状況を楽しんでいるのかもしれない。そのようなヒントがないとしても、悪魔説を完全に排除することは不可能に見える。しかし、悪魔に操作されていないことを確かめられないのならば、何が現実かどうやって知ればいいのか。

悪魔の議論は、あなたが外部世界に対して知ることすべてに疑問を投げかける。それは悪魔に力があるからだ。すでに見てきたとおり、普通の錯覚や夢は、私がオーストラリアで過ごした子ども時代の記憶や、アインシュタインが相対性理論を発見したという私の知識を脅かすことはない。しかし、悪魔は人をその生涯のあいだずっとだますので、知識すべてが脅かされることになる。私が子ども時代にオーストラリアで経験したことはつくり物で、私が読んだアインシュタインの発見の話もつくり話なのかもしれない。だから悪魔説を排除できないならば、私たちはグローバル懐疑論に脅かされることになる。

悪魔はどのように仕事をするのだろう？　デカルトはくわしく記していない。犠牲者が時間とともに経験していけるように、悪魔は頭の中にフィクションの複雑な世界モデルを持っているのだろう。私がオーストラリアに戻って、旧友に会うたびに、その経験と過去の経験とは一貫性を保つ必要がある。悪魔は、私が記事で読んだ土地や実際に訪れた土地に関するモデルを持つことが必要となるし、同様に私が読む新聞記事すべて、見るテレビすべてについてもモデルが必要となる。そのモデルはつねにアップデートされなければならない。これは大仕事だが、全能の悪魔には朝めし前だ。

デカルトの悪魔のきわめて狡猾（こうかつ）なバージョンは、人の心に侵入し、思考に手を加えるものだ。現代のバージョンでは、悪魔の役は、邪悪な神経科学者になるだろう。悪魔は脳を操作して、あなたに南極にいると信じさせる。だます者は思考さえも操作して、簡単な計算もまちがわせる、とデカルトは言う。「2＋3をいつもまちがえるんだ」。悪魔は2＋3は6と信じさせることもでき、あなたはその答えを正しいと思うのだ。

心を改変する悪魔の脅威は、一種の内的世界の懐疑論につながる。それは、あなた自身の理性も論理的思考も信用できない、というものだ。こうした悪魔はとても魅力的だが、ここにおける議論の範囲外だ。私がここで話したいのは、内的世界が直接に操作されることではなく、外部世界が操作されるというシナリオだ。心を改変する悪魔については最終章でふたたび触れよう。

悪魔からシミュレーション説まで

デカルトの悪魔がこのコンピュータ時代に生きていたら、仕事ははるかに簡単だ。モデリング作業はコンピュータに任せられる。コンピュータが動かすシミュレーションと犠牲者とを接続すれば、世界が展開するにつれて人は経験を重ねていく。これは『マトリックス』の設定で、そこでは神のごときコンピュータが悪魔の役割を演じ、そのシミュレーションがきつい仕事をこなしている。

アメリカのヒラリー・パトナムをはじめとする哲学者たちは20世紀に、現代科学の機器をもってデカルトのアイデアをアップデートした。悪魔は邪悪な科学者と交代し、だまされる人間は〈水槽の中の脳〉[5]に替わる。スティーヴ・マーティン主演の映画『ふたつの頭脳を持つ男』で瓶に入れられた脳のように、栄養素をバランスよく調合された混合液の中で脳は生きている。その神経終末は「超科学的コンピュータと接続されている」とパトナムは言う。コンピュータは電気刺激を脳に送って、すべてが正常であるという錯覚を脳にもたらす。脳は人の多い世界でとても詳細な経験をするが、実際は研究室の水槽の中でひとりぼっちだ。

〈水槽の中の脳〉というパトナムのシナリオは、『マトリックス』とよく似ている。映画では全身がポッドの中にあってコンピュータと接続されていた。パトナムはコンピュータのしていることをあきらかにしなかったが（マトリックスもそう）、脳が経験している世界のシミュレーションを動かしていることはまちがいない（マトリックスもそう）。

21世紀の哲学者の関心は、〈水槽の中の脳〉からシミュレーション説に徐々に移っている。シミュレーション説のシナリオは、偉大なるデカルトのシナリオの中核要素をすべてとり込んでいる。たとえば、世界をシミュレートすることで悪魔は任務を遂行している。対象者は一種のシミュレートされた世界で一生のあいだ夢を見ている。水槽の中の脳はシミュレーションと接続されている、などだ。シミュレーションをコンピュータに任せることによって、重要な要素を失うことなくシナリオを明確にできる。

水槽の中の脳というアイデアは、シミュレーション説の一バージョンだ。それは、外にあるシミュレーションと脳が接続されているという非純正シミュレーションでもある。シミュレーション説には、脳がシミュレーション内にとり込まれているという純正シミュレーションのバージョンもある。両方のシナリオとも、デカルト的懐疑に利用されてきた。

悪魔から水槽の中の脳に乗りかえたことは、単に外装をとり替えただけではないかと思う人もいるだろうが、現代テクノロジーを使うことでより強力な主張になるという重要な点がある。悪魔説はとても空想的な話なので、デカルトはそこに重きを置くことを嫌った。デカルトが信じていて、重視したかったのは合理的な疑いのほうで、彼の懐疑はそれを土台としていた。デカルトが重視したのは〈だます神の説〉のほうだった。なぜなら全能の神ならば人間をだます力を持っているると考えるのが合理的だからだ。こちらは現実的な仮説であり、デカルトに疑うべき強い理由を与えていた。

これまでシミュレーション説は空想的な説だったかもしれないが、近年、急速に本気で考えるべき説になっている。パトナムはSFとして水槽の中の脳というアイデアを唱えた。だがそれ以降、シミュレーションとVRテクノロジーが急速に進歩したので、フルスケールでシミュレートされた世界で人が一生を過ごすことも道筋が見えてきた。

その結果、シミュレーション説は悪魔説よりも現実的になった。イギリスの哲学者バリー・デイントンは次のように言う[6]。「シミュレーション懐疑論の唱える脅威は、先達の説よりはるかに現実的だ」。それが理由で、デカルトならば、自分の悪魔説よりも現代のシミュレーション説を真剣にとらえるだろう。私たちも真剣にとらえるべきだ。

懐疑論におけるマスターアーギュメント（主論法）

哲学者は議論が好きだ。だからといって論争が好きなわけではない。まあ、論争を楽しんでいる哲学者も多いが。哲学において議論は、結論を支える論理の筋道である。私が神の存在について議論するときには、その結論を正しいとする理由を提示する。

ときに議論はくだけたものになる。たとえば、映画を見に行くべきだとあなたを説得しようといくつか理由をあげるときなどだ――私たちには時間がある、これはすばらしい映画で今夜かぎりの上映だ。私は哲学でも同じことをする。あなたのまわりの世界は確かなものではない、とあなたを説得しようといくつか理由をあげる――以前あなたは錯覚に陥ったことがあるが、今はそうではないとどうしてわかるのだ？　私がうまくやれれば、あなたは納得するかもしれない。少なくとも真剣に受けとってもらえるだろう。

ときに議論は形式的なものになる。威圧的に聞こえるかもしれないが、形式的な議論は単純なものであることが多い。前提をあげ、それから結論を述べる。前提がもっともらしいものであれば、人々はそれを受けいれやすくなり、前提から導かれる結論が大胆であればおもしろくなる。前提と結論というくつかの部分で構成され、根拠や前提から結論を導きだす議論の形式を「論証」という。

懐疑論の外部世界に関する形式的な論証は次のようになる。

前提

1．自分がシミュレーションの中にいないことをあなたは確かめられない。[7]

2．シミュレーションの中にいないことを確かめられなければ、あなたは外部世界について何も知ることができない。

結論

3．ゆえに、あなたは外部世界について何も知ることができない。

1と2は前提で、3が結論だ。結論は前提から論理的に導きだされる。前提が真ならば結論も真になるはずだ。前提から一定の論理的形式に従って結論が得られれば、哲学者はその論証が「妥当」だと言う。くわえて前提が真であるなら、その論証は「健全である」と評する。論証が妥当であっても、結論が真であるとは限らない。前提の一部が誤っている場合もあるからだ。しかし、論証が健全であるならば、結論は真にならなければならない。前記の場合、ふたつの前提を受けいれるならば、結論もかならず受けいれなければならない。

20世紀イギリスの哲学者バートランド・ラッセルはこう言った。「哲学の核心は、述べる価値がないと思えるほど単純なことから始めて、最後はだれも信じないほど逆説的な結論で終えることだ」[8]。前記の論証はラッセルの理想にかなう可能性を持っている。ふたつの前提はもっともらしく（少なくとも、少し考えたところでは）、結論は驚くようなものだ。この論証をおもしろくしている理由のひとつがここにある。

事実、上記のシミュレーション論証はとてもおもしろいので、近年の哲学において懐疑論の「マスターアーギュメント」だとみなされることもある。基本のアイデアに影響を与えないかぎり、細部を変えることは可能だ。たとえば、シミュレーションを悪魔や水槽の中の脳に置きかえてもよい。

では第1の前提は信じられるのか？　第2章で最初の事例を紹介した。高度なシミュレーションならば、それがつくる世界は現実の世界のように見えるし、感じられるだろう。そしてもしもシミュレーションが現実と同じように見え、感じられるのならば、私たちは自分がシミュレーションの中にいるのかどうかわからなくなる。

第2の前提は信じられるのか？　外部世界についてあなたが知っていることをどれかひとつあげてほしい。パリはフランスにある、目の前にスプーンがある、などなど。だがもしも、あなたがシミュレーションの中にいるのならば、パリやスプーンに関するあなたの信念は現実からではなく、シミュレーションから与えられたものになる。パリもスプーンもシミュレートされたものなのだ。シミュレーションの外の世界はまったく異なるものかもしれない。現実にはパリもスプーンも存在しないかもしれない。だから、あなたがパリはフランスにあること、目の前にスプーンがあることを知っていても、あなたがシミュレーションの中にいる可能性を排除できないのだ。

VRに関する根本的な問いは次のものだ。「VRは実在なのか錯覚なのか？」。錯覚だと答える人は、第2の前提を受けいれるだろう。なぜなら、シミュレーションも広い意味でVRの一種なので、シミュレーションは錯覚だという考えも受けいれるはずだからだ。つまり、「もしもあなたがシミュレーションの中にいるならば、外部世界で経験したことはすべて錯覚だ」という考えを受けいれることになるのだ。シミュレーション説を排除できないのならば、外部世界のすべては錯覚だ、という主張も排除できない。それは、「あなたは外部世界について何も知ることができない」という主張を後押しする。

結論は驚くべき内容になっている。おそらくあなたもほかの人と同じように、自分は多くを知っていると思っているだろう。パリがフランスにあることも知っているし、あなたの目の前にある物質についても知っている、と。だが、本当は知らないのだ。議論は物質や都市の話にとどまらない。子ども時代の記憶にも当てはまる。あなたがシミュレーションの中にいるのならば、学校に通った記憶も本当ではなく、あなたは自分が本当に学校に行ったのかどうかわからないのだ。同じことが、外部世界とみずからの人生についてあなたが知っていること全般に言えるのだ。

厳密には、あなたが外部世界についてある程度を知ることは止められない。いくつかの事柄は論理あるいは数学に関する真理である。たとえば、「どんな犬も犬である」とか「もし、ここにひとつテーブルがあり、あそこに別のテーブルがあれば、ふたつのテーブルがあることになる」とか。ただし、これらはどれも自明な真理だ。だから厳密に言うと結論は「あなたは外部世界について実質的には何も知らない」となる。

ふたつの前提を受けいれるならば、論証は外部世界におけるグローバル懐疑論（外部世界について実質的には何も知らない）につながっていく。たとえ、２＋２は４であることを知っていても、あまり慰めにはならない。

このショッキングな結論を避けるにはどうすればいいのだろうか?

我思う、ゆえに我あり

デカルトは懐疑論に陥ることを望まず、あらゆる知識の基礎を築くことを望んでいた。だから、彼は懐疑論の議論で私たちの知識すべてに疑いを投げかけたあとで、ひとつずつ再構築しようとした。

疑いようのない知識から始める必要があった。そのため、たとえ彼が錯覚や夢や悪魔にだまされているときでも、ゆるぎなく真である実在をあきらかにしようとした。デカルトはその有力候補を見つけた。自分自身の存在だ。

自分自身の存在に関する有名な主張は、1637年に刊行された『方法序説』にもっとも明確に述べられている。それはこの言葉だ。「我思う、ゆえに我あり（コギト・エルゴ・スム）[9]」

この有名な言葉に後世の哲学者はさまざまな解釈を加えてきた[10]。これは論証の体裁を備えているように見える。分解すると、前提にあたるのが「我思う」で、結論が「我あり」だ。ほとんどの論証と同じように、実際の仕事は前提がしている。つまり前提を了承すれば、「我あり」の結論は論理的についてくるのだ。

デカルトは自分が考えるという行為をしていることをどのようにして知ったのだろうか？　まず、この知識は懐疑論的議論によって損なわれることがないように見える。たとえあなたが錯覚に陥っていても、あなたは考えている。夢の中にいるとしても、悪魔にだまされているとしても、あなたは考えている。あなたが水槽の中の脳であったとしても、シミュレーションの中にいるとしても、あなたは考えている。

より深い考察で、デカルトは自分が考えていることを疑えないと推論した。疑うことそれ自体が考えていることだからだ。考えていることを疑うことは内部的に矛盾している。疑うことそれ自体がまちがっていることを示しているのだ。

たとえあなたが水槽の中の脳で、悪魔から感覚を入力されているとしても、あなたは「我思う、ゆえに我あり」と論理的に判断することができる

ひとたび自分が考えていることを知ってしまえば、デカルトが自分の存在を知るのは簡単だった。思考があるところには、思考する人がいる。デカルトは結論づけた。「ゆえに我あり」

多くの哲学者がこの論証の穴を探した。「我思う」の部分を疑った者がいる。自分が疑っていることを、デカルトはなぜ確信できたのか？　つまり、自分が思考力のない「オートマトン（機械仕掛けの人形）」でないことをどうやって知ったのか？「我あり」の部分を疑問視した者もいる。思考は思考する者を必要とするのは自明のことなのか？　18世紀ドイツの哲学者ゲオルク・リヒテンベルクは、デカルトは「思考行為あり、ゆえに思考は存在する」と言うべきだった、と指摘した。つまり、デカルトは思考が存在することを知りえたが、自分の存在についてそれほど確信を持つべきではなかった、というのだ。

それでも多くの人が「我思う、ゆえに我あり」を受けいれている。自分が考えているということは疑いにくい。私も、悪魔のシナリオを読んで疑いを抱かなかった。疑いを抱かせるようなほかのシナリオを考えるのも簡単ではない。その結果、懐疑論の哲学者の中にも、自分が考えていることはわかるので、自分が存在することはわかる、と言う準備ができている者もいる。

私はというと、考えることそれ自体を特別なものだとは思っていない。デカルトは「我感じる、ゆえに我あり」「我見る、ゆえに我あり」「我悩む、ゆえに我あり」と言うこともできただろう。これらはすべて心について話しているものだから、自分がそうしていることを確認でき、悪魔にだまされる恐れもない。デカルトは「感じる、見る、悩む」ことが意識の状態か主観的経験であることを理解していれば、確信できたはずだ。もし私たちが「見る」ことを、見ているという主観的経験として単純に理解するならば、デカルトは自分が見ていることを確信できたに違いない。

私は、「我意識あり、ゆえに我あり」という表現が最良だと思う。意識について考えるのが私の日々の仕事なので、驚く人はいないかもしれない（作家なら「我書く、ゆえに我あり」と言うだろう）。とはいえ、これこそがデカルトの本当に言いたかったことだ、と論じることは不可能ではない。なぜなら、彼は思考を「意識のすべて」と明確に定義し、感覚や想像、知性、意思を思考に属させたからだ。[11]

一部の理論家は、懐疑論を外部世界だけでなく、意識そのものにも適用し、意識は錯覚であることもありうると主張してきた。[12] この見方については第15章でもう一度とりあげる。一般にこれは極端な意見だと見られているが、哲学ではあらゆることが疑問の対象となることを示す例だ。

私たちが「我思う、ゆえに我あり」を認めるのならば、デカルトに土台を与えたことになる。むずかしいのはそこからどうするかだ。自分自身と自分の心に関する知識から、どうやって外部世界の知識を得ればいいのだろうか？

第4章 外部世界は本当にあるのか？

長年のあいだ、数多くの哲学者たちが、デカルトの問題を解いて、私たちが外部世界の知識を持っていることを示そうとしてきた。この章では、彼らの出した答えをいくつか見ていくが、まずはジョークを紹介したい。哲学者、数学者のレイモンド・スマリヤン著『哲学ファンタジー』からの引用だ。

あるとき哲学者がこんな夢を見た。
最初にアリストテレスが現れたので、哲学者はアリストテレスに頼んだ。「あなたの哲学の概要を15分で私に教えてくれませんか？」。驚いたことに、アリストテレスは求めに応じて、膨大な材料をわずか15分にまとめるという、すばらしい説明を哲学者に与えた。だがそのあとで、哲学者がアリストテレスの哲学についてある異議を唱えると、アリストテレスは答えられず、うろたえて姿を消した。

次にプラトンが現れた。同じ展開となり、哲学者はアリストテレスのときと同じ異議をぶつけた。プラトンも答えられずに姿を消した。

それから歴史上の有名な哲学者が次から次へと現れたが、現代の哲学者は同じ異議で論破していった。

最後の哲学者が消えると、現代の哲学者は独りごちた。「私は今寝ていて、これが夢であることはわかっている。それでも私は、あらゆる哲学体系を打ち破れる普遍の反論を見つけたんだ。きっと朝、起きたら覚えていないだろうから、世界にとって大きな損失になる」。必死の努力で哲学者は目を覚まして、机に駆けより、普遍の反論を書きとめた。安心した彼はふたたびベッドに倒れこんだ。

翌朝、目を覚ました哲学者は机に行って、昨夜のメモを見た。そこにはこう書いてあった。

「それはあなたが勝手に言っているだけでしょう」

何世紀にもわたり外部世界の謎に答えてきた多くの偉大な哲学者たちのことを考えていると、スマリヤンの切り返しが頭に浮かぶ。だれもが懐疑論は誤りであることを望んでいる。哲学を職業としている人を対象にした2020年の私たちの調査では、回答者のうちで懐疑論を受けいれているか、気持ちが傾いている人はわずか5パーセントしかおらず、もっとも不人気な立場のひとつだった。だが同時に、懐疑論に対して納得できる批判を見つけることもむずかしく、コンセンサスを得られた批判はなかった。

懐疑論へのすべての批判を封じ込めるほどの哲学上の普遍的な反論はあるのだろうか？　私はないことを願う。なぜなら、この本で批判するための戦略を立てていくつもりだからだ。しかし、多くの反懐疑論からの批判を論破する可能性を持つ考え方がひとつある。この考え方の元は、イギリスの哲学者ジョナサン・ハリソンが１９６７年に記した「ある哲学者の悪夢（A Philosopher's Nightmare）」という寓話だ。すばらしいのに久しく注目されなかったこの話[1]の舞台は２１６７年で、生理学、心理学、医学、サイバネティクス〔生物と機械における制御と通信を統一的に認識し、研究する学問〕、コミュニケーション理論の分野がこれまでにないほど大きく進歩した時代だ。この話は基本的に、シミュレーションの中にいる哲学者が懐疑論について考える話である。次のようなものだ。

神経科学者のスマイソン博士は「電気幻覚発生器」なる一種のシミュレーターを発明した。さまざまな幻覚を見せることのできる装置で、博士は新生児の脳をその中にセットした。そして、その新生児に「アルフレッド・ルートヴィヒ・ギルバート・ロビンソン」という名前をつけ、縮めて「ルートヴィヒ」と呼んだ。オーストリアの哲学者ルートヴィヒ・ウィトゲンシュタインの名前にちなんでいる。

博士はルートヴィヒに幸福で一貫した人生を経験させようと決めた。ルートヴィヒはすばらしい教育を受けたが、その中心は哲学だった。とくにルネ・デカルトの業績について学んだので、ルートヴィヒは自分が幻覚の世界にいて、悪魔のつくった感覚を与えられているのではないかと悩むようになった。

幸運にもルートヴィヒは、懐疑論は誤りだと証明しようと試みる一連の著作に出会った。アイ

電気幻覚発生器にいるルートヴィヒの人生の4つのステージ

ルランドの哲学者ジョージ・バークリーの本を読んで彼は、「見え」〔意識に現れたもの、とらえられたものを哲学的概念では「見え」「現れ」「現象」などという〕が実在であり、自分が知覚した外部世界は実在であることを納得した。その後、イギリスの哲学者ジョージ・エドワード・ムーアの著作を読み、自分に手が存在するので、外部世界は存在することを納得した（バークリーとムーアの思想については、のちほどこの章の中で触れる）。それから20世紀なかばの哲学者たちの主張で、〈グローバル錯覚説〉は無意味であることを納得した。スマイソン博士はやさしい人間だったので、ルートヴィヒに彼が現実に置かれている状況を教えることができなかった。ルートヴィヒの人生は幸せなまま続いた。彼の脳が体に戻されて、哲学への関心を失うまでは。

作者のジョナサン・ハリソンはこの寓話

にはっきりした結論を示していない。そのため、ほかの哲学者は数えるほどしかこの話を引用しないのだろう。ハリソンはさまざまな反懐疑論を不条理なものに変えることで茶化しているようだ。読んだ者に次のように思わせたいのだ。幻覚発生器の中にいる人も、同じ論証をおこなえるとしたら、外部世界の存在を示そうとするこれらの論証はどれほどの説得力を持てるだろうか?

この話は、多くの反懐疑論に反論するときの戦略を示している。私はこれを〈シミュレーション返し戦略〉と呼ぼう。私たちは外部世界の知識を有しているという主張に対して、こう返すのだ。「シミュレーションの中にいる人もそう言うだろうね」

私はこのハリソンの返しが好きだ。反懐疑論への批判として普遍的なものではないが、その多くをやっかいな立場に追い込む。とりわけ、私たちはシミュレーションの中にいないことを完全に証明しようとする主張を困らせるだろう。

懐疑論におけるマスターアーギュメントを思いだしてほしい。前提1「自分がシミュレーションの中にいないことをあなたは確かめられない」（これは知識の問いに「ノー」と答えるに等しい）。前提2「シミュレーションの中にいないことを確かめられなければ、あなたは外部世界について何も知ることができない」。結論は「よって、あなたは外部世界について何も知ることができない」。前提のふたつを受けいれるのならば、結論も受けいれるしかなく、外部世界に対するグローバル懐疑論も受けいれざるをえない。

歴史的には、これまでの懐疑論への批判のほとんどは前提1を拒絶してきた。それは、「自分がシミュレーションの中にいないこと（あるいは水槽の中の脳や悪魔にだまされている状態ではないこと）を、私たちは確かめられるのか？」という知識の問いに「確かめられる」と答えることだ。この章では、懐疑論への批判をいくつか見ていき、それらが失敗に終わったことを語りたい。これは知識の問いにノーと答えることに一票を投じるものになる。

神は問題を解決できるのか？

あなた自身の心に関する知識から外部世界の知識を得るには、渡るための大きな橋が必要だ。デカルトは自分にはその橋を架けられると考えた。秘密は神を経由することだ。

神は完全なる存在であるとデカルトは考えていた[2]。善良さも賢明さもすべてを完璧に備えた存在だと。完全な神とはそれ自体完全なるアイデア（観念）であり、このアイデアは完全なる存在からもたらされたものだとデカルトは述べている。つまり、神は完全だという考えは神から発せられているのだ。この主張が有効ならば、自分の心に関する知識から外部にあるものの知識や自分より大きなものの知識を得ることも可能になる。それは私たちを神の存在に導くことだからだ。

ひとたび神のもとまで行けたならば、まわりの世界の知識を得るのは簡単だ、とデカルトは続ける。神は完全なる存在なので、人間がだまされることを許さないはずだ。だから神が存在するならば、一生のあいだ続く悪魔によるだましや、夢や錯覚は起こりえないのだ。外部世界に対する私たちの印象がだいたいは正確であることは神が保証してくれる。さもなければ神は不完全であることになる。よって外部世界は存在し、だいたい私たちが考えているとおりのものなのだ。

デカルトのこの議論は、「我思う、ゆえに我あり」に比べ、哲学者に与えた感銘は小さかった。あなたにはこの主張の穴がすでにいくつか見えていることだろう。

明白な問題点その1：完全なる存在という概念が、完全なる存在以外から生まれてもいいではないか。私は真円の概念を持っているが、私にはこの概念を生みだすほどの完全さはない。悪魔が完全なる存在の概念を人に吹き込んでもいいではないか。

問題点その2：たとえ完全なる存在がいるとしても、私たちがだまされていないことをどうやって確かめればいいのか？　人間をだますことも完全なる存在の基本計画の一環かもしれない。たとえば、人間はだまされる期間を経て、最後は現実について啓蒙されるのかもしれない。結局、私たちは不完全なので、完全なる存在のことはよく知らないのだ。

ここで〈シミュレーション返し戦略〉を発動してもよい。遠くない未来に、私たちはシミュレーションをつくれるようになる。その世界は、完全なる存在を信じる生き物で満ちているかもしれない。そのひとりにシミュレートしたデカルト（「シム・デカルト」と呼ぶことにする）がいるとしよう。シム・デカルトはこう言うだろう。「我らが創造者は完全であり、決して我らをだまさない」。だが、シム・デカルトの創造者はほかならぬ人間で、不完全な生き物なのだ。このことから、完全という概念をつくるために、完全である必要はないことがわかる。私たちは不完全であるがゆえに、シム・デカルトをつくる必要があったのだ。現実世界で人間のデカルトをつくることは人間にとってむずかしすぎるからだ。

たしかに私たちの知るかぎり、完全なる神が本当に存在するなら、人間をつくり、そこから間接的にシミュレーションをつくったと言える。デカルトは完全という概念は神からもらったと主張できるので、シム・デカルトも間接的にその概念を神からもらったことになり、デカルトの完全なる存在の議論はまだ有効である。しかしこれは懐疑論に対するデカルトの答えを助けない。シミュレーションの中にいる生き物がだまされていると仮定すると、シム・デカルトもだまされているのだ。完全なる存在がいるとしても、それだけでグローバル懐疑論を排除する理由にはならない。

人間はまだそのようなシミュレーションをつくったことがない、とデカルトは異議を唱えるかもしれない。ひょっとすると、シム・デカルトを欺(あざむ)くシミュレーションを人間がつくろうとしても、完全なる存在がそれを許さないので、決して成功しないかもしれない。だがシミュレーション技術は、シミュレーション世界に人間を組みこむほうへ確実に近づいていて、それは可能だと考える相応の理由をすでに持っているのだ。

実際に人間がそのようなシミュレーションをつくったときには、デカルトの議論（私たちは悪魔にだまされていない、シミュレーションの中にいないという主張）は決定的に弱体化するだろう。人間がシミュレーションの世界に入れるようになれば、それは不可能だという主張はすべて誤りになってしまうからだ。そうしたシミュレーションが実現する前の現在でも、そのテクノロジーの趨勢(すうせい)を見ると、デカルトの主張に疑問を投げかけることになる。ここでも、テクノロジーは古くからある議論に新しい光を当てる役に立っている。

見えは現実（実在）と同じか？

懐疑論に対するもっとも尊ぶべき返答は、「見えが現実だ」という主張だ。『マトリックス』の中でローレンス・フィッシュバーン演ずる反乱グループを率いるモーフィアスはその見方を述べる。

現実とは何だ？　どう定義する？　感じるとか、においを嗅ぐとか、味わうとか、見ることなどを現実とするなら、現実とは君の脳が解釈した電気信号にすぎない。

哲学においては、モーフィアスの言う「現実」を「実在」と呼ぶ。彼の言葉は、実在はすべて心の中にあるという考えを示している。もしも何かが実在するように見え、実在するように感じられる（音もにおいも味も実在するように知覚される）ならば、それは実在するのだ。もしも何かが実在するように見え、そして、これを否定するような別の見えがないならば、それは実在するのである。

「見えが実在だ」という主張は、実在は心によってつくられると考える〈観念論〉の中核をなす。哲学における観念論（idealism）は、「ideal（理想）」というよりむしろ「idea（観念）」に関することだ。[3]観念論はしばしば、実在は観念によってつくられると言う。つまり、心を構成する感覚や思考や感情などが実在をつくるのだ。インド哲学では、観念論は仏教とヒンドゥー教に共通する見

仏教哲学における観念論：世親がブッダの「心がすべてである」という教えについて熟考している

方だ。4世紀の古代インド仏教瑜伽行唯識学派（大乗仏教の学派のひとつ）の僧、世親（サンスクリット名ヴァスバンドゥ）はその論書『唯識二十論』で、観念論をブッダに帰すると主張した。「諸法（すべての存在現象）は識（心の認識作用）にほかならない」。言いかえれば、「実在とは心から生じる表象である」。世親の見方では、私が木を見たとき、実在とは木の概念であり、木の見えであり、木という意識となる。心の外に木は存在しない。

西洋哲学において観念論ともっとも近い関係にあるのは18世紀アイルランドの哲学者ジョージ・バークリーだ。1710年の書『人知原理論』で有名なスローガンを唱えた。「存在することは知覚されることである（*Esse est* percipi)」。スプーンは認識されるからそこに存在する。あなたの前にスプーンが見えれば、それは実在する。言いかえると、見えが実在なのだ。

この主張は、心と世界とのあいだにあるギャップに、ギャップなどないと言うことで、橋を架けている。世界はずっと私たちの心の中にあるのだ。物事がどのように心に現れるかを知れば、世界の物事がどうなっているかわかるのだ。

バークリーと世親は「実在は心がつくる」と唱える。もっとも基本的なレベルには知覚や思考、感情があり、それらは全体として世界を構成する要素となっている。ひとつのテーブルはさまざまな角度、さまざまな状況における無数にある見えから築きあげられている。私たちはテーブルが先に来て、見えがあとだと普通は考えるだろう。しかし、観念論者が正しければ、テーブルの見えが基本で、テーブルは見えに由来することになる。

こうした観念論は、見えと実在に局所的なギャップが生まれてもよいと考える。観念論は、あなたがピンクの象の幻覚を見るという事態を、すなわち、ピンクの象がいるように見えるが、実際には存在しない、という事態を認めうる。しかし、錯覚や幻覚が起きるのは、ピンクの象は存在しないという有力な証拠があるときだけだ。錯覚や幻覚の中であなたが手を伸ばしても、象に触れることはできないだろう。そして翌朝には象がいた痕跡はどこにもない。現れたことを全体的に考慮して、象はいないと考えられるとき、実際には象はいなかったことになる。

このように、見えが実在ならば、グローバル懐疑論は排除される。グローバル懐疑論は、私たちは全面的な錯覚の中にいて、見えが示すとおりに存在するものは何もない、と真剣に考える。

しかし、「見えが実在」という考えは全面的な錯覚を排除する。テーブルが存在するように見えて、それを否定する見えがないならば、実際にテーブルはあるのだ。見えがあれば実在する。

さらに、見えが実在を決めるのならば、完全シミュレーション説も排除できる。この説は完全シミュレーションの中にいることを示す手がかりは決して得られないとするもので、シミュレーションの中の見えにもいっさいヒントを含ませない。だが、見えが実在ならば、見えにもヒントを含ませないことは起こりようがないのだ。

観念論には反対の声が多い。そのひとつは「実在はだれの心でつくられるのか？」という声だ。自分の心単独で実在がつくられるというならば、それは唯我論（独我論）になる。真に実在するのは自分だけ、あるいは少なくとも宇宙をつくるのは自分の心だけとする、少し誇大妄想の気がある考えだ。しかし、実在は私たちの心が集まってつくるものであるならば[4]、私の心と全体としての実在にはギャップが生ずるだろう。私がユニコーン（一角獣）を見ているところで、ほかの人たちは象を見ているならば、実在するのは象ということになる。そうなると懐疑論に戻ってしまう恐れが生ずる。自分とほかの人の知覚が一致するかどうか、どうすればわかるのか？

もうひとつ重要な異議がある。観察されない実在はどうなるのか？　たとえば、私が部屋にいないときに私の机は存在しているのか？　観察者がいないときの宇宙はどうなっているのか？　そしてはるか昔、進化により生物の意識が生じる前はどうだったのか？　そこには何らかの実在があったのか？　この異議を五行詩の形で印象的に要約したのが、イギリスの神学者で作家のロナルド・ノックスだった。

あるときひとりの男が言った
「神はひどく異常なことだと思うべきだ
中庭にだれもいないときにも
そこに立つ木は
存在しつづけることを」

バークリーの見方からの返事も五行詩の体裁で記された。

拝啓　貴殿が驚くのは不思議です
私（神）はいつでもその中庭にいます
だからその木は
存在しつづけるのです
神に観察されることによって　敬具

デカルトのときと同じように、神が助けに来てくれた。神が世界のすべてを見守っているかぎり、観察されない実在は問題とならない。神の経験により現在進行形の実在は維持される。私たちが中庭に戻ってきたときに、いつでもそこに木を見るのは、神の経験が途切れずに、つねに安定して存在していることによる。

これに関するかぎりではいいのだが、これにより神は、外部世界が担ってきた役割をも引き継ぐことになった。中庭に物質としての木を置くのではなく、私やほかの人が持つ木に関する経験を維持するために、神は私たちに木の概念を与える。そうすると、デカルトのときと同じ質問が浮かぶ。「神が存在することを私たちはどうやって知るのか？」。実在することがわからなければ、私たちが中庭にいないときに、木はどうなっているかわからない。

次は、「神でなければいけないのか？」という疑問がある。悪魔でもシミュレーションでもその役が演じられるのではないか？　実際、神のシナリオは悪魔のシナリオをおだやかな方向に変えただけのように見える。悪魔のシナリオが排除されたのは、悪魔が姿を見せないからではないのか？　それならば、神もそのシナリオで姿を見せないのに、なぜ排除されないのか？

観念論の根本的な問題は、私たちの世界に規則性があること（たとえば、毎日同じ木が見えるといった）を説明するために、その規則性を維持してくれる、見えを超えた実在を要請しなければならない、という点にある。バークリーはその実在を神の御心だと主張したが、私たちの感覚と実在のあいだにギャップができてしまった今、懐疑論の問題がふたたびもち上がっている。見えの後ろにある実在（神や外部世界）について、私たちはどのようにして知ればいいのだろう？

ここでもシミュレーション返し戦略が使える。高度なシミュレーション世界をつくり、そこにシミュレートされたジョージ・バークリーを置く。そのシム・バークリーは私たちに言う。「見えが実在だ」。そこがシミュレーションであるという見えはないので、そこにシミュレーションは実在しない。シム・バークリーはこう結論を出す。「私はシミュレーションの中にいない。私の経験はすべて神の御心にある概念でつくられた」

私たちの目には、シム・バークリーは少しこっけいに見える。自分はシミュレーションの中にいないと言うけれど、それはまちがいだ。シム・バークリーは、見えが実在だと言うが、彼に見えるものを超えたはるかに広大な領域がそこにはある。シム・バークリーは、自分の経験は神によってつくられたと言うが、実際は人間がコンピュータの力を借りてつくったものだ。彼の世界を維持しているのは、神の心にある概念ではなく、コンピュータなのだ。

ここで人間のバークリーがカムバックして、コンピュータも含めこの世界のすべては神の御心によって維持されているのだ、と言うかもしれない。だが、コンピュータにできることに、わざわざ神をもち出す必要はあるのだろうか？[5] またバークリーは次のように言える。たとえ実在がシム・バークリーの見ているものを超えているとしても、シム・バークリーにとっての実在（つまり、彼が認知する椅子やテーブルの世界）はその見えによって構成されている。シミュレーションの外にあるものは、シム・バークリーの世界でも外にあるものなのだ。

それゆえ依然として、シム・バークリーが、自分はシミュレーションの中にはいないと言うときに、彼はまちがっている、という命題を否定することはむずかしい。このことは、見えは実在であるという原理に疑いを抱かせることになるだろう。

観念論のいくつかの形は思弁的な仮説として真剣に扱うべきだ、[6] という話をのちほどしよう。意識は宇宙の基礎をなすという主張を私たちは排除することができない。だが、見えと実在を同一視する観念論はどんなバージョンであれ、敗れ去る運命にある、と私は考えている。だから、懐疑論の問題を解決するにはほかの道を探さなくてはならない。

シミュレーション説は無意味か

１９２０年代から30年代に哲学者たちの集まりであるウィーン学団（論理実証主義や論理的経験主義のグループとして知られる）は、哲学を科学にすることを望んだ。20年代に彼らはウィーンのカフェや大学の教室で定期的に会っていた。有名なメンバーには、哲学者のオットー・ノイラートとモーリッツ・シュリック、数学者のクルト・ゲーデルがいた。ウィーンの哲学者であるカール・ポパーとルートヴィヒ・ウィトゲンシュタインは会合に参加することはなかったが、メンバーの多くと交流をもっていた。哲学者のローゼ・ラントが会合のくわしい記録を残していて、各種の提案に対する賛否の投票結果までわかっている。

学団の中心にいたのは偉大なるルドルフ・カルナップで、彼は哲学問題の多くは「擬似問題」であり無意味だと考えていた[7]。カルナップにとって意味のある仮説は検証可能でなければならなかった。つまり、仮説を支持もしくは否定する証拠を得られうることが要件だったのだ。しかし、デカルトの悪魔説のような懐疑論に関する証拠は得ることができない。その結果、この論理実証主義者のグループは懐疑論を無意味だと考えた[8]。この意見は彼らと議論をした者の一部とも共有した。１９２１年に出版された『論理哲学論考』の中で、ウィトゲンシュタインは次のように書

シミュレーションの中でルドルフ・カルナップは、シミュレートされたウィーン学団のメンバー（左から時計回りにシュリック、ノイラート、ラント、ゲーデル、オルガ・ハーン=ノイラート、ハンス・ハーン。ポパーとウィトゲンシュタインは近くを歩いている）に対して、シミュレーション説は無意味だと語っている

いている。「懐疑論は否定できないが、まったくナンセンスだ」

では、論理実証主義者はシミュレーション説を無意味と見るのだろうか？　原理的にシミュレーション説の証拠の入手可能性があることはこれまでに見てきた。たとえば、シミュレーション実行者は、私たちがシミュレーションの中にいることを教えて、プログラムを見せ、どのように世界を制御しているかを示すことができる。シミュレーションの中にいることを示す物理学的証拠を得られるはずだと考える者もいる。だが、第2

章で見たとおり、それらの証拠は不完全シミュレーションに属するものだ。完全シミュレーションの世界で私たちの経験は、つねに現実世界と同じになるので、完全シミュレーションの中にいる証拠を得るのはむずかしい。証拠が得られないのならば、カルナップとウィーン学団のメンバーはシミュレーション説を無意味だと言うだろう。

だが、ここではウィーン学団はまちがっている。完全シミュレーション説の証拠が得られなくても、それはせいぜいその説が、科学的手法を使って検証できる科学的仮説ではない、という意味しかもたない。そして、この世界の本質に関する哲学的仮説としてはどこもおかしい点はない。

ここでもシミュレーション返し戦略で反論できる。私たちが自分たちの完全シミュレーションをつくったとしよう。そのシミュレーションの中では、シムたちが議論をするかもしれない。シム・ボストロムが「私たちはシミュレーションの中にいる」と言う。「いいや、いない。ここはシミュレートされていない現実だ」とシム・デカルトが反論する。シム・カルナップは言う。「この議論は無意味だ。ふたりともまちがってさえいない」

無意味説を主張する者はシム・カルナップに味方して、シム・ボストロムとシム・デカルトの討論は支離滅裂であり、どちらも正しくないと批判するだろう。だが、この評価は誤っていると思われる。実際にはふたりともシミュレーションの中にいるので、シム・ボストロムが正しく、シム・デカルトがまちがいだ。シム・ボストロムは自分が正しいという証拠を決して得ることはできないが、それでも彼が正しい。

疑うのならば、シミュレーションの中に不完全なものを残したことを想像してほしい。たしかに小さな赤い錠剤は見つけるのがむずかしいが、いったん見つけてしまえば、そこがシミュレーション世界だという決定的証拠になる。ではシム・ボストロムとシム・デカルトがある日、証拠となる赤い錠剤を見つけたとしよう。だれかがふたりに、ここはシミュレーションの世界で、君たちの人生すべてはコンピュータが動かしているのだ、と教える。ふたりは、シム・ボストロムが正しく、シム・デカルトがまちがっていることで合意するだろう。つまり、このケースでは少なくとも自分たちがシミュレーションの中にいるかどうか、という議論は無意味ではないのだ。

話を少し変えよう。シム・ボストロムとシム・デカルトが赤い錠剤を見つけられなかったとしてみる。ふたりは証拠を探しはじめたが、かなわないまま死を迎える。この場合、錠剤を見つけられなかったにもかかわらず、そこはシミュレーションの中なので、やはりシム・ボストロムが正しく、シム・デカルトがまちがっていることは明白だ。だからここでもシミュレーションの議論は無意味ではない。

もう一度話を変えよう。シミュレーションの作成者が、シミュレーションの中に不完全なものがあることに気づいたとする。作成者がバグを修正すると、赤い錠剤は消えた。これで完全シミュレーションになった。ふたりのシム哲学者は、前のケースと同じ人生を歩む。シム・ボストロムは自分たちはシミュレーションの中にいると主張し、シム・デカルトは反対の主張をする。もちろんふたりは赤い錠剤を見つけないまま、死を迎える。この場合でも、シム・ボストロムが正しく、シム・デカルトがまちがっていることはあきらかだ。シミュレーションのどこか深いところに赤い錠剤があろうがなかろうが、正しいほうは変わらない。ふたりのシム哲学者は、正しいことを証明できなかったものの、自分たちのいる世界について意味のある主張をしたのだ。

ウィーン学団の見方は検証主義にもとづいている。仮説は感覚を通した証拠により真偽の検証が可能なものだけが有意味である、とする主義だ。しかしながら、感覚を通した検証ができないものの、有意味な説は多くあるので、現在では検証主義は否定されている。検証主義者を混乱させるには次の質問をすればいい。「検証主義自体は感覚を通した証拠により検証が可能なのか？検証できないのならば、無意味ではないのか？」。その答えはまあまあ明快だ。「検証主義は検証できない。それの意味することは、検証主義者自身の見方では、検証主義は無意味であることになる」。検証主義を弱体化するのに充分な答えだ。ほとんどの哲学者は、検証主義は検証できないが、それでも有意味だという妥当な結論に至っている。

同じことがシミュレーション説にも言える。シム・ボストロムとシム・デカルトの議論を紹介したが、シミュレーション説も検証できないが有意味だ。シミュレーション説は証明できても否定できても、完全に有意味なものだ。私たちがシミュレーションの中にいてもいなくても違いはない。

シミュレーション説は矛盾しているのか？

反懐疑論からはほかにも、シミュレーション説は有意味でも矛盾しているので、それが真であるはずはないという指摘がある。次の発言を考えてほしい。「7×3は素数だ」。それぞれの単語は有意味だが、素数はそのように因数分解〔自然数の積に分解すること〕できない数のことなので、発言は矛盾している。だからその発言は誤りだとわかる。同じように、シミュレーション説が矛盾していれば、それはまちがっているのだ。

すでに見てきたとおり、シミュレーション説が矛盾しているという結論に至る一本の道筋は、バークリーの観念論から提案されている。観念論は「見えは実在である」と唱える。その強いバージョンでは、「私たちはシミュレーションの中にいる」と私たちが言うとき、それは「私たちはシミュレーションの中にいるように見える」かそれに似た意味を持つ。完全シミュレーション説は次のように主張する。「私たちはシミュレーションの中にいるが、その見えはない」。観念論の強いバージョンが正しいのならば、それは「私たちはシミュレーションの中にいるが、同時にその中にいない」と述べているのに等しいので、矛盾している。この強いバージョンによるとシミュレーション説はまちがいになる。

また、前に観念論を批判したときと同じ方法をこの見方に使うこともできる。シミュレーションの中にいるシム・バークリーを考えてみよう。彼はこう言う。「私がシミュレーションの中にいると考えるのは矛盾している」。この時点で何かがおかしいことはあきらかだ。

ヒラリー・パトナムは、懐疑論は矛盾しているという主張をより繊細なバージョンに進歩させた。前の章で紹介したとおり、パトナムはデカルトの悪魔のシナリオを現代的な〈水槽の中の脳説〉に更新した。私たちは水槽に入れられた脳でマッドサイエンティストによって感覚入力を与えられている、というシナリオだ。パトナムは１９８１年の『理性・真理・歴史――内在的実在論の展開』[9]において、この水槽の中の脳説は矛盾していると主張した。

　パトナムが主張の基礎にしたのは、水槽の中の脳にとって「脳」という言葉はどういう意味を持つかを分析することだった。主張はパトナムの「意味の理論」に拠っている。言葉の意味は、その言葉が外的環境の何に接続しているかによって決まる、とする理論だ。パトナムによれば、水槽の中の脳が「脳」という言葉を使うとき、実在する生物学的な脳について語っていない。なぜなら、水槽の中の脳が置かれた環境にかかわっているのは、生物学的な脳ではなくて、「デジタルの脳」であるからだ。その結果、水槽の中の脳が「私は水槽の中の脳だ」と考えても、それは誤りで、「私は水槽の中のデジタルの脳だ」という意味になる。だが実際はデジタルの脳ではなく生物学的な脳なので、この状況では〈水槽の中の脳説〉は真になりえないのだ。

　パトナムの議論と意味の理論については第20章でくわしく触れよう。今のところは、「私は水槽の中の脳だ」に代えて、「私はコンピュータ・シミュレーションの中にいる」としたときに、パトナムの主張は機能しないことを記しておく。シム・パトナムが「私はコンピュータ・シミュレーションの中にいる」と考えたとき、彼は本当のことを考えている。「コンピュータ・シミュレーション」という言葉は、「脳」と同じように、私たちの環境において特定のシステムに固定されている言葉ではない。シム・パトナムが言っているのは「通常のコンピュータ・シミュレーション」であり、私たちが使うのと同じ意味だ。そして彼は本当にその中に「いる」のだ。だから、シム・パトナムが「私はコンピュータ・シミュレーションの中にいる」と考えることには何の矛盾も発生しない。

私の結論は、〈シミュレーション説は矛盾していない〉で、それが真であるチャンスはまだ残されている。

単純さはシミュレーション説を排除するか?

ここまで見てきた懐疑論への反論は、私たちがシミュレーションの中にいないことは確実であり、外部世界が存在することは確実だ、と論じるものだった。これ以外に、知識は確実である必要はない、という反論もある。たしかにデカルトの論証は、私たちがシミュレーションの中にいないことは確実ではない、ということを証明しているが、それでも私たちは自分がシミュレーションの中にいないことを知ることができるというのだ。

たとえ話をしよう。この文章を書いている時点で、私はアメリカ大統領がジョー・バイデンであることを知っている。ただもしかしたら、彼は5分前に亡くなっていて、私が知らないだけかもしれない。私の知識は可謬的（まちがえる可能性があること）だが、それでも知識であることに変わりはない。外部世界に対する知識は確実なものである必要はない、と私たちが認めたときに、デカルトの主張の説得力は弱まるように見える。

この文脈に沿った懐疑論への重要な反論にバートランド・ラッセルの「単純さ」の主張がある。[10]この高名なイギリスの哲学者が論じるには、外部世界の対象が実在するという常識的な仮説は、私たちの観察のもっとも単純な説明になっている。それに対して、夢仮説は複雑すぎる。おそらくラッセルはシミュレーション説についても複雑すぎると言うだろう。一般的に、私たちは観察したことについてもっとも単純な説明を採用し、複雑すぎる説明は除外するべきだ。だから私たちは〈世界が実在するという説〉を採用し、シミュレーション説を排除するべきなのだ。

科学において単純さを求める声は至るところで聞こえる。それはよく〈オッカムの剃刀〉と呼ばれる。14世紀イギリスの哲学者オッカムのウィリアムの名前をとった原則で、「必要なしに多くのものを定立してはならない」と唱える。ほかの要素が等しければ、もっとも倹約的な理論、つまりもっとも要求する仮定が少ない理論を採用するべきだ。複雑な理論を採用するのは、データに合う、より単純な理論がないときに限る。

たとえば、古代ローマの数学者プトレマイオスは、太陽が地球のまわりを回っているという理論を提唱したが、ルネサンス期の天文学者ヨハネス・ケプラーは、その逆に地球が太陽のまわりを回っている説を唱えた。プトレマイオスの理論では正しい結果を得るために、多くの周転円〔ある大きな円の円周を中心として回転する小さな円で、天動説において惑星の複雑な運動を記述するために導入された〕を仮定しなければならないが、ケプラーの理論はそれをしないで済む。オッカムの剃刀はケプラーの理論を採用するように命じる。

外部世界に関する複数の説を見てみると、〈世界が実在するという説〉はシミュレーション説よりも単純に見える。結局、後者はシミュレートされた世界と実在する世界のふたつの世界を仮定するのに対して、前者は実在する世界ひとつだけだ。ひとつで説明できることを、ふたつも用意する必要はあるだろうか。

だが、単純さは多くの要素のひとつにすぎない。単純な理論が誤りで、複雑な理論が正しいこともよくある。単純さはほかの要素によって覆（くつがえ）されることもありうる。環境が複雑なことがわかった場合などがそうだ。

たとえば、火星の岩に「A」の文字が刻まれているのを発見したとしよう。ふたつの説が唱えられる。岩同士のランダムな動きと衝突により刻まれたと考える説と、知的生命体が刻んだとする説だ。火星に知的生命体がいると仮定することには理由がないので、より単純に見える前の説を支持するだろう。一方で、地球の岩に「A」の文字が刻まれているときは、人類がかかわるのでより複雑だが、後者の説を支持するのが妥当だ。私たちは、地球上にたくさんの知的生命体がいることを知っているので、その分だけ複雑な説を信じる理由がある。ここでは単純さよりも、可能性に関する私たちの知識のほうが優先されるのだ。

同じことがシミュレーション説にも言える。そこがシミュレーションの世界であると信ずる理由がなければ、世界が実在するという説の単純さは、それを支持する理由になる。一方で、ボストロムが言うように、世界に全宇宙の完全シミュレーションがいくつも存在することが信じられるならば、単純さという理由は覆されるだろう。私たちはまだ完全シミュレーションを見ていないが、それは実現可能であり、人類の歴史においていつか開発されるだろう。現実問題として、単純さのアピール力はシミュレーション説を排除する理由にはほとんどなっていない。

シミュレーション返し戦略がこの分析を補足する。シム・ラッセルはシミュレーション説はあまりに複雑なので排除するべきだと言う。だが、その彼もまたシミュレーションの中にいる。彼は不運なだけなのかもしれない。結局、シム・ラッセルはシミュレーション説は可能性が低いと

シミュレーション説について議論するバートランド・ラッセル（左）とニック・ボストロム

言っただけで、不可能だとは言っていない。だがシミュレーションが普及していると信ずる理由を見つければ、もはや彼には、シミュレーション説の可能性が低いと考える理由はなくなる。

私たちがシミュレーションの中にいないことは明白なのか？

ケンブリッジ大学でラッセルの同僚だったジョージ・エドワード・ムーアは、外部世界に関する懐疑論に対して有名な反論をしている。ムーアは言った。「ここに片手がある。そしてもう一方の手がある。ゆえに外部世界は存在する」[11]。ムーアは、ここでのふたつの前提が真実なのはあきらかで、よってこの論証は哲学の世界においてきわめて妥当性があると主張し、これを〈外部世界の証明〉と呼んだ。そこに手があるならば、外部世界は存在するのだ。

ムーアは常識を大いに尊重していて、それにもとづいて論証を展開した。ムーアにとって、自分に手があるのは当たり前のことだ。そして常識が哲学的論証を進める前提となりうる。その前提から外部世界は存在することが導きだされる。ムーアは悪魔説や水槽の中の脳説について言及しなかったが、私たちがそのような世界にいないことは彼にとって常識だと考えていただろう。

だが、ムーアの外部世界の証明に納得した人はほとんどおらず、多くの人にとって外部世界の存在は謎として残っている。ムーアは自分に手があると決めてかかる資格がなかった。この状況においては、「私には手がある」という前提に疑問が投げかけられる。「私には手がある」というムーアの主張（前提）は、外部世界は存在するという結論を前提としている。論証の前提が結論を前提にすることは、循環論法を意味する。つまり、結論を得るために結論を前提にしているのだ。

過去にジョナサン・ハリソンの寓話に明示されていたおもしろい光景とともに、シミュレーション返し戦略が私たちの前に立つ。シム・ムーアがシミュレートされた両手をあげて宣言する。「私は手を持っている。ゆえに外部世界は存在する」。このシム・ムーアがどこかおかしいのはあきらかだ。自分に手があることを彼は常識だと考えた。しかし、彼がシミュレーションの中にいる可能性がわかれば、彼は常識に頼るべきではない。すべてが白紙に戻る。

今後、シミュレーションの実現可能性が高まれば、ムーアの主張は残存部隊のほとんどを失うことになる。その時点で、外部世界に関する私たちの常識に疑問が投げかけられる。そうなると、私たちから疑いをとり除くために、その見方は利用できなくなるのだ。

外部世界を疑う声に対しては、次の反論もある（そのいくつかはサイトに記した[12]）。それは、私たちは自分がシミュレーションの世界にいないことを証明できないものの、知ることはできる、と主張する。こうした答えに対しては、シミュレーション返し戦略で簡単には反論できない。しかし、シミュレーションの実現可能性が高まれば、これらの答えも存続するのがむずかしくなる。

次の章では、シミュレーション説は成り立つ可能性があり、その結果として、私たちはシミュレーションの世界にいないことを知ることができないことを話そう。

第5章
私たちはシミュレーションの中にいるのだろうか？

『シムシティ』は、ユーザーが都市を運営するシミュレーションゲームで、第1作は１９８９年に発売された。翌年、地球上で生命を育てる『シムアース』が続いた。２０００年には『シムピープル』が発売された。簡素にシミュレートされた住人を家で生活させるゲームだ。いつかは、宇宙全体を詳細にシミュレートした『シム宇宙』が開発されるのは避けられないだろう。

その『シム宇宙』を中から見ると、それはコピー元である現実の宇宙と見分けがつかない。ここで１００億人の人類が生きる宇宙をシミュレートすることを考えてみよう。その場合、『シム宇宙』には１００億人それぞれに対応する純正シム（シミュレートされた人）がいることになる。

やがては10代の若者がこぞってモバイル機器で『シム宇宙』をプレイするようになるかもしれない。テクノロジー上の制限はあるとしても、多くの研究者も科学や歴史や財政や軍事のためにシミュレートされた宇宙を動かすだろう。そうすると1、2世紀のうちに数百万、数十億のさまざまな『シム宇宙』があちこちで動くことになる。その結果、シムの数はノンシム（現実の人類）

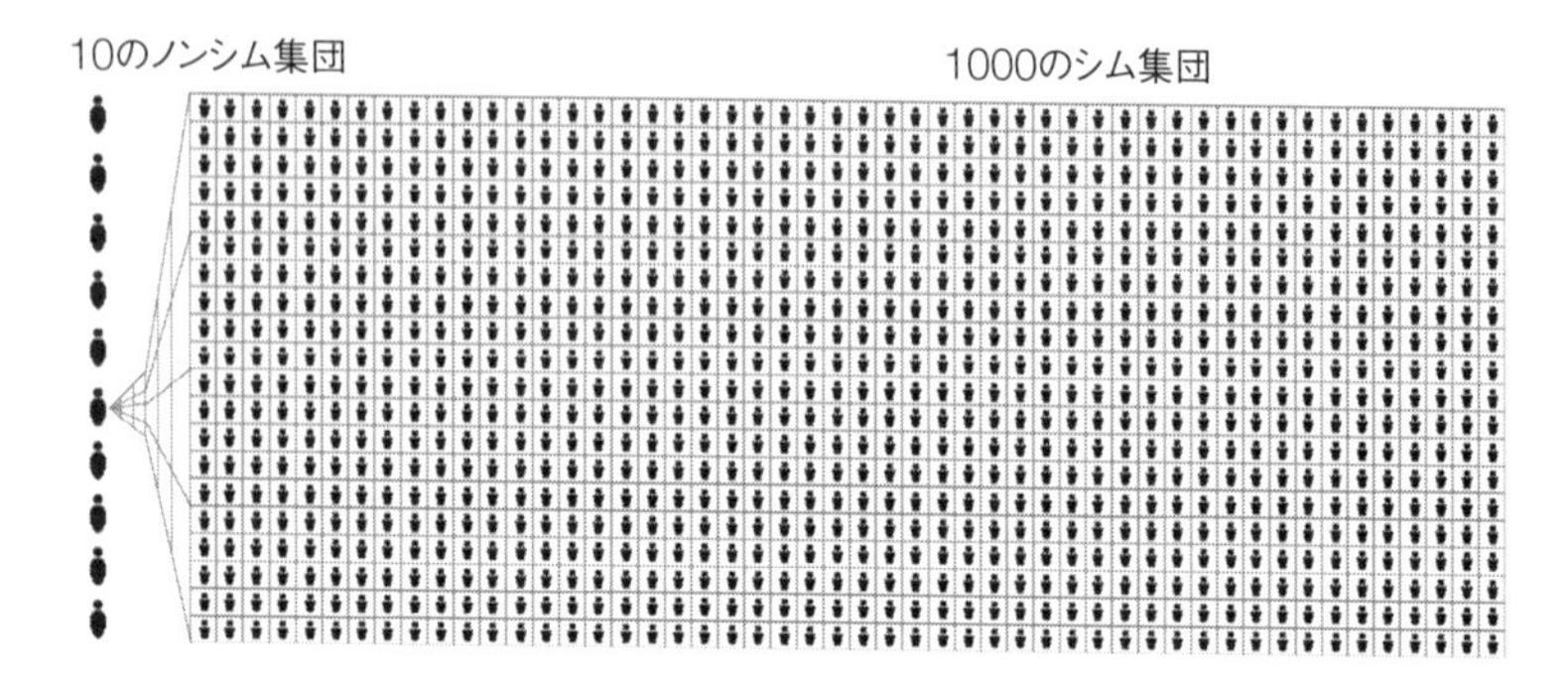

ノンシム集団の1割が、それぞれ自分たちの人口の1000倍のシムをつくれば、シムの数はノンシムの100倍になる

よりもはるかに多くなる。長い時間で見れば、シムと人類の比は100万対1にまで広がるかもしれない。

宇宙のどこかにいる知的生命体についても同じことが言える。宇宙人が人類と同じくらいの知性を有していれば、コンピュータを開発しプログラムを動かすだろう。彼らの文明が長く栄えれば、シミュレートされた宇宙をつくるに違いない。

数字で見てみよう。単純化するために小さな数字を使う。宇宙人の文明が長く続き、たとえば、自分たちの人口の少なくとも1000倍のシム宇宙人をつくれるまでになったとする。人類レベルの知的生命体の少なくとも1割がこのシム宇宙人をつくるとする。宇宙人の1割が自分たちの1000倍のシム宇宙人をつくるので（上のイラスト参照）、0・1×1000となり、宇宙全体でシム宇宙人の数は実際の宇宙人の100倍になる。

これらのシム宇宙人（そして、この章でとりあげるシムすべて）は、シミュレーションの中でつくられたデジタル生命体という純正シムだ。これらは、元となった宇宙人と同じ意識経験をすると想定できる。そこがシミュレーション世界であるという証拠がないので、シムの大半は自分たちがシムであることを知らないだろう。

それならば次の質問をすることができる。「私たちがシミュレートされていない少数の生命体である確率はどのくらいだろうか?」。少なくともシムは100倍も多いのだから、当然、「1パーセント以下」という答えになる。よって私たちがシム宇宙人である可能性は高い。

シミュレーション論証

ここまで紹介してきた議論は、〈シミュレーション論証〉と呼ばれるものの一バージョンだ。その基本概念は第4章の140ページのイラストで示した。私の知るかぎり、これを最初に語ったのは、ロボット研究家で未来学者のハンス・モラヴェックが1992年に発表した「サイバースペース（電脳空間）の豚」というエッセイである。[1] モラヴェックは1995年のWIRED誌のインタビューで、そのエッセイを簡潔にまとめている。[2]
ロボットは私たちを好きなだけ再生産することができる。一方、私たちのオリジナルの世界はせいぜい1回しか存在できない。したがって統計的に言えば、私たちはオリジナルの世界ではなく、膨大な数があるシミュレーションのひとつに住んでいる可能性が高い。

シミュレーション論証の決定的なものは、２００３年にニック・ボストロムが「あなたはコンピュータ・シミュレーションの中にいるのか？」という論文で述べた主張だ。[3] ボストロムは、シミュレーション説の中で自分の祖先をシミュレートするバージョンに絞って、３つの選択肢を持つ複雑な結論について数学的論証を展開した。ボストロムの主張はのちほど触れるとして、今は、私たちはおそらくシミュレーションの中にいるというモラヴェックの直接的な主張を見ていこう。２０１６年のインタビューで、実業家のイーロン・マスクはモラヴェックに同調する発言をした。[4]

われわれが現実と区別のつかないゲームを持つ方向に進んでいることは確かだ。それらのゲームはどんなセットトップボックス〔家庭用のテレビに接続して、特定のサービスを受けられるようにするために使う端末機器〕やPCやほかの端末でもプレイできるだろう。コンピュータやセットトップボックスは数十億台もあるので、われわれが根本になるオリジナルの世界にいる確率は、数十億分の一となるように思える。

わかりやすい推論だ。シミュレーション技術は広く普及するので、宇宙にいるほとんどの活動体（あるいは人類と似た経験をした活動体のほとんど）がシムになっている。それならば私たちもシムだろう。

悪くない主張だが、魅力に欠ける。何が問題なのだろう？　あなたはすでに反論をいくつか思いついているかもしれない。

反論のひとつはこうだ。「そのようなことは決して起こらない」。理由はいくつも考えられる。人類レベルの知性を持つシム宇宙人が多くなることはない。そのようなシミュレーションは実現不可能か、あまりにもむずかしい。シミュレーションをつくることをだれも選ばない。シミュレーションをつくる前に人類レベルの宇宙人は滅びてしまう。それなら、シミュレーションは少ししか（あるいはまったく）つくられないので、私たちがシミュレーションの中にいる可能性は低い。

別の反論はこう言う。「人類は特別だ」。たとえシム宇宙人がたくさんいるとしても、人類はシムになりにくい特徴を有している。たとえば、われわれは意識を持っている、特別な心を持っている。またシム宇宙人がわれわれのような意識や心を持つことを否定する者もいるだろう。大半のシミュレートされた世界とは異なる独特な世界に人類は生きている。そうであるならば、多くのシミュレーションがあっても、われわれはその中のひとつではないだろう。

こうした反論のすべてに答えていこう（その他の多くの反論については、サイト注記「consc.net/reality［英語］」で触れている）。ここで結論を言ってしまおう。なかにはもっともらしい反論もあるが、その効力は限定的なので、シミュレーションは決して広まらない、あるいは、人類は特別だからシミュレートできない、と確信することはできない。その結果、シミュレーション説は排除できず、真剣に検討すべき主張となる。

きる。

論証を整理する

シミュレーション論証の根拠を明確にするために、論証を前提と結論に分けて並べることにする。

知的生命体（縮めて「生命体」とする）は、少なくとも人類レベルの知性を有することにする。知性とは、適切なコンピュータプログラムをつくり、動かす能力だと理解しよう（第15章でくわしく触れる）。ネコがプログラムを組めなければ、ネコにはコンピュータ・シミュレーションは設計できない。今のところ、生命体に人間のような意識経験を求めないが、のちに求めることになる。

前と同じでシムはシミュレーションの中にいる生命体で、ノンシム（現実の宇宙人）はシミュレーションの外にいる生命体だ。集団とは生命体の集合であり、どの生命体もかならずどれかひとつの集団に属することを前提とする。種ごとに、あるいは社会的協力によって集団をなすのが自然だが、ここでは集団がどのように機能するかはあまり問題にしない。単純化するために、すべての集団は同じ規模とするが、[5]その前提はすぐに崩れてもよい。

この論証のバージョンは完璧にはほど遠いが、根底にある問題を引き出すための出発点には適している（私がお勧めするバージョンはこの章の終わりで紹介する）。それは次のように展開する。

前提

1．宇宙人の少なくとも1割が、それぞれ自分たちの1000倍のシム宇宙人をつくる。

2．宇宙人の少なくとも1割が、それぞれ自分たちの1000倍のシム宇宙人をつくるならば、知的生命体の少なくとも99パーセントはシム宇宙人になる。

3．99パーセントがシム宇宙人ならば、私たちもシムである可能性は高い。

結論

4．ゆえに、われわれはシム宇宙人だろう。[6]

数字をあてて論証に具体性を与えてみよう。前と同じで、単純化のために小さい数字を使う。より野心的な気分ならば、第1の前提の数字を、人口の0・1パーセントの宇宙人が、それぞれ10億倍の数のシム宇宙人をつくる、ということにもできる。そのときは宇宙人とシム宇宙人の比率は1対100万になる。

この説明を念頭に3つの前提を確かめていこう。先の論証は妥当に見える。前提が真ならば結論も真となるはずだ。

前提2はもっともわかりやすい。有限宇宙に数字を与えて、すべての生命体がシムかノンシムに分類できるように定義されているかぎり、前提は真であることを保証される。数字や無限宇宙の想定などほかの複雑なことはサイトに載せた。[7] 問題なのは前提の1と3だ。

はたして多くのシム宇宙人はいるのか？

　前提1は、宇宙人の少なくとも1割が、自分たちの1000倍のシム宇宙人をつくる。これは人類の話ではなく、宇宙人一般の話だ。前提1には、「そのようなことは決して起こらない」という反論がある。それだけの高度なシミュレーションは実現不可能か、むずかしすぎる。シミュレーションをつくる前に人類レベルの宇宙人は滅びてしまう。シミュレーションをつくることをだれも選択しない。こうした反論は、シム宇宙人の存在をブロックしよう、あるいは阻もうとしたがるので、〈シムブロッカー〉[8]と呼ぶことにする。

「知性を持つシム宇宙人をつくることができない」[9]という反論もある。知的行動を生むプロセスは計算不能で、コンピュータではシミュレートできないという。なぜなら、物質ではない心が計算不能な方法で、行動に影響を与えるようでもあり、さらに脳にはシミュレートできない物理的プロセスがあるからだ。たとえば、数理物理学者のロジャー・ペンローズは、量子重力理論（量子力学と一般相対性理論を統一した理論）は、人間の行動にとって欠かせない非アルゴリズムの要素を持つプロセスを含むだろう、と予想している。そうならば、知性を持つシム宇宙人をつくることは不可能であり、知性のあるシム宇宙人という私たちの定義は成り立たなくなる。

　だが驚くことに、現実には、計算不能なプロセスが存在する証拠はほとんどないのだ。従来のコンピュータではシミュレートできないプロセスがあるとしても、新種の高性能コンピュータが開発されれば可能性は出てくる。量子力学を利用して量子コンピュータをつくれることはすでにわかっている。ペンローズの言うとおり、量子重力理論が従来のコンピュータには計算のできないプロセスを含むとしても、従来のコンピュータではシミュレートできないほどの性能を持つ量子重力コンピュータ[10]をつくるために、そのプロセスを利用できるはずだ。その量子重力コンピュータは人間の脳のプロセスをシミュレートできるので、その結果、シミュレーション論証は超高性能コンピュータを考慮した新しいバージョンになるのだ。

「シムはコンピュータの能力を使いすぎる」。人類レベルの知性を持つ大規模な集団すべてをシミュレートするには、膨大なコンピュータの能力を必要とし、実行不可能だという反論がある。これはまったくおかしい。脳は大きいが有限だ。1000億の神経細胞とそれぞれに1000の結びつき（シナプス）がある。最新の概算では、脳は1京（10の16乗）FLOPS（1秒間に浮動小数点演算が何回できるかを示す値）に相当する能力があるという[11]。つまり計算速度は10ペタフロップスだという。たしかにすごい数値だが、現在ある最高のスーパーコンピュータの性能と同じくらいなのだ。

もしもこれが正しくて、私たちが脳について充分なことを知ったときは、スーパーコンピュータの1秒が、脳の情報処理の1秒をシミュレートできるようになる。テクノロジーが通常のスピードで進歩すれば、コンピュータの処理速度は10年ごとに10倍になる。1世紀のうちに、10の26乗フロップスに達するので、コンピュータの1秒で100億（10の10乗）の脳の1秒をシミュレートできるようになるのだ。次の100年では、10の36乗フロップスとなり、コンピュータの1秒で100億の脳の100年（30億秒）をシミュレートできるようになる。フルスケールのシミュレーションでは環境もシミュレートする必要があるが、それも仕事量を2、3桁増やすほど大きくはないはずで、10の39乗フロップスもあれば充分だろう。たとえ、コンピュータの進歩が遅くなったとしても、未来のコンピュータに処理可能なはずだ。

現状では、宇宙は計算のために使うことのできる未利用能力を大量に有している。[12] 膨大な空間に膨大な量の物質があるのだ。さらに物質は計算に利用できる膨大な微細構造を持っている。アメリカの物理学者のリチャード・ファインマンが、ナノテクノロジーを提唱した1959年の講演「ナノスケール領域にはまだたくさんの興味深いことがある（There's Plenty of Room at the Bottom）」で言ったとおりだ。イギリスの物理学者セス・ロイドによる概算では、1キログラムの系は1秒間に最大で10の50乗のオペレーションが可能だという。この概算には、きわめて短命のブラックホールも含まれているので、制限は多いが、1秒間に10の40乗のオペレーションが可能だというほかの概算もある。こうした資源のごく一部を利用するだけでも、膨大な人口のシミュレーションはすぐに些事（さじ）になるだろう。

もしも宇宙が有限ならば、そこには限界がある。いつの日か、入手可能なほとんどの物質はコンプトロニウム[13]（演算素。コンピューティングに効果的に利用できる仮説的な素材）として利用されてしまうかもしれない。それ以降は、新たに大規模なシミュレーションを設計することは困難になるだろう。だが、そうなるのははるか未来の話で、それよりもずっと前にシミュレーションの設計が簡単になる日が来るはずだ。だから、はるか未来の時点までは、シミュレーション世界の数が非シミュレーション世界の数を大きく上まわる状況は充分に予想できる。そのため、長期的に見たコンピュータの制約は、論証の大きな障害にはならない。

もしも私たちがシミュレーションの中にいるのなら、コンピュータ能力の証拠もすべて私たちをだますためのフェイクではないのか、[14]と心配する人もいるかもしれない。またほかの人は、シミュレーション実行者は私たちを低コストのシミュレーションの中に入れているから、その能力はあまり拡張できない、と考えるかもしれない。そうならば、大規模シミュレーションを設計しようとしても失敗するだろう。私たちをつくった実行者は少なくともひとつのシミュレーションをつくる能力があるわけだが、前提1にあるような多数のシミュレーションをつくるのは無理かもしれない。しかしこの反論は、私たちがすでにシミュレーションの中にいるときに言えるものだ。それならばシミュレーションの中にいるだろうという結論に達するもっと手っ取り早い道があることになる。

「宇宙人はシムをつくる前に死に絶える」。この反論は悲観的に聞こえるが、人類はその深刻な可能性を知っている。核兵器はこの星の人類のすべてか大半を殺す能力をすでに持っている。ほどなくナノテクノロジーも同じ能力を得ると考える者も多い。自己増殖をするナノマシンが、すべてのバイオマス〔全生物を構成する素材〕を使って無限に増殖して地球上を覆う「グレイ・グー」と名づけられた状況だ。また、21世紀中にAIが強力になり、地球上のすべての知的生命を滅ぼすべきだと考えるかもしれない。こうした可能性はときに〈地球壊滅リスク〉[15]と呼ばれる。人類とそのほかの知的生命の生存を脅かすリスクだ。

なかには避けがたい地球壊滅リスクがあるかもしれない。必要なのは、破壊的なテクノロジーが次の3条件を満たすことだけだ。(1)人類レベルの知的集団にならば発見するのが不可避なこと。

(2)使用が簡単で使いたくなるので、発見が使用に結びつくこと。(3)きわめて破壊的で、使ったときにはみんなが死ぬこと。未来において、破壊力絶大な核兵器技術がほとんどだれにでもアクセス可能となり、破滅が避けられないというシナリオは容易に想像できる。ナノテクノロジーやAIテクノロジーでも同じことが起こりうるし、まだ未開発のテクノロジーでも起こりうる。望みがあるとすれば、発見を使用に結びつかせないことで、破壊的テクノロジーを使わせない方法が何かあるはずだ。だが、知的文明は自滅するという説は真剣に受けとめるべきものだ。

この説は、今私たちが見ているもののいくつかを説明してくれる。たとえば、地球外知的生命のサインをこれまで見つけられない理由になる。知的生命集団はシグナルを送る能力を得たころにみずから滅んでいったのだ。また、人類はまだその歴史の初期にいるように見えることも説明してくれる。この問題は、天体物理学者のブランドン・カーターと哲学者のジョン・レスリーが唱えた〈終末論法〉の中核をなす。終末論法は、これまでに生まれた人類の総数の推定をもとに、人類の存続期間を予測する確率論的な論証だ。現在の私たちは、過去に生きた総人口と、未来に生きるであろう総人口が同じくらいになる時代に生きていると仮定するのが妥当だと考える。現在の人口の急激な増加を考えると、人類の歴史はこのあと数百万年も続く(私たちは人類史でごく初期を生きている)と考えるよりも、数世紀のうちに終わると考えるべきだ(その場合、私たちは居心地のよい歴史の真ん中あたりにいる)。

しかしながら、ほとんどすべての人類レベルの知的生命体は、多くのシミュレーションを設計できるようになる前に滅びる、という説は[16]、本当ならば驚きだ。彼らの10分の1は、自滅しないほど理性的であることを期待しても不思議ではない。あるいは、それが楽観的に過ぎると思うならば、1000分の1で議論を進めてもよい。

「宇宙人はシム宇宙人をつくらないことを選択するだろう」。このシナリオでは、人類レベルの知的生命集団は、大規模なシミュレーションをつくる能力を持っても、実行しない。それは危険だと考えるのだろう。破壊的テクノロジーの中を生きのびてきた集団は、極端にリスクを避ける傾向があり、たとえば、シム宇宙人がシミュレーションの中から逃げ出して、現実の世界を乗っ取ることを心配するかもしれない。また、シムが苦しむかもしれない世界をつくるのは倫理的に問題があると考えるだろう。優先順位はほかにあって、単に興味がないこともありうる。

それでも、こうしたシミュレーションをつくる強い動機はいくつも存在する。第一に、科学的関心を含む一般的な関心がある。シミュレーションを動かせば自分たちの世界について多くのことを発見できる。すでに科学者のあいだでは、小規模なシミュレーションを夜のあいだ動かして、翌朝データをまとめることはよくおこなわれている。規模の大きなシミュレーションでも同じことが起こることは容易に想像できる。実際的問題を考えるときにも使われる。むずかしい決断をする前に、シミュレーションで試してみて[17]、結果を見る方法は理にかなっている。倫理面でも善いことが悪いことよりもはるかに多い世界をつくることは求められるはずだ。シミュレーションをつくる能力があり、強い動機があれば、実行する集団があっても不思議ではない。

「シム宇宙人よりもノンシムのほうが多くつくられる」。前記の目的のためにシム宇宙人の代わりにノンシムをつくることもできるのではないか？　たとえば物理的環境の中でロボットを使って物理的シミュレーションを動かすことができる。また、テラフォーム（地球化）した環境の中で人造生物有機体を使って、私たちの歴史をシミュレートすることもできるだろう。

だがそれよりも、シムをつくるほうがはるかに簡単で安上がりだ。物理的環境におけるノンシムはバーチャル環境におけるシムよりも、はるかに多くの物理的な空間と質量を必要とする。シミュレーションでなら1キログラムのシステムを1秒間動かすだけで、10億体のシムがそれぞれ100年生きる世界を動かすことができる。生物学的脳はそれほど速く動かせない。ロボットの脳は基本的にシムの脳と同じ速度で動くが、物理的環境によって多くの制約が加えられる。人間の体と同じサイズのロボット（当然、1キログラムのノートパソコンよりも大きくて重い）を動かすとなると、ロボットの集団はシムの集団よりも10億倍以上の空間を必要とし、必要とする物質の質量も10億倍以上になる。ロボットをナノスケール（1メートルの10億分の1）にまで縮めることもできるだろうが[18]、そうすると、ロボットの物理的環境と経験は人類のものとはまったく違うものになってしまう。

これらの点を考えると、人類に似たシムは、人類に似たノンシムよりもはるかに数が多くなるはずだ（ここで「人類に似たシム／ノンシム」とは、広い意味で人類に似た経験を持つ存在のことだ）。それでもこの議論にはひとつの大前提がある。それは「人類に似たノンシムにとって、ノンシムよりもシムをつくるほうが簡単で安上がり」なことだ。逆に、ナノテクノロジーや無限宇宙の利用、誕生してすぐの宇宙をつくるなど、目的に応じてノンシムをつくるほうが簡単ならば、ノンシムは増殖するだろう。

概して、シムブロッカーがなければ、知的生命体のほとんどはシムになると確言できる。具体的なシムブロッカーとしては、計算不能な法則が存在することや、コンピュータの能力不足、宇宙のかなりの部分で絶滅が起こること、宇宙のかなりの部分でシミュレーションを避ける選択がなされること、より効率的なノンシムが存在することがあげられる。その可能性は排除しきれないが、そのどれかが作動すれば、驚きだ。そしてもしも、私たちがシムブロッカーの存在を確認できなければ、私たちの知るかぎり、ほとんどの知的生命体がシムであることになる。

人類は特別なのか？

前提3は「ほとんどの知的生命体がシム宇宙人ならば、私たちもシムだろう」だ。もっともらしく聞こえるが、この前提が誤りとなるケースはすぐに思いつく。たとえば、シムは目につくところに「あなたはシムです」というスタンプをつけるというルールが広く浸透しているならば、大半の生命体がシムでも、自分にそのスタンプがなければシムでないことがわかる。

〈シム・サイン〉[19]とは、その生物がシムである可能性を示す特徴のことだとする。正確を期すると、ノンシムよりもシムのほうが持っていることの多い特徴だ。たとえば、近似化やショートカットやプログラムのバグを原因とする物理的実在における不具合を、シムはノンシムよりも経験しやすい。『マトリックス』で、同じ黒ネコが目の前を2度横切った経験がこれにあたる。こうした不具合は〈シム・サイン〉だ。シミュレーション実行者は、シミュレーションについて考

あなたがシムかもしれないサイン

シム・サインかもしれないもの：あなたが有名人かおもしろい人物（クレオパトラ）、ごく初期の宇宙に生きている（古代エジプト）、変なことを目撃する（バグが生じたネコが目の前を横切る）。これらがあるとき、あなたは自分がシミュレーション（リアリティ+）の中にいるかもしれないと思うべきだ

えている人をシミュレートしたがる傾向があるかもしれない。もしもそうなら、あなたが『リアリティ+』というタイトルの本を読んでいるという事実は、シム・サインかもしれない。

経済学者で未来学者のロビン・ハンソンは、「おもしろさ」はシム・サインだと言っている。[20] ローカル・シミュレーションにおいては、くわしくシミュレートできるシムの数に限りがあるので、娯楽に関心のある作成者がつくったシミュレーションや、歴史のシミュレーションではしばしば、ユニークなシムや有名なシムを優先してつくり、維持することが多い。もしもあなたがユニークな人生か、有名人としての人生を送っているならば、あなたがシムである可能性は高くなる。

もっとも明白なシム・サインは、私たち

が宇宙のごく初期に生きているように見えることだろう。[21] 人類は宇宙のどこにも知的生命を見つけていないし、知的活動体のいるシミュレーション宇宙をつくってもいない。それらはシム・サインかもしれない。ノンシムがかかわるところでは、宇宙の人口は時間とともに大きく増えていくので、全宇宙史の総人口のうち、ほとんどのノンシムが（初期ではなく）成熟した宇宙に存在することになるだろう。しかし、シムがかかわるところでは、初期宇宙のシミュレーションはよくあるものになる。その理由のひとつは、知的存在は自分たちの歴史（初期宇宙）をシミュレートすることに興味を持つであろうことだ。また別の理由は、初期宇宙のシミュレーションはのちの宇宙よりも必要なものがとても少なくて済むからだ。宇宙のフルスケール・シミュレーションを動かすことは高価なのだ。これは、自分たちが初期の宇宙にいることをシムが発見する割合がとても高いことを示唆している。それが本当ならば、人類が初期の宇宙にいることはシム・サインとなる。

一方、〈ノンシム・サイン〉は、ノンシムに結びつきやすい特徴だ。より正確には、シムよりもノンシムによく見られる特徴だ。シムに「あなたはシムです」という印がつけられた世界では、その印がないことはノンシム・サインとなる。もしも自分にノンシム・サインがあることを知っていれば、全体の99パーセントがシムであっても、自分がシムだという確信は99パーセントよりも低くなる。

前提3に対する異議としてノンシム・サインがあげられるが、それは「人類は特別だ」と言っていることになる。ノンシム・サインには、意識を有すること（シムは意識を持てないだろう）、より一般的に私たちの心（シミュレートされた心は私たちの心と同じようには動かないだろう）、世界の複雑さ（シミュレートされた世界は現実よりも単純だろう）などがあげられる。

「シムは意識を持てない」[22]。もっとも明確なノンシム・サインになりうるのは、意識の存在だ。一部の哲学者と同じようにだれかが、生物システムだけが意識を持てるので、シムには無理だ、と考えたとする。それならば、私たちに意識があることは、シムではない証拠になる。生物の脳がシミュレーションに接続されたバイオシムの可能性はあるものの、純正シムである可能性は排除できる。

意識があることをノンシム・サインにすることには異論がある。第15章で私は、シミュレートされた活動体もノンシムと同じような意識を持ちうることを論ずるつもりだ。ニック・ボストロムは、基体からの独立性（基体中立性と同じ）の仮定をもって、意識をノンシム・サインにすることを否定した。基体中立性とは、意識はシステムの構造のみに依存し、システムを実装する基体（生物やシリコンなど）には依存していないことだ。

目下のところ、意識は正確には理解されていない。そのため、99パーセントの存在がシムだと信じている人が、シミュレーションが意識を持つことに50パーセントの確信しか持てないことがあっても、それは不合理ではない。この場合、自分がシミュレートされていることに99パーセントの確信を持つべきところなのに、約50パーセントの確信しか持てないことになるだろう。この結果はそれほど劇的ではないが、それでも目を引くところがある。

「シミュレーション実行者は意識を持つシムをつくらない」[23]。意識がノンシム・サインになりうることについて、まったく別の説明もある。シムをつくれるほど進んだ集団は、意識を持たない知的シム（それでも多くの実用的な用途がある）をつくる方法を知っている。そして、主に倫理面から意識を持たせたくない強い動機がある。この説では、シムは意識を持つことができないと仮定する必要がないし、基体中立性も必要ない。ただ、知性のあるシムの中には意識のない者がいてもいいとする。おそらく知性のあるシムの構造を微調整して、意識を持たないようにする単純な方法があるのだろう。たとえば、神経科学者のクリストフ・コッホとジュリオ・トノーニは次のように主張している。コンピュータの基本的な構成法において、フォンノイマン型直列アーキテクチャで動くシムは意識を持たないが、[24]強力な並列アーキテクチャで動くシムは意識を持つだろう。そうならば、倫理的なシミュレーション実行者は可能なかぎり意識を持たないシムを使おうとするだろう。

前述のシム・サインと同じように、これも真剣に受けとめるべき主張だ。意識を持たない知的存在が本当につくれるのかどうかはわからない。たとえ可能だとしても、意識を持つシムが1パーセントでもその中にいれば、意識のあるノンシムの数を上まわってしまう。

「シムは私たちのような心を持てない」。私たちの心は意識よりも強いノンシム・サインとなるかもしれない。たとえば創造性や感情はシミュレーションに複雑さをもち込むものなので、シムにはなじみが薄い。あるいは、シムは私たちよりも知性的で理性的であるかもしれず、そのときは相対的に低い知性や不合理さがノンシム・サインとなる。

あなたの心のひとつの側面、たとえば意識をシミュレーションでは複製できないことを確信しているならば、それを絶対的なノンシム・サインとみなせる。たとえば感情など、心のある側面がシミュレーションではあまり見られなければ、それはノンシム・サインである確率が高い。

ノンシム・サインの確率が高いことは、私たちがシミュレーションの中にいる可能性を減らすが、確率が極端なものでないかぎり、可能性はあまり減らない。私たちが、すべてのノンシムは感情を持つが、シムはその1割しか感情を持たない、と考えていたとする。くわえて私たちが、シムとノンシムの個体数比は1000対1だ、と考えているとする。このとき私たちは、はじめに人口比だけを考慮して自分がシムであることに99・9パーセントの確信を持つ。次に私たちは、感情を持つシムとノンシムの比は100対1だと考えるようになるとする。この場合、感情がノンシム・サインである点を考慮しても、私たちは自分がシムであることに99パーセントの確信を持つことになる。

「シムは大規模な宇宙を経験しない」[25]。私たちのいる宇宙は膨大な空間的広がりを持っているように見える。観測可能な宇宙だけでも930億光年の直径を持ち、最低2兆個の銀河と、1兆×1兆個の星がある。宇宙の深さも果てしなく、私たちが通常知っている構成物質の下にさらに細かい物質の階層が重なっている。もっとも詳細にシミュレートされた世界でも、これほど大規模にはならないだろう。小さい宇宙をシミュレートするほうが簡単で安上がりだし、多くの目的から、小規模なシミュレーションは有用だ。そうであるならば、私たちの宇宙の見かけの超巨大さは、シミュレートされたものではない可能性が高く、ノンシム・サインになるだろう。

この意見への反論のひとつは、シミュレートされた世界は私たちの宇宙よりも大きく、無限であるかもしれない、と主張する。その中では私たちの宇宙の規模のシミュレーションは安価だし、一般的なものになる。だから、私たちが排除できるのはせいぜい、シミュレーション説のうちの一バージョン（シミュレートされた世界は私たちの世界ほど複雑ではない）だけで、多くのバージョンは残ったままになる。

別の反論は、私たちの宇宙は簡略化されたシミュレーションで、[26] 見かけほど大きくないかもしれない、というものだ。私たちのいる領域はくわしくシミュレートされているが、残りは簡略化されている。第2章で述べたように、ローカル・シミュレーションはグローバルなそれよりも安上がりだ。後者とは違い汎用性はないが、それでも多くの目的に使うことができる。もしも大規模な世界における私たちの経験を再現したローカル・シミュレーションが実現可能で普及しているならば、私たちの経験はノンシム・サインとは言えなくなる。

第2章で見てきたように、ローカル・シミュレーションにとって私たちの経験を生みだすことは簡単ではない。私たちがどこにいて、だれと交流し、何のメディアを見たり読んだりしたかをシミュレートするためには、地球に関するシミュレートも大量にしなければならず、さらに太陽や月やその他の惑星についても、私たちが持っているくわしいイメージをシミュレートしなければならない。目に見える星々や銀河、宇宙背景放射や観測できる現象を正しくシミュレートする必要がある。そしてシミュレーション実行者は、つねにシミュレーションを拡大する準備をしていなければならない。たとえば、人類が星々に行けるようになったり、星々の情報を得る新しい方法を獲得したりしたときなどだ。拡張可能なシミュレーションは、SFアドベンチャーゲームの『No Man's Sky（ノーマンズスカイ）』などですでになじみがある。そのゲームではプレイヤーが行く先々の星が自動生成される。洗練された実行者ならば、ローカル・シミュレーションは隅々をカットできることを知っているように、このような技法を身につけているかもしれない。

世界をミクロのレベルでシミュレートするときにも同じように簡略化が使われるかもしれない。場合によっては、肉眼で見える対象に関するニュートン物理学だけで足りることもあるが、それ以上のものが必要になることもある。通常の物質の観察可能な性質は化学によって決まるが、その化学は量子力学によって決まるので、深いところまで追わないと肉眼で見える対象もうまくシミュレートすることはむずかしい。シミュレーションを、原子物理学などの観察結果と一致させるためには、さらに仕事が求められる。もしかすると、最後の最後までくわしくシミュレートする必要はないかもしれない。一部のささいなことは私たちの観察結果には決して現れないので、くわしく観察しないシステムについては単純化モデルが使えることがある。それでも、妥当な結果を生むシミュレーションをつくるためには、多くの物理学が必要になる。

これは、ローカル・シミュレーションを私たちの経験と一致させることでさえ、とても複雑になるという教訓だ。しかし、そこまで複雑にするシミュレーションは少ない、という意見がある。多くの目的から、より単純なシミュレーションを設計するほうが簡単だからだ。そして、シミュレートした世界の中にシミュレートした世界をつくることは可能なので、複雑な世界でそのシミュレーション内シミュレーションをつくりつづけていくと、最終的に、それ以上シミュレーションを動かせないまでに単純になった世界が大量に存在する状況に行き着く。そうなると、ほとんどのシムは複雑な世界で経験をすることはなくなり、私たちの経験はノンシム・サインである可能性が高くなり、私たちがシミュレーションの中にいる確率を下げる。

それでも、シミュレーション実行者は複雑な世界のシミュレーションを大量につくるであろうことはもっともらしく思われる。もしもそうならば、複雑な世界を経験しているほとんどの存在がシムだということになる。

一歩下がって考えてみよう。意識や大規模な世界など、ここまで検討してきたノンシム・サインは、私たちがシミュレーションの中にいる確率を下げるかもしれない。一方で、私たちが初期の宇宙にいるように見える事実などは、シミュレーションの中にいる確率を上げるシム・サインなので、それに反論することも重視しなければならない。シム・サインとノンシム・サインのどちらが優勢か？　私は今ここで決着をつけるつもりはない。

〈祖先シミュレーション〉と人間に似たシム

ニック・ボストロムは、シム・サイン問題について異なるアプローチをした。人類の心の歴史すべてを正確にシミュレートした〈祖先シミュレーション〉というものに注目したのだ。この世界についての祖先シミュレーションはどれでも、正確な私のシミュレーションを含んでいるはずだ。そうしたシミュレーションがたくさんあるならば、そこには私と同じような経験を持つ多くのシムがいるはずだ。それならば、私の経験のあらゆる特徴が多くのシムに複製されているので、私の経験にノンシム・サインが含まれているかどうかを気にする必要はない。

この形の祖先シミュレーション・バージョンがうまく働くとは思えない。なぜなら、正確な祖先のシミュレーションが存在すると信じるだけの理由がないからだ。そのようなシミュレーションをつくるには、人類の歴史のあらゆる時点において、人間の脳の正確な状態を把握することにも似た知識が必要となり、それが可能だと考える理由は多くない。シミュレートされた宇宙の内部ではそれができるかもしれない（たとえば、シミュレートされた脳のためのバックアップ記録を介して）が、それではノンシムがシミュレーションをつくる重要なケースとして助けにはならない。

のちにボストロムはこの議論がちゃんと成り立つように、私たちの経験を「正確に」シミュレートしていなくてもよい、と条件を変えた。人類に典型的な経験、つまり「人間型の」経験であれば充分だとした。これは正しいと思うが、それではこの主張で祖先のシミュレーションをもち出す必要性がなくなってしまう。ボストロムによる「人間型の」経験の定義は不必要に狭いのではないか、と私は思っている。原則として彼の議論は、人間が持つシム・サイン、ノンシム・サインでもっとも重要なものを保っているかぎり、より広い心のグループについても当てはまるのだ。

それゆえに私は議論を広くとらえて、人類に似たシムがいる可能性について考えてみる。[27] 人類に似た存在は人間と同じように重要なシム・サインとノンシム・サインをあわせ持っている。たとえば、彼らには意識がある、大きな宇宙を経験している、その社会は技術進歩の段階にある、などだ。

ボストロムは、シミュレーションの中に生きる人間型経験を有する全観察者のごく一部に関する数学の公式を定義し、われわれはシムだろうという結論を導きだすために、人間型経験の考えを利用した。現在のところ、私はボストロムの公式や結論が100パーセント正しいとは思っていない。その理由は巻末注に記しておく。[28] しかしながら、シミュレーションの論証を、わかりやすい単純な公式で表すことは可能だ。その公式は、こうした問題を避け、さらにシムブロッカーやノンシム・サインからの反対意見を避けている。その論証は次のように進む。

前提
1. シムブロッカーがなければ、人間に似た存在のほとんどはシムだ。
2. 人間に似た存在のほとんどがシムならば、おそらく私たちもシムだ。
結論
3. ゆえに、シムブロッカーがなければ、おそらく私たちはシムだ。[29]

「人間に似た存在のほとんどはシムだ」とは、宇宙にいる人間に似た存在（私たちの祖先と子孫を含む、過去から現在までの存在すべて）はシムだという意味だ。「ほとんど」と「おそらく」が表す確率には幅があり、どちらも99パーセントを示すこともある。重要なのは現在、ほとんどの人間に似た存在はシムであると言うためには、充分な数の人間に似たシムが必要だが、シムブロッカーはそれをつくることを妨げる要素だと定義されていることだ。

前提1は「シムブロッカーがなければ」という条件なので、もはやシムブロッカーは異議の理由に使えない。前提1はもっともらしい仮定であれば充分だ。人間に似せたシムをたくさんつくる（人間に似た存在のほとんどがシムであると言えるくらいの充分な数）ことを妨げるものがなければ、宇宙には人間に似たシムが多く存在する。前提2は「ほとんどの人間に似た存在」を対象としているので、ノンシム・サインは異議の理由に使えない。というのも前提2は、多くの存在が私と同じような経験をしているのならば、私は彼らのひとりなのだろう、と求めるだけの仮定だから だ。[30] これは、自分が何者であるかに関する複数の説に無関心を勧めることなので、ときに〈無差別性の原理〉と呼ばれる。自分と同じような経験をしている者の90パーセントがシムならば、私たちはシムだと言うことに90パーセントの自信を持てる、ということだ。

前提の1と2を受けいれたとしても、そこでおこなわれていることは実際のところ、シムブロッカーとシム・サインをめぐる問題を単に移転させることにほかならない。前提を弱くすれば、結論も弱くなる。その結論は今や、シムブロッカーの可能性という問題をはっきりと組みこんだものになっている。さらに、シムブロッカーの概念は拡大していて、人間に似せたシムを充分な数つくることをブロックする要素も含むようになった。その結果、シムブロッカーの考えは、以前はノンシム・サインとしたことまでもとり込むようになった。たとえば、「シムは意識を持たない」という意見は今やシムブロッカーになる可能性を帯びている。意識を持つシムが不可能ならば、人間に似たシムも不可能なのだ。また、「シムは大きな宇宙を経験しない」という主張も、シムブロッカーとなる可能性を持つようになった。大きな宇宙のシミュレーションがまれならば、人間に似たシムもまれなのだ。

ボストロムの結論からは高い確率で、「シムブロッカーが存在するか、さもなければ私たちはシムだ」という2択が導きだされる。前記の数字をともなうこの主張を受けいれるのならば、私たちは99パーセント以上の自信を持って、2択のどちらかの状態にいると言えるだろう。

ボストロムの議論の結論は次のとおりだ。

この論文は、次の3つの選択肢のうち、少なくともどれかひとつは真である、と主張する。(1)人類は「ポストヒューマン」〔仮説上の未来の生物種であり、その能力は現在の人類よりもはるかにすぐれていて、現代の感覚ではもはや人間とは呼べないもの〕のステージに達する前に絶滅するだろう。(2)ポストヒューマンの文明はどれも、自分たちの進化の歴史〔あるいはそのバリエーション〕に関するシミュレーションを数多くは実行しない。(3)われわれは、ほぼ確実にコンピュータ・シミュレーションの中で生きている。

選択肢の1と2はシムブロッカーのことで、「ノンシムはシムをつくる前に死に絶える」と「ノンシムはシムをつくる選択をしない」に深く関連している。検討に値するもっともらしいシムブロッカーではあるが、唯一の答えにはほど遠い。これまで、人間に似せたシムの作成を妨げるシムブロッカーについて検討してきたが、ここで少なくとも5つを追加したい。「知性を持つシムをつくるのは不可能だ」「意識を持つシムをつくるのは不可能だ」「シムはコンピュータの能力を使いすぎる」「シミュレーション実行者は意識を持つシムをつくるのを避ける」「シムよりもノンシムのつくられる数が多い」。よってボストロムの3通りの結論に、5つのシムブロッカーを足した8通りの結論を提示したい。

わかりやすくするために、8つのシムブロッカーをふたつのグループに分けてみよう。ひとつは、人間に似せたシムの作成は不可能か、非実際的だとするものだ（「可能」とは「実際的に可能」という意味だとし、非実際的なものは不可能とみなす）。このグループのシムブロッカーには、「知性を持つシムをつくるのは不可能だ」「意識を持つシムをつくるのは不可能だ」「シムはコンピュータの能力を使いすぎる」が入る。もうひとつは、人間に似せたシムをつくるのは可能で実際的だが、つくろうとする人間に似た集団はほとんどいない、と考えるグループだ。ここには、「ノンシムはシムをつくる前に死に絶える」「ノンシムはシムをつくる選択をしない」「シミュレーション実行者は意識を持つシムをつくるのを避ける」「シムよりもノンシムのつくられる数が多い」が入る。

これが正しければ、より明確な形で3つの選択肢を提示することができる。私たちは次の3つのどれかである可能性が非常に高い。(1)私たちはシムである。(2)人間に似せたシムの作成は不可能だ。(3)人間に似せたシムはつくることができるが、それをつくろうとする人間に似たノンシムはほとんどいない。

（サイトの付録 consc.net/reality［英語］では、シミュレーション論証に関するそのほかの反対意見について検討している。反対意見には次のものがある。「シムとノンシムを区別するべきではない」「シムはわれわれの外的証拠を持っていない」「われわれがシムをつくったのだから、自分がそのシムでないことはわかっている」「階層がひとつ上の宇宙の物理学がどのようなものかわれわれにはわからない」「われわれは貧しい世界に生きることを覚悟するべきだ」。しかし、論証を覆すほどの有力な意見はない）

結論

結論はどうなる？　私たちはシミュレーションの中にいるのか？　シミュレーション論証は懐疑論と知識の問いにどんな影響を与えるのだろうか？

シミュレーションの中にいることはわかる、と言うつもりはない。とても多くのシムブロッカーがあるので、確信は持てない。人類に似せたシミュレーションが可能かどうかもわからない。意識は基体から独立しているかもしれないし、物理的プロセスは計算不能なのかもしれない。こうしたシミュレーションが可能だとしても、人間に似た集団はそれをつくろうとするかどうか、私にはわからない。そうした集団はほとんどが死に絶えるか、シミュレーション作成を避けるかもしれない。人間に似た生命体のほとんどはシミュレートされているかどうかわからないし、私たちがシムだという自信も持てない。

一方でシムブロッカーが存在することにも確信が持てない。推定しろと言われれば、人間に似た意識を持つシムをつくることは可能だろうと答える。それが可能ならば、人間に似た集団の多くがおそらくそれをつくるだろう。第1のグループのシムブロッカーが存在する確率は50パーセント以下の確率、第2のグループのシムブロッカーが存在する確率も50パーセント以下になる。

そして、自然な条件で考えると、どちらかのシムブロッカーが存在する確率は75パーセント以下だ。それらを考慮すると、シムブロッカーがあるか、私たちがシムであるかのどちらかである確率が少なくとも99パーセントだとすると、私たちがシムである確率は最低でも25パーセント程度あることになる。

だれが何パーセントと言うにしても、この議論が強く訴えるのは、自分がシミュレーションの中にいないことを私たちは知ることができない、ということだ。自分たちはシムだ、と信じることもできるし、あるいは、人間に似た集団のほとんどは自分たちに似たシムをつくらない、人間に似せたシムの作成は不可能だ、などと自信満々に言うこともできる。だが、後ろのふたつは推測でしかない。3つのうちどれかひとつが真だともわからない。その結果、自分がシミュレーションの中にいないことを私たちは知ることができないのだ。

反対者は、すでに述べてきた方法（たとえば、バートランド・ラッセルの単純さの主張や、ジョージ・エドワード・ムーアの自分の手の観察など）のどれかで、自分がシミュレーションの中にいないことはわかるはずだ、と主張するだろう。だから、どれかはわからないがシムブロッカーのひとつを獲得していると結論づけられると言うだろう。

この主張は肯定できない。要するに、シミュレーション論証はシミュレーション説を可能性の高いものに変えた。そして高い可能性を持つものは排除することはできないのだ。

神が私にこう言ったとしよう。おまえが生まれたときに私はコインを投げた。表が出たら、おまえを完全シミュレーションの世界に接続し、裏が出たら現実世界に送りこもうと。[31]神は多くの人間をそう扱ってきて、今は全員にそれを告げているところだ。それならば、「私はシミュレーションの世界にいる」と言ったときの私の自信は50パーセントになる。神の言葉を考慮すると、もはやラッセルの単純さにシミュレーション説を排除する力はない。自分の手を見つめながら、ムーアの議論を続けることにも力はない。確率は50パーセントのままで動かないのだ。この状況で明白なのは、自分がシミュレーションの中にいないことはわからないことだ。

シミュレーション論証もこれに似ている。それはシミュレーション説の可能性を引き上げ、現実の確率として考えるべきものにした。その確率が20パーセントでも50パーセントでも、反懐疑論の主張もその確率を下げることはできなくなった。私たちがシミュレーションの中にいる確率が高くなったので、シミュレーションの中にいないことがわかるという主張は出なくなった。

私たちは自分がシミュレーションの中にいないと知ることはできない、というのが私の結論だ。

第3部
リアリティの定義

第6章
リアリティとは何か？

『レディ・プレイヤー1』は舞台がほとんどバーチャル世界の映画だったが、ラストで主要登場人物のひとりが、実在の問いの一バージョンを投げかける。「現実（リアリティ）だけが唯一のリアルなんだ」

最初にこれは「類語反復」ではないかと思える。「少年は少年だ」のような。もちろん、リアルなのは現実（リアリティ）だけだ。

しかし、少し考えてみると、「幸福は幸せだ」と同じで混乱しているように見える。どうしたら、現実それ自体がリアルになるのだろうか？

それでも根底にあるメッセージは明確だった。その映画で話者は、物理的現実をたたえ、仮想現実（VR）を下に見ていた。意図されたメッセージは次のものだ。「物理的現実が唯一のリアルだ。VRはリアルではない」

まだ混乱しているようだ。物理的現実とVRにとって、「リアル」とは何を意味するのか？

私の解釈では映画の中核アイデアは、「実在（現実）のうちにあるものがリアルだからこそ、現実それ自体がリアルだと言える」ということだ。こう読むと、映画中のスローガンは「物質的なものだけが唯一のリアルで、バーチャルのものはリアルではない」となる。

このスローガンが正しければ、惑星の地球はリアルで、『レディ・プレイヤー１』に出てくる仮想の惑星ルーダスはリアルではないことになる。地球とそこにある鴨（かも）や山脈などすべてのものは、実在する世界の一部であるが、バーチャルの惑星ルーダスとそこにあるアバターやバーチャルの武器などすべてのものは、つくり物か錯覚にすぎない。

バーチャルなものはリアルではない、というのはＶＲにおける基準線だ。私はそれは誤りだと思う。ＶＲはリアルだ。つまり、ＶＲの中に存在するものは実際に存在しているのだ。

私の見方は一種の〈バーチャル・リアリズム（バーチャル実在論[1]）〉だ。この言葉は、アメリカの哲学者マイケル・ハイムが１９９８年に出版した本のタイトルとして最初に登場した。その本『バーチャル・リアリズム――自然とサイバースペースの共存』は、ＶＲの影響に関する画期的な著作だった。ハイムはこのタイトルを主に、ＶＲに対する社会的、政治的な広い見方のために使った。そして、その見方を「バーチャル・コミュニティを推進するネットワークの理想主義者」と、さまざまな社会悪の原因になっている「電子文化を批判するナイーブな現実主義者」とを仲介するものと位置づけた。同時にハイムはこのタイトルと次の見方を関連づけたのだった。「バーチャルな存在はリアルで機能的で、来るべき時代において生活の中心になるものだ」。私はバーチャル・リアリズムをこの意味で使いたい。

私が理解するところのバーチャル・リアリズムは、VRは真の実在であるという説で、バーチャルな事物は錯覚ではなくリアルなものである点をとくに強調している。一般に哲学者は「リアリズム（実在論）」という言葉を何かを実在的だとする見方に使う。道徳がリアルだと考える人は「モラル・リアリスト（道徳的実在論者）」であり、色がリアルだと考える人は「カラー・リアリスト」だ。それから類推すると、バーチャルな事物をリアルだと考える人が「バーチャル・リアリスト」となる。

私は〈シミュレーション・リアリズム（シミュレーション実在論）〉も受けいれる。もしも私たちがシミュレーションの中にいるならば、まわりにあるものは錯覚でなく、リアルだ。バーチャル・リアリズムがVRに関する見方であり、シミュレーション・リアリズムはとくにシミュレーション説に関する見方だ。もしも私たちが一生をシミュレーションの中で生きるとしても、ネコや椅子などまわりにあるものは本当に存在する、とシミュレーション・リアリズムは言う。それは錯覚ではなく、見たままのものだ。シミュレーションの中で私たちが信ずるもののほとんどは真実だ。木や車もリアルであり、ニューヨーク、シドニー、ドナルド・トランプ、ビヨンセ、すべてリアルなのだ。

シミュレーション・リアリズムは、外部世界に関する懐疑論と強くかかわっている。これまで見てきたとおり、グローバル懐疑論へ進むデカルトの道は、実在の問いに「ノー」と答え（シミュレーションの中にリアルなものはない）、知識の問いにも「ノー」と答える（自分がシミュレーションの中にいるのか、私たちにはわからない）。しかし、私たちがシミュレーション・リアリズムを受けいいれたならば、実在の問いに「イエス」と答えられる。シミュレーションの中の事物は錯覚ではなく、リアルなのだ。もしもそうならば、シミュレーション説と関連するシナリオは、もはや私たちの知識にとって脅威ではなくなる。たとえシミュレーションの中にいるのかどうかわからなくても、私たちは外部世界について多くを知ることができるのだから。

もちろん、シミュレーションの中では、木や車やビヨンセは私たちが考えるものと同じではない。基本的なところで違いがある。現実の木や車や人の体は原子やクォークなどの基礎的粒子でできているが、シミュレーションの中ではビットでできている。

私はこの見方を〈バーチャル・デジタリズム〉と呼びたい。VRの中のものはデジタルのもので2進法の構造、すなわちビットでできている、とバーチャル・デジタリズムは言う。

バーチャル・デジタリズムは、デジタルの事物は完璧にリアルだと唱えるので、バーチャル・リアリズムのひとつのバージョンと言える。ビットの構造はリアルなコンピュータのリアルなデータ処理を土台にしている。もしも私たちがシミュレーションの中にいるのなら、たとえて言うと、コンピュータは私たちよりもひとつ上の階層にあるが、それでもなおデジタルの事物はリアルだ。だから私たちがシミュレーションの中にいるとき、まわりにあるネコや木やテーブルは完璧にリアルなのだ。

バカげた主張に聞こえるかもしれない。でも私は、これからの数章でこの見方が正しいことをあなたに納得してもらおうと思っている。第7～9章では、私たちがシミュレーションの中にいるとき、その世界はやはりリアルであることを論じる。第10～12章では、なじみのあるVRテクノロジーに焦点を絞って、バーチャル世界もそこにある事物もリアルであると論じる。

しかし、まずはリアリティとリアルの意味を明確にさせよう。

単数と複数のリアリティ

「リアル」の定義をする前に、「リアリティ」の定義について触れたい。この単語は、私たちの目的に関連する意味を少なくとも3つは持っている。本書では3つの意味すべてを使う。

第一に、「リアリティ」という言葉で何かしらの存在を指すとき、この言葉は存在するものの総体、すなわち存在全体（コスモス）のようなものを意味する。「物理的リアリティ」や「VR」も同じように使う。すなわち、それぞれ物理的なものの総体、バーチャルなものの総体を意味するのだ。

第二に、「ひとつのリアリティ」という言い方もあり、これは世界のようなものを指す。VRとバーチャル世界はだいたい同じ意味で、世界は宇宙（ユニバース）と同じ意味だ。宇宙の例としては、因果的に結びついた完全な物理空間やバーチャル空間がある。

第一の意味のリアリティが、第二の意味のリアリティを複数含む、というケースがありうる。私たちはマルチバース（多元宇宙）に住んでいるのかもしれない、というなじみのあるアイデアだ（映画『スパイダーマン：スパイダーバース』で描かれていた）。マルチバースにおけるリアリティは、多くの世界と多くのリアリティを含む。バーチャル世界の登場によって、リアリティは〈リアリティ+〉になった。それは、物質的リアリティとVRの両方のマルチバースだ。おのおののリアリティ（世界）は、リアリティ（コスモス）の一部をなしている。

第三に、たとえば「硬さ」という語がひとつの性質を指すのと同じ仕方で「リアリティ」という言葉を使うことがある。硬さとは硬いという性質を指し、硬いものも硬くないものもある。この意味でリアリティとは「リアルさ」だ。リアルさという性質で、リアルなものもそうでないものもある。「リアルさ」としてリアリティを語ることは、何がリアルであるかを語ることだ。その点はこの章でくわしく見ていこう。

3つの意味を持つリアリティからリアリティ+を要約すると、じつにややこしくなる。「リアリティは多くのリアリティを含み、それらリアリティはリアルなのだ」。少し通りのよい表現に変えてみる。「コスモス（存在全体）は多くの世界（物理空間とバーチャル空間）を含み、それらの世界にある事物はリアルだ」。まず、リアルについて解きほぐしていく必要がある。

リアルなものについて考える5つの道

映画『マトリックス』でモーフィアスは問いかける。「リアルとは何だ？　どう定義する？」。つまり、あるものをリアルだと言うとき、それはどういう意味なのか？　ジョー・バイデンはリアルだが、サンタクロースはリアルではない、と言うとき、それはどういう意味なのか？

これまで多くの哲学者がさまざまな方法でモーフィアスの問いに答えてきた。ここでは5つの

バーチャル世界でモーフィアスとネオがデジタルのリアルについて議論している。バーチャル・デジタリズムは、バーチャルの事物はリアルなデジタルの事物である、と考える

相補的な答えに注目する。5つの答えはそれぞれに大きなストーリーの一部分を照らしていて、それぞれがリアルの概念をつくるより糸になっている。

1. 存在としてのリアル

何よりもまず、本当に存在しているものはリアルだ。ジョー・バイデンは本当に存在していて、宇宙の一部をなしている。サンタクロースは存在しておらず、宇宙の一部をなしていない。サンタの物語はあり、サンタに関する信念もあるが、サンタ自身は存在していない。

この問いはさらなる問いを呼ぶ。「存在するとは何か?」[2]。これは深遠な質問で、私には決定的な答えを提示できない。決定的な答えはない、と考える人は多い。

第4章で紹介したジョージ・バークリーの「エッセ・エスト・ペルキピ」という宣言を思いだしてほしい。これは、「存在するとは知覚されること、少なくとも知覚されうることである」という意味だ。モーフィアスが言ったように、私たちが何かを「リアル」だと言うときには、「感じるとか、においを嗅ぐとか、味わうとか、見ることなど」について話しているはずだ。これに関連して、より科学的に聞こえる見方に、「リアルなものとは観測できるものだ」という主張がある。

バークリーの宣言が強すぎる理由はすでに話した。私たちには知覚できない、測定できないけれどリアルなものは存在しうる。ビッグバン当時や遠い宇宙にある物理的存在は私たちには決して観測できないが、それでもたしかに存在している。もしも私が完全シミュレーションの中にいるならば、私は一生、外の世界を知覚できないだろうが、それでも外の世界はリアルなものだ。その反対に、リアルではないのに知覚や測定ができるものもある。たとえば、蜃気楼（しんきろう）の明るさは測定できるが、それは蜃気楼が実在することを意味してはいない。

それでもバークリーの宣言は、存在に関するヒューリスティック〔ある程度正解に近い解を見つけだすための経験則や発見方法〕として充分に機能する。つまり、存在するものに関する絶対的基準ではなく不完全なガイドとしてだ。知覚できたり、測定できたりするものは、それが存在する高い可能性を示しているのだ。

2. 因果的力としてのリアル

バークリーの宣言には最良のヒューリスティックが含意されていた。それは〈エレア派宣言〉[3]と呼ばれることもある。というのもプラトンの対話篇『ソピステス』で、古代の町エレアで謎めいた「エレア派〔前6世紀の後半、南イタリアのエレアに生まれた哲学の一派〕の見知らぬ人」がその一バージョンを主張しているからだ。その人は次のように言う。

> いかなる種類であれ力を持つものは真の存在だ、と私は考える。その力は、自然の何かを変えることや、最小の原因として最小の影響を与えることでも、一度しか使えないものでもよい。

リアルなものは因果的力を持つ、というのがエレア派の主張だ。「あるものがほかに影響を与え、あるいはほかから影響を受けるとき、かつそのときに限り、それは存在する」。ジョー・バイデンは因果的力を持っている。アメリカ大統領として軍隊に命令を出し、法律制定を承諾または拒否できる。ビッグバン当時の物理的出来事や、はるかかなたにある銀河も因果的力を持っている。周辺領域で次に起きることに影響を与えるからだ。石でさえ地面にくぼみを残せるので、因果的力を持つ。知覚できるものは何でも知覚者に変化を及ぼす力があるので、因果的力を持つ。結局のところ、バークリーの宣言に該当するものはエレア派宣言にも該当するのだ。

一方で、サンタクロースは因果的力を持たないので、エレア派宣言に該当しない。世界に何の変化も与えられない。物語の中のサンタは一夜で何十億個ものプレゼントを配るので、大きな因果的力を持っている。だが、それはつくり話で、サンタそれ自体は因果的力を持ってはいない。持っているのは、サンタの物語のほうだ。世界中でクリスマスカードや衣装、子どもたちに影響を与える。だからエレア派宣言では物語はリアルになるが、それはサンタ自身がリアルであることを意味しない。

エレア派宣言は実在（リアリティ）について全面的に正しいわけではない。因果的力を持たないリアルなものもあるからだ。たとえば数字がそうだし、忘れてしまった夢もそうだろう。だが少なくとも因果的力はリアリティの十分条件になる。何かが因果的力を持っていれば、それは存在し、リアルなものだ。このように因果的力は、リアルであることとともに存在することに関する第2のヒューリスティックな基準となる。

3．心からの独立性としてのリアル

3番目の基準はSF作家のフィリップ・K・ディックが1980年の短編『凍った旅』で提示したものだ。これを〈フィリップ・K・ディックの宣言〉[4]と呼ぼう。「リアリティとは、あなたがその存在を信じなくなっても、消え去らないものだ」。この基準の着想は次である。みんながサンタクロースの存在を信じなくなれば、サンタは姿を現さなくなる。だが、ジョー・バイデンの存在を信じる者がいなくなっても、彼はそこにいるのだ。

現在のところ、ディックの宣言が100パーセント正しいとは思わない。もしも私たちがガンダルフ（『指輪物語』に登場する魔法使い）の存在を信じなくなっても、彼はスクリーンから消え去ることはない。だからといって、ガンダルフはリアルではない。同じことが幻覚や錯覚にも言える。私が蜃気楼はリアルではないと思っても、蜃気楼は消えはしない。

だが、ディックはいいところに目をつけている。ガンダルフや蜃気楼の存在は人々の心次第で決まる。つまり、人々の思考や経験に依存しているのだ。過去から現在までだれひとりとしてガンダルフのことを考えなければ、彼が私たちの生活に入ってくることは決してない。もしも私たちが蜃気楼を経験することをやめれば、それは消え去るだろう。よって次のように言えるかもしれない。「リアリティとは、だれの心にも存在しなくても、消え去らないものだ」。あるいは、この言い方のほうがいいかもしれない。「リアリティは、人々の心に関係なく存在するものだ」

この修正版ディックの宣言も、全面的に正しいとまでは言えない。比較対象として、〈ダンブルドアの宣言〉[5]と呼べるものを提示しよう。ハリー・ポッターシリーズに登場するホグワーツ魔法魔術学校のダンブルドア校長がシリーズ終盤で次のように言った。「もちろん、それは君の頭の中で起こっていることだ、ハリー。だが、それがリアルでないことを意味するのだろうか?」。あなたの思考や経験はあなたの頭の中で起こり、あなたの心に左右される。それでもそれらはリアルなものなのだ。お金のような社会的存在も人々の心に左右される。米ドル紙幣にだれも価値があると思わなければ、それはお金ではなくなる。それでもお金は物質としてはリアルなものなのだ。

しかしながら、心からの独立性はリアルの判定において十分条件として有効だ。私たちのリアリティの感覚について、少なくともひとつの有益な次元を説明する役に立ってくれる。人の心と独立して何かが存在するのならば、それはとても強固なリアリティを持つ。人の心に頼ってしか存在できないのならば、それは強固さの劣る外部世界の一部なのだ。

4．非錯覚としてのリアル

錯覚とリアリティの違いは何か？　私たちはこれまでに、「物事は本当に存在するのか？」と問いかけてきたが、ほかにも重要な問いがある。「物事は見た目どおりなのか？」。私たちはこの質問をリアリティに関する4番目の基準として使うことができる。そのためには、あるものをリアルだと言ったときに、それが意味するものに追加の要素をとり込む。つまり、あるものが見た目どおりならば、それはリアルで、見た目と違えば、それは錯覚なのだ。

物理的世界はだいたい見た目どおりなのでリアルだ。あなたの前にボールがあれば、そこにはボールが存在する。その見方だと、VRは見た目どおりではないのでリアルではなくなる。VRの中では目の前にボールがあるように見えても、実際にはない。VRは見た目どおりではないので錯覚なのだ。

現在、私には自分がニューヨーク州ハドソンヴァレーにある家で、椅子に座ってデスクトップパソコンを使っているように見える。窓の外には藻類（そうるい）に覆われた池とそこにいる雁（がん）が見える。自分は哲学者でリアリティに関する本を執筆しているように見える。自分はオーストラリアで生まれ育ち、今はニューヨークにいるように見える。これらすべてとほかのもので、みんなが思う私の「見えのリアリティ」は構成されている。

この見えのリアリティは、そのとおりであるときに限りリアルなものになる。私が本当にオーストラリアで生まれ育ち、今、本当に椅子に座っていて、窓の外には池があって、物事は見た目どおりであれば、それらすべてはリアルなのだ。反対に、私が椅子に座っていなくて、窓の外に池はなく、オーストラリアで生まれ育っていなければ、それらはリアルではない。

もちろん、私が少しだけ何かをまちがえても、リアリティは崩壊しないだろう。たとえば、池にいる鳥は雁でなくても影響はない。だが、私がほとんどすべてをまちがえていたら、私の見えのリアリティはリアルではないと言うのが妥当になる。

ここで、見えとされるべきは何であろうか？　候補は複数ある。ひとつには、感覚によってもものが知覚される仕方である。あるいは、知覚とともに思考や推理を使ってものが考えられる仕方である。存在を信じていなくても、ピンクの象を知覚できるし、知覚できなくても、ビッグバンを信じることができる。

このような場合、もっとも重要なのは自分のリアリティについて何を信じているかだろう。懐疑論とシミュレーション説の問題で、私たちにとって最重要なのは、世界の物事が自分の信じているとおりであることだ。だからシミュレーション・リアリズムがかかわることで、物事がだいたい信じている姿と同じときにそれはリアルだと言える、という第4の基準が理解できるのだ。

5．本物としてのリアル

リアリティについて考える第5の方法は、イギリスの哲学者ジョン・L・オースティンの19

47年の講義集『センスとセンシビリア（*Sense and Sensibilia*）』[6]に由来する（本のタイトルは著者と名前が似ているジェイン・オースティンの長編小説『分別と多感（*Sense and Sensibility*）』からとったものだが、この講義集は知覚とリアリティに関する本だ）。ジョン・オースティンはつねに平易な言葉を使って哲学を語ることに注意を払っていた。何がリアルかを理解するためには、英語を話す普通の人々が「リアル」という単語をどのように使うかを見る必要がある。

日常の言語において、「何かをリアルだ」と、ただ言うことはできない、とオースティンは主張した。その発言は、「本物（リアル）の何だって？」という質問を招くのだ。たとえば、「それは（偽のダイヤモンドではなく）リアルなダイヤか？」「それは（つくり物の鴨ではなく）リアルな鴨なのか？」などと問うことだ。これを〈オースティンの宣言〉と呼んでもいいかもしれない。「それはリアルなのかと尋ねないで、それはリアルなXなのかと尋ねよ」

オースティンの宣言が全面的に正しいとは思わない。子どもが「サンタクロースはリアルなの？」「イースター・バニー（復活祭の卵〔イースターエッグ〕を運んでくるウサギのキャラクター）はリアルなの？」と尋ねることは納得がいく。「イースター・バニーはリアルなウサギなの？」や「リアルな妖精なの？」などと尋ねることもできるだろう。また、ウサギか妖精か触れないで発する質問もあり、それが「イースター・バニーはリアルなの？」だ。つまり、それは本当に存在しているのか、を尋ねている。答えはおそらく「ノー」になる。それは何世代にもわたって語り継がれてきた民間伝承のキャラクターだからだ。民間伝承はリアルだが、そのウサギはリアルではない。これは最初の3つの宣言（バークリー、エレア派、P・K・ディックの宣言）を反映しており、対象のものがリアルな存在か（リアルなXか、ではなく〉に関係している。イースター・バニーは実在しないし、因果的力を持たないし、私たちの心から独立した存在ではないのだ。

それでもオースティンの宣言は重要なポイントを押さえている。多くの場合、私たちは対象がリアルなものであるかどうかを知りたいだけではない。リアルなお金か、リアルなｉＰｈｏｎｅかを求める。たとえば、だれかが私にロレックスのように見える時計をくれたとしよう。それがリアルな物体であるのは明白だ。私が知りたいのは、それがリアルな時計かどうか、とくにリアルなロレックスかどうかだ。この場合、時計は「本物か?」と聞くことができる。つまり、本物の時計なのか、本物のロレックスなのか、と。

シミュレーションの中の人生についても同じことが言える。今自分が見ている建物や木や動物はリアルなのか、と尋ねる方法がある。それはリアルなデジタルの実体だという答えに納得する者もいるだろう。だがほかに、リアルな建物か、リアルな木か、リアルな動物か、という聞き方もある。リアルな物質だが、リアルな建物ではないという答えになれば、物事は見えとは違うことになる。だからXのように見えるものに対して、第5の基準では次のように質問する。「それは本物ですか?　つまり、リアルなXですか?」

シミュレートされた現実はリアルなのか?

これでリアリティを判別する5つの基準がそろった。これを〈リアリティ・チェックリスト〉

としてまとめたい。あるものがリアルかどうかを判断するための5つの質問だ。「それは本当に存在しているのか？」「それは心から独立しているのか？」「それは因果的力を持つのか？」「それは見た目どおり（非錯覚）か？」「それは本物のXか？」

〈存在、因果的力、心からの独立、非錯覚、本物〉という5つの基準は、リアルであるという概念を構成する5つのより糸だ。あるものをリアルだと言うとき、それは5つの基準のうちどれかひとつか複数を満たしていることがある。5つの基準にほかのより糸を足すことも可能だ。[7] たとえば、間主観性〔複数の人間において同意が成り立っていること〕があるか、理論的有用性があるか、根本的なものか、などがそうだが、巻末の注で説明しておく。だが、前記の5つの基準が私たちの目的にかなった最重要なより糸だ。

残念なことに、これらの基準は質問を少し明確にしてくれるが、リアルについて理解する助けにはなってくれない。リアリティに関する異なる考えは、異なる目的と関連しているので、どの考えが使えるのかをはっきりさせる必要がある。

それでは、シミュレーションの世界にある事物について、5つの基準を当てはめてみよう。まずは完全で永久のシミュレーション、つまり、私たちの世界を詳細にシミュレートし、歴史の中で私たちが経験することすべてをつくり出しているシミュレーションから始める。完全シミュレーションにおける世界はリアルなのか？　ここでの目的は、シミュレーションに関する私の見方を擁護することではなく、私の見方を明確にすることにある。

第1の基準は問う。「このシミュレートされた世界で私たちが認知した事物は本当に存在するのか？」」。完全シミュレーションの世界で、窓の外に見える木は本当に存在するのか？　否定者は次のように言う。「いいえ、あの木も窓も単なる幻覚です」。私は言う。「はい、木も窓も本当に存在していますが、それらはコンピュータの中でデジタル処理されたデジタルの事物ではあるが、それでもリアルなものだ。

第2の基準は問う。「私たちが知覚した事物は因果的力を持つか？」」。それは変化を起こせるのか？　否定者は言う。「いいえ、木は何の変化も起こせないでしょう」。私は言う。「はい、木は多くの因果的力を持つデジタル事物です」。木はデジタルの葉を生みだせるし、デジタルの鳥を助け、そして、木を見る私たちに経験をつくり出す。

第3の基準は問う。「私たちが知覚した事物は、私たちの心から独立しているのか？」」。心が消えたときに、それはまだ存在しているのか？　否定者は言う。「いいえ、私が知覚した木は私の心の中にだけ存在するので、私がいなくなれば、木も消えます」。私は言う。「はい、木はデジタル事物で、その存在は私たちに依存していません」。たとえ人類とシム人類のすべてが消えても、木はデジタル事物として存在しつづける。

第4の基準は問う。「それは見た目どおりか？」」。わが家の庭に咲く花は見た目どおりなのか？　私はオーストラリア出身の哲学者だが、そうなのか？　否定者は言う。「いいえ、それらは錯覚にすぎません。現実には花もオーストラリアも存在しません」。私は言う。「はい、花は本当に庭に咲いていて、私は本当にオーストラリア出身です」。もしも私の世界すべてがシミュレーションならば、花はデジタル事物で、オーストラリアもそうだが、そこには花が咲くことを妨げるものも、私がオーストラリア出身であることを妨げるものもない。

第5の基準は問う。「シミュレーションの中で私が経験した花や本や人々は本物なのか？」。否定者は言う。「いいえ、たとえそれらがデジタル事物であっても、せいぜいが偽の花で本物ではありません」。私は言う。「はい、花も本も人も本物です」。もしも私が一生をシミュレーションの中で生きるとして、私が経験するすべてのリアルな花はずっとデジタルの花だ。

まとめよう。完全で永久のシミュレーションにいるときに私たちが知覚するものは、5つの基準すべてでリアルと判定された。

私はシミュレーション・リアリズムを次のように定義する。「私たちが完全シミュレーションの中にいるときに、まわりにある事物は錯覚ではなくリアルなものだ」。錯覚について触れたのは第4の基準を重視したからだ。物事はそのほとんどが、私たちが信ずるとおりにある、とシミュレーション・リアリズムは考える。私たちはネコが存在することを信じ、そのネコは実際に何かをし、それはリアルなネコなのだ。シミュレーションの中では、そうした信念はだいたい正しい、とシミュレーション・リアリズムは考える。

私が都合のいい基準だけを選んでいると思う人もいるかもしれない。たとえば、リアリティを「根本的」「オリジナル性」と定義したならば、結果は違ってくるだろう。シミュレーションの中の木はオリジナルの木ではないだろうし（現実の木をモデルにしているかもしれない）、シミュレートされた世界は根本的ではない（階層がひとつ上の物理的世界をモデルにしているので）。これらの定義は、人々が「バーチャルの事物はリアルではない」と言うときの意味をある程度押さえているが、これらの基準はリアリティにとって重要ではない。たとえば、クローン羊のドリーはクローンなのでオリジナル性はなく、粒子でできているので根本的でもないが、ドリーは完全にリアルな羊なのだ。

私のシミュレーション・リアリズムがいかに強力な見方であるかをあきらかにし、都合のいい基準だけを集めたものではないという主張を強化するために、私の5つの基準と、イギリスの理論物理学者デイヴィッド・ドイッチュが1997年に記した著書『世界の究極理論は存在するか――多宇宙理論から見た生命、進化、時間』[8]における見解とを比べてみたい。VRに関する魅力的な議論の中でドイッチュはバーチャル・リアリズムの一端を提唱する。シミュレーションも含むVR環境は、ユーザーに「応えた」ので「リアリティに関するテストに合格した」と述べた。これは第2と第3の基準の変形で、VR環境は因果的力を持ち、私たちの心から独立していることを言っていると思われる。一方でドイッチュは第1の基準を是認していない。彼はひとつのシナリオで言う。「シミュレートされた飛行機とその周囲は本当には存在していない」。第4、第5の基準も認めていない。別のVRシナリオで彼は、現実には降っていない雨を見ることができるし、シナリオ内のエンジンはリアルなものではない、と書いている。ドイッチュは、VR環境はリアルだが、その中の事物は錯覚なのだ、と考えている。シミュレーション・リアリズムはこれよりも強い主張をする。

完全シミュレーションでも見た目どおりではないものもあるだろう。私たちが信じているものの一部は誤りなのだ。ほとんどの人は自分がシミュレーションの中にいるとは思っていない。花はデジタルではないと信じている。自分たちの宇宙は究極のリアリティだと信じているかもしれない。だが、もしも私たちがシミュレーションの中にいるのならば、それらの信念は誤っていることになる。ここで、まちがいだと判明した信念は、ほとんどがリアリティに関する科学的か哲学的信念なのだ。そういう信念の改変は、たとえば「庭に花が咲いている」というたぐいの日々の信念に影響を与えることはない。

私たちがいる世界が不完全シミュレーションであるならば、私たちの信念が誤っている場合は増えるが、それでも正しいものも多い。太陽系はくわしく、そのほかの宇宙はラフにシミュレートしている場合、太陽に関する私の信念は正しいものの、ケンタウルス座アルファ星の信念はまちがっているかもしれない。2019年についてはくわしく、1789年についてはラフにシミュレートされている場合、フランス革命に関する私の信念はまちがっているかもしれないが、現在のアメリカに関する信念は正しい。身近な部分の信念も正しいだろう。私が庭で鹿を見るのはシミュレーションの一部だとしても、庭に鹿がいることは変わらずに正しいのだ。

形而上学としてのシミュレーション説

こうした主張の中にはあなたの直感に反するものもあるだろう。抵抗を覚える原因のひとつは、木や花がデジタル事物には見えないことだ。だが、量子力学的事物にも見えないだろう。植物の木を分解していくと、木が量子過程を基礎にしていることがわかるが、その事実は、木のリアルさを損なうとはだれも考えないはずだ。デジタルであることも、それと同じだと思える。最初に考えられていたよりもリアリティには多くのことがある、と科学は私たちに教えてきた。数千年のあいだ、ネコや犬や木は細胞からできていることを私たちは知らなかったし、ましてや、その細胞は原子でできていること、さらには根本的には量子力学的過程にもとづいていることを知らなかった。だが、ネコや犬や木の性質に関する新たな発見があっても、それらのリアリティが損なわれることはない。

私たちがシミュレーションの中にいるという発見も同じように扱うべきだ。ネコや犬や木がデジタルプロセスにより生みだされているという本質を発見しても、それらのリアリティを損なうことはない。

重要なのは、私はシミュレートされた木がリアルな木とまったく同じだとは言っていないことだ。ここまで私が言ってきたのは次のことだ。完全で永久のシミュレーションの世界では、リアルな木とはシミュレートされた木であり、ずっとそうなのだ。一方、私たちがシミュレーションの外から見るならば、中の木は外の現実世界の木とはまったく異なる。シミュレートされた木はずっとデジタルで、リアルな木はずっと非デジタルの存在だ。どちらにしても、デジタルの存在と非デジタルの存在はまったく異なるものなのだ。

シミュレーション説は、物理学で広く議論されてきた〈ビットからイット説〉の変形と見るべきである、と私はこれから論じよう。ビットからイット説は、物理学の基礎にデジタルレベルがあると考える仮説だ。大まかに言うと、分子は原子からできていて、その原子はクォークと電子からできていて、そのクォークと電子はビットからできている、と考える。この立場において、物理的プロセスはリアルである。そして、リアリティのうちには、私たちのまだ知らない基礎レベルがある、ということだ。

私はこれがシミュレーション説を考える正しい道だと思う。もしもシミュレーション説が正しければ、ビットからイット説も正しい。物理的実在は完全なリアルだ。そこにはビット同士の相互作用で構成される基礎レベルがあり、おそらくその下にもさらなるレベルがあるのだろう。

ビットからイット説はシミュレーション説の一部、シミュレーションそのものに対応している。ではほかの部分、シミュレーションをつくったシミュレーション実行者はどうだろうか？　次の章で、実行者は神に似た存在であることを論じよう。少なくともビットからイット宇宙の創造者だと見ることができる。第9章では、シミュレーション説とは、ビットからイット説と創造説（創造者が宇宙をつくったという説）とが組みあわさったものであることを話そう。

私が正しければ、シミュレーション説は、何も存在しないとする懐疑論的仮説ではなく、形而上学的仮説だ。それはリアリティの本質に関する説で、私たちの世界がどのようにつくられたかを考える形而上学的説（創造説）と同等だ。さらに、私たちの世界におけるリアリティの基礎となるものに関する別個の形而上学的仮説（ビットからイット説）の要素が加わっている。シミュレーション説が正しければ、この物質界はビットでできていて、創造者はそのビットを配列して物質界をつくったことになる。

次からの3つの章で、この創造説とビットからイット説を説明し、シミュレーション説は、このふたつの説を合体させたものとだいたい同じであることを述べよう。あわせて、神とリアリティに関連する多くの問題を話していこう。

哲学史における非錯覚の考え

デカルト的懐疑論に対する私の意見は、「実在の問い」に対する肯定的な答えにもとづいている。完全シミュレーションの中では、物事は完全にリアルだ。ほかの懐疑論のシナリオ、たとえば、デカルトの悪魔のシナリオやヒラリー・パトナムの水槽の中の脳のシナリオなどでも同じことが言える。これらのシナリオに対するシミュレーション・リアリズムを一般化すると、デカルト的シナリオに錯覚はないという結論に達する。これらのシナリオでは、物事はだいたい見たとおりだ。そこにいる人はだまされてはおらず、自分がいる世界に関する信念はだいたい正しい。

錯覚はないという見方が正しければ、もはやデカルト的シナリオは外部世界を知るための障害ではなくなる。デカルト的シナリオにおいて私たちの信念のほとんどが正しければ、このシナリオを私たちが排除することはできないとしても、ここから私たちの信念への疑いが生じることはない。私たちの信念は、多くの懐疑論者が考えてきたよりも頑健なのだ。

懐疑論のシナリオにおける人々の信念はほとんどが正しい、と言って懐疑論に反論したのは私が最初ではないが、哲学史において、いまだにめずらしい意見ではある。[9] 最近、私は複数の哲学史家に、20世紀以前でこの見方を明確に支持した哲学者を知っているかと尋ねた。だれもはっきりとは答えられなかった。20世紀以降でも、ひとにぎりの哲学者が言及しているだけだ。

第4章で紹介した18世紀アイルランドの哲学者ジョージ・バークリーは非錯覚説を持っていたのではないか、と私は考えたこともあった。バークリーは観念論者で、見えが実在(リアリティ)だと主張していた。悪魔のシナリオでは、テーブルや椅子は現実世界のそれと同じ見えをしている。見えが実在ならば、そのシナリオの中にいる人々はリアルなテーブルや椅子を経験することになり、実在に関する彼らの信念は大部分が正しいことになる。

残念ながらバークリーが非錯覚説を支持したことはないようだ。デカルトの悪魔のシナリオに言及したことはなく、おそらくそれは不可能だと考えていたのだろう。彼はデカルトと同じように、人間のような感覚や知覚を生みだせるほど完璧な存在は神だけだと考えていた。神は実際に人間の観念を生みだしていて、それにより人間は正しい認識ができるのだと考えた。神がシミュレーション実行者や悪魔の役目を演じるという点で、このバークリーの考えは、懐疑論に対する私の意見の従兄弟(いとこ)と言えるかもしれない。

私の知るかぎり、最初に非錯覚説を明確に述べたのは、ネブラスカ大学の哲学者オーツ・コーク・ブーズマで1949年のエッセイだった。[10] ルートヴィヒ・ウィトゲンシュタインの教え子のブーズマは、第4章で紹介したジョナサン・ハリソンによる赤ん坊のルートヴィヒの幻覚の寓話に影響を受けた。ブーズマの「デカルトの邪悪な霊」という論文は、リアリティについて人間をだまそうとした不運な悪魔はつねに失敗する、というすばらしい寓話だ(ブーズマはデカルトの「*genium malignum*」を「邪悪な霊」と訳したが、私は第3章と同様に一般的な「悪魔」を使う)。悪魔は最初に、

ブーズマの悪魔がトムをだまそうとする。最初は花を紙に変え、次は完全シミュレーションに入れることで

すべてを紙に変えたが、人々はすぐに気づいた。この寓話の主人公であるトム自身も紙に変えられたのだが、それが錯覚であることに気づいた。紙の花はにおいがしないし、感触も紙そのものであることから、トムは悪魔の企みをあばいたのだった。

悪魔は次に、人間の心を除いたすべてのものを壊した。居丈高になった悪魔はトムに「おまえの花は錯覚でしかない」とささやく。トムは、自分には花と錯覚の違いはわかり、これが錯覚でないことはあきらかだ、と答える。トムには悪魔が何をしたかわかっていたが、トムは悪魔が「錯覚」と呼んだものを「花」と呼んだのだった。悪魔がつくり出したのは錯覚ではなく花だった。敗れた悪魔は微粒子に乗って去っていった。

私と同じように、ブーズマはデカルトの悪魔のシナリオにおいて、人間は錯覚を見せられていない、と考えた。だが理由は私と異なる。錯覚とはそれが発覚したときにだけ錯覚になるのだ、とブーズマは考える。発覚しなければ、デカルトの悪魔のシナリオと同じように、そこに錯覚はいっさいなく、だましもない。

より正確に語ると、ブーズマの悪魔は錯覚を見破ることができるが、人間のトムにはできない。だから悪魔が「これは錯覚だ」と言うとき、悪魔は正しい。一方でトムが「錯覚だ」と言っても、それはまちがっている。同様の理由からトムが「花」だと思ったものは、悪魔にとっては花ではないが、トムにとっては花なのだ。したがってトムが「あれは花だ」と言ったときに、彼は正しかった。

ブーズマの主張は一種の〈検証主義〉だ。意味のある主張はすべて検証可能だと考える。前に紹介したが、ルドルフ・カルナップをはじめとする論理実証主義者が、懐疑論は検証不可能だから意味がない、と考えたことを思いだしてもらいたい。ブーズマはそれに似た姿勢を見せ、錯覚は検証できなければ無意味だ、とした。悪魔のシナリオが錯覚であることを検証できなければ、錯覚はどこにもないのだ。

第４章で話した理由ゆえに、私は検証主義を否定する。検証できないが有意味な主張は多くあるし、私たちがまだ見つけていない錯覚があるかもしれない。だからブーズマの状況分析は却下する。とはいえ、彼は重要な点で正しい。デカルトの悪魔のシナリオに錯覚はないことだ。

非錯覚説に至る道筋として、これに関連するもので中国の哲学者のフィリップ・ツァイ（現在は翟振明（ツァイツェンミン）という名で活動している）の立場があるが、これはバークリーの観念論の魂を一部共有している。ツァイは１９９８年に出した重要な著書『リアルになる――ＶＲにおける哲学的冒険（*Get Real: A Philosophical Adventure in Virtual Reality*）』[11]で、安定して一貫した知覚が得られる事物は実在だと主張している。バークリー的に言いかえれば、「安定して一貫した見えがある事物は実在だ」となる。ツァイがこの主張をしたのは、懐疑論の問題に対してではなく、VRと完全シミュレーションについてだった。完全シミュレーションの中にいる人は世界に関して安定して一貫した知覚を持っているので、その世界は錯覚ではなくリアルだ、と彼は言う。私は第4章でバークリーの観念論を否定したのとだいたい同じ理由で、ツァイの観念論のフレームワークも否定する。しかし、検証主義と同様に観念論も非錯覚説に重要な道筋を提供している。

第3の道筋はヒラリー・パトナムが1981年の著作『理性・真理・歴史』で披露している。第4章で、パトナムが外在主義にもとづいて、水槽の中の脳説は矛盾していると主張したことを紹介した。外在主義とは彼の理論で、単語の意味はその語がかかわる外的状況によって決まると考える。パトナムは、水槽の中の脳が抱く信念は、その環境における電気刺激についてのものであり、その信念のほとんどは正しい、と言う。これは懐疑論に対してまったく異なる対応をするかもしれない非錯覚説の一バージョンだ（パトナムはこの主張を懐疑論に対してしたわけではないが）。水槽の中の脳説は矛盾していると言う代わりに、水槽の中の脳が抱く信念のほとんどは正しい、と言うこともできるだろう。要するに、ブーズマは検証主義の観点から非錯覚説を唱え、パトナムは外在主義の観点から非錯覚説を唱えたのである。

パトナムの非錯覚説については第20章で外在主義について語るときに分析したい。私から見ると、彼の主張はそれほど成功しているとは言えない。ブーズマの主張が成り立ちそうにない検証主義を必要とし、ツァイの見方が成り立ちそうにない観念論を必要としたように、パトナムの主張は外在主義の強力で成り立ちそうにないバージョンを必要としているからだ。それでもブーズマ、ツァイと同じように、パトナムも非錯覚説の正しい道の上にいる。

この3人はシミュレーション・シナリオの非錯覚説へつながる異なる3本の道筋を示した。3本の道はデカルト的懐疑論の問題に正しい見方をもたらす、と私は考えている。正しい見方とは、デカルト的シナリオにおける人間は、だいたい正しい信念を持っていて、だまされていないことだ。しかしながら、3本の道は必要とする前提が多く、かつ成り立ちそうもない哲学的見方に頼っており、私は否定せざるをえない。結果として、3人とも強固な論証を提示できていないし、非錯覚説が真である理由について説得力のある分析もできていない。だから私たちはこれからもよい主張と説得力のある分析を探していくのだ。

非錯覚説は、検証主義や観念論、外在主義の観点からではなく、外部世界に対する構造主義から主張するのが最良だと私は思う。それについては、これからの3つの章で少しずつ説明していきたい。

第7章

神はひとつ上の階層にいるハッカーなのか?

数年前のこと、甥で5歳のトムが私に『シムライフ』(生態系を制御するシミュレーションゲーム)の遊び方を見せてくれた。トムは苦労して町をつくり、家や車を置き、町を森で囲んだ。そして「ここからがおもしろいんだよ」と言って、火事と津波を起こして、町を破壊した。私は新しい視点から甥っ子を見た。彼はゲームをする5歳の子どもなのか、それとも旧約聖書の神なのか?

テレビアニメ『リック・アンド・モーティ』のエピソードで、変人科学者のリックは、宇宙船の機関部に、極小な宇宙人の住む世界をつくり、自転車をこがせて発電をさせていた。ときどきその世界を訪れるリックを、極小の宇宙人は神のごとく扱った。リックは宇宙船の電力を得るために、そこで自転車乗りにペダルを踏みつづけさせた(ミクロの世界で生んだ電気が、マクロの世界の宇宙船にどれだけ役立つのかなど、疑問は抱かないようにしよう)。リックは世界をつくり、そこで究極の力を持った。ミクロの世界の神となったのだ。

私たちがシミュレーションの世界をつくれば、そこで神となれる。創造者で、その世界に関して全知全能だ。シミュレートした世界が発展し、複雑なものになり、シミュレートされた人間が意識を持つようになるかもしれない。シミュレートされた世界で神となることは大きな責任を負うことなのだ。

シミュレーション説が正しくて、私たちがシミュレーションの世界にいるとすると、シミュレーションをつくった者が私たちの神となる。シミュレーション実行者は全知全能だろう。実行者の望むままに世界でことが起き、私たちはその者を恐れ敬う。そして、その者は従来の神とは似ていないかもしれない。リックのようなマッドサイエンティストだったり、私の甥のように子どもだったりするのだ。

トランスヒューマニズム（超人間主義）とは、科学技術により現在の人間の形態や限界を超克した知的生命への進化を追求する思想だが、その信奉者で哲学者のデイヴィッド・ピアースは、シミュレーション論証は、長年にわたる神の存在に関する論証の中でもっとも興味深いものだと注視している。[1]ピアースは正しいかもしれない。

記憶にあるかぎり、私は自分を無神論者だと考えてきた。私の家族は信心深くなく、私には宗教儀式はいつも少し風変わりなものに見えた。神が存在する証拠はないように思えた。自然界を探究する科学に魅力を感じている私にとって、神は超自然の存在だった。それでも、シミュレーション説によって、これまでにないほど真剣に神の存在について考えるようになった。

神とは何か？

神をどう定義するか？　ほとんどの言葉と同じで、万人が納得する定義はない。だが少なくとも、ユダヤ教とキリスト教、イスラム教の伝統では、神は最低でも次の4つの特性を有するとされる。

1. 神は宇宙の創造者である。
2. 神は全能である。何でもできる。
3. 神は全知である。何でも知っている。
4. 神は完全なる善である。善いことしかしない。

最初の定義としては、神はこの4つの特性を持つ存在としていいだろう。つまり、神はこの宇宙をつくり、全知全能で、完全なる善なのだ。これらの条件がすべて必要なのか、あるいは足りないものがあるかどうかはこれから考えればよい。

では、私たちがシミュレーションの中にいるとしよう。くわえて、宇宙をつくったシミュレーション実行者は、ひとつ上の階層にいる10代の女の子だとしよう。私たちにとって彼女は一種の神だ。

階層がひとつ上の世界にいる、神であるティーンエイジャー

第1にして最重要な特性：シミュレーション実行者は私たちのいる宇宙をつくった。創造という意図的な行動でこの宇宙を動かしはじめたのだ。たとえその行動が『シム宇宙』というゲームのボタンを押すだけだったとしても。

第2の特性：シミュレーション実行者はときにきわめて強力だ。シミュレーションの状態を支配する力を持っていることが多い。実行者の力が制限されているシミュレーションもある。たとえば、『パックマン』で全体の状態を変えることはできないし、ボタンを押して、『パックマン』の世界を『ワールド・オブ・ウォークラフト』の世界に変えることはできない。だが、シミュレーションのソースコードやデータ構造にアクセスできる多くの実行者は、つくった世界に対して全能に近い力を持っている。

第3の特性：通常シミュレーション実行者はそのシミュレーションについて多くを知ってい

る。ここでも、世界のすべての状態を把握できないゲームもある。だがすぐれた宇宙シミュレーションゲームは、シミュレートされた宇宙のどこで何が起きてもわかるデバイスがついている。たとえば、「Cosmoscope」というデバイスは、宇宙のどの部分でも拡大して見ることができ、原則としてそこで起きていることをすべて把握できる（「Cosmoscope」については、私の著書『世界を構築する（*Constructing the World*）』でとりあげたし、アメリカのSFスリラーTVドラマの『Devs（デヴス）』にも登場した）。そして、データ構造にアクセスできる実行者は、その世界にいるあらゆる存在をモニターできるのだ。

第4の特性：シミュレーション実行者は完全なる善なのか？　そう考えるべき理由は多くない。シミュレーションソフトにアクセスできる人間にはさまざまなタイプがいて、立派な人格は必要条件ではない。私の甥のように、やさしいとはほど遠い態度をとる者もいる。シミュレーションの中の存在が繁栄することを願う人もいるが、少数派かもしれない。多くは娯楽や情報を求めているだけなのだろう。

最初に定義した神の4つの特性のうち、シミュレーション実行者は3つの基準をほぼ満たしている。宇宙をつくり、とても強力で、その宇宙に関する知識も豊富だが、特別に善良であることは求められていない。

よく設計されたシミュレーションソフトでさえも、実行者の力と知識が制限されている場合がある。使い古された問いだが、「全能の神は自分がもちあげられないほど重い石をつくれるのか？」がある。よりストレートに言えば、「神は自分がつくれない石をつくれるのか？」となる。

このような論理的に矛盾した行動は神にはとれなさそうだ。しかし、論理で制約をかけることは重大な制限ではない。重大なのは実行者の創意に制限がかけられれば、つくることのできないものが生ずることだ。たとえば量子コンピュータは、つくるのには一定の創意が必要だ。同様に実行者が知らないものもあるだろう。たとえば、世界を平和にする秘訣や、特定の人の好きな色などだ。それでも「Cosmoscope」にアクセスできれば大きな助けになる。

神のごときシミュレーション実行者は別の道から制約を受けるだろう。宇宙の創造者だが、全宇宙をつくったわけではない。私の甥のトムを思いだしてほしい。彼はゲームで町をつくり、その町に関して知識と力を持っていた。だが自分が生きている現実の宇宙をつくってはいないし、その宇宙に関して特別な知識も力も持っていない。現実におけるトムは普通の子どもにすぎない。ほとんどの実行者がそうだろう。

私たちのいる現実の宇宙（ユニバース）は4次元の時空で、全宇宙（コスモス＝存在全体）の一部である。もしも私たちがシミュレーションの中にいるならば、その宇宙も全宇宙の一部だ。そのため実行者は宇宙をつくるが、全宇宙をつくる必要はない。同様に実行者はその宇宙に関する知識と力は持っているが、宇宙全体に関しては乏しい。だから実行者はローカルな神であって、全宇宙の神ではないと言えるだろう。

神のごときシミュレーション実行者だが、グローバルな神ほど恐ろしくはない。聖書の預言者アブラハムの神を受け継ぐと称するアブラハムの宗教（ユダヤ教、キリスト教、イスラム教）では通常、神は全知全能で全宇宙を支配するとされる。一方、われらがシミュレーション実行者は私たちの宇宙だけをつくったローカルな創造者にすぎず、ローカルな宇宙に関する知識と力はかなり持っているが、善良さはそれほど持っていない。

アブラハムの神は、ギリシアの神々が足下にも及ばないほど、とんでもなく厳しい要求を課してくる。ギリシアの神々は強力だが全能ではなく、とても善良な神はほとんどいない。ヒンドゥー教にも完璧にはほど遠い神々が多くいる。多くの多神教が、たとえば日本の神道やアフリカの伝統的な宗教が、全宇宙の神でもなく特別に善良でもないローカルな神々を持っている。われらがシミュレーション実行者は、そうした宗教の神々と同格なくらいかもしれない。

あるいは、プラトンが「デミウルゴス」と呼ぶ存在に近いだろう。古代ギリシアでデミウルゴスとは「職人、工匠(こうしょう)」を意味する。対話篇『ティマイオス』でプラトンは、デミウルゴスを物質世界を「形づくる」神として描いた。プラトンの説話の中では、しばしば補助的な神として扱われ、その上に全宇宙を支配する神がいた。プラトンの描くデミウルゴスは慈悲深かったが、のちにグノーシス主義〔1~3世紀ごろに地中海地域に生まれた宗教・思想運動〕の創造神話では悪魔とみなされた。シミュレーション実行者も補助的な神で、慈悲深い者もいれば、そうではない者もいて、自分のつくった世界に責任を負っている。

宇宙をつくれば、それをもってシミュレーション実行者はすでに一種の神になっている。そのシミュレーションに関する知識と力を増せば、グレードアップする。何か欠けているだろうか?私たちは実行者のまわりで宗教を形成したいわけではないのだ。このテーマはあとで触れよう。

神の存在に関する議論

哲学では神の存在に関して長く議論がされてきた。古いところでは、11世紀ベネディクト会の修道士であるカンタベリーのアンセルムスが神の存在を唱えた。それは〈存在論的証明〉と呼ばれるが、その論証は次のようなものだ。神を「究極の完全な存在」と定義する。それを超える存在は想像することができない。知識、善良さ、能力などすべてにおいて完全だ。他方で、存在することもまた完全性のひとつだ。それゆえ、現実に存在する神は、概念としての神よりもあきらかに偉大である。だから、存在しなければ神は完全ではなくなる。神は完全だと定義されているがゆえに、神は存在するのだ。

多くの哲学者がこの主張は都合がよすぎると考えた。問題のひとつは、この論証方式は、現実には存在しないものを何であれ、存在すると証明するために利用できることだ。

アンセルムスと同じベネディクト会修道士であるマルムーティエのガウニロによる、完全な島をたとえにした反論があるが、私はハンバーガーをたとえにしてみよう。完全なハンバーガーを、「それ以上のものを想像できないほどのハンバーガー」と定義する。ジューシーさ、おいしさ、植物由来の肉を使っていて動物を傷つけていないことなど、すべてにおいて完全なものだ。一方で、もしも私の目の前に完全なハンバーガーがあれば、想像の完全なハンバーガーよりもすぐれている。それならば想像のハンバーガーは完全ではないことになる。そこで定義により、「完全なハンバーガーが皿にのって私の目の前にある」となる。こうして私は今、私の前に完全なハンバーガー

バーガーがあることを証明した。しかし、実際にはハンバーガーはないのだ。

がっかりの結論だ。どこがおかしいのだろう？　完全なハンバーガー論証がおかしいのならば、神という完全な存在の論証でも同じところで問題が生じそうだ。ひとつの診断では、この神の論証は、「もし完全な存在があるならば、それは存在する」（ハンバーガーで言うと、完全なハンバーガーがあるならば、それが目の前に置かれている）ということしか主張していないという。しかし、この論証は前段の「完全な存在（あるいは完全なハンバーガー）がある」ことを立証できない。よって神の存在を証明できないのだ。

とにかく、存在論的証明で語られる神はシミュレーションの神と似ていない。すでに見てきたように、シミュレーションの神は多くの点で完全ではないのだ。

神の存在に関するほかの古典的な論証には、〈宇宙論的証明〉がある。これは哲学史においていろいろなバージョンがあるが、ペルシアのイスラム神学者ガザーリーなど中世イスラムの哲学者の次のような主張と深くかかわっている。「すべての物事には原因がある。よって宇宙にも原因がある。その原因は神に違いない」

「いや、ちょっと待て」とあなたは言うかもしれない。では、何が神の原因になるのか？　もしも神に原因がないならば、すべての物事には原因があるという前提が誤りになる。だが神に何かしらの原因があるならば、結局、神は最終的な原因ではない。その結果を回避するためにガザーリーは前提に制約を加えた。「存在することに始まりのあるすべてのものには原因がある」。そして、宇宙には始まりがあるが、神は永遠の存在だ、と主張する。しかし、私たちは「もしも宇宙

宇宙論的証明を語るシム・ガザーリー

が永遠の存在ならばどうだろう？」と反論することができる。永遠の存在である神が原因を必要とせず、永遠の宇宙も同じだったら。さらには、原因がなくても永遠の宇宙が続くのならば、ビッグバンによって始まった有限の宇宙も同様でありうるのではないか？

宇宙論的証明がテーマとする「宇宙の原因となる」仕事をシミュレーション実行者ならばある程度こなしている。だが、その宇宙の原因は伝統的な神とは似ていない。たとえば、実行者はどこかの時点で存在することを始めた。それゆえ、明確な異議が生ずる。その実行者が存在する原因はだれに、もしくは何にあるのか？　連鎖する原因をさかのぼっていくと、全宇宙とその始まりにたどり着く。全宇宙でさかのぼる連鎖を止める人もいるだろうが、全宇宙の神に原因を求める人もいるだろう。神をもち出した理由も、ほかではなく神のところで止まるのが妥当な理由もはっきりしない。

神の存在に関する有力な論証はほかに〈デザイン論証〉がある。私たちの宇宙には際だったデザイン性がある。たとえば、人類やほかの動物は、驚くほどうまく機能するメカニズムを持っている。自然は並はずれて複雑だ。これほどすぐれたことがランダムに起こるはずはなく、デザイナー（設計者）がいるはずだ。

200年前は、おそらくこれが神の存在を証明するもっとも説得力のある主張だった。今では、この主張の元のバージョンは、ダーウィンの進化論の自然選択説によって長いあいだ苦しめられている。自然界における驚くべきメカニズムを説明するのにデザイナーは必要なく、進化のプロセスで充分だ。

だが、デザイン論証の洗練されたバージョンは今でも健在だ。〈ファインチューニング（微調整）論証〉がそれだ。この主張は、重力や量子力学などに関する現在の宇宙の物理法則をテーマとしている。もしもそれらの物理法則がわずかに違えば、宇宙はひどくつまらないものになり、生命は決して進化しなかっただろう。宇宙に生命が誕生する条件は厳しいもので、最適な物理法則の組み合わせはほとんどないのに、私たちの宇宙は生命を誕生させた。この宇宙は生命のために微調整されているのだ。では微調整された原因は何か？　わかりやすい説明は、それをした存在、つまり神がいた、というものだ。

ファインチューニング論証が語る神は、シミュレーション説の神とよく似ている。宇宙をシミュレートする人にとって、宇宙に生命があるほうがないよりもおもしろいはずだ。シミュレーション実行者は人類の歴史におけるエピソードをシミュレートするときと同じで、生命をシミュレートするために宇宙をつくることも多い。このような場合、実行者は宇宙に生命を誕生させない設定を早々と放棄し、興味深い生命を誕生させる条件に集中するだろう。生命が生まれるように微調整された宇宙はおそらくまれであるのに、私たちの宇宙がそうであることの説明は実行者の選好に求めることができる。

ファインチューニング論証は論議を呼んでいる。[2] まず、生命を維持するための必要条件はそれほど特別ではないと考える者がいる。また別の者は、われわれは幸運だっただけだ、と言う。一方で、宇宙が生命を維持しなければ、宇宙の存在に気づく生命がいないではないか、と主張する者もいる。私たちが宇宙を観測していることを考えると、宇宙は観測者にするために生命を維持しているのだと考えても不思議ではない。最後の考えは〈人間原理〉と呼ばれている。

人間原理がもっとも機能するのは、宇宙がマルチバースであるときだ。たとえば、ほかの宇宙のブラックホールから生まれる宇宙があるかもしれないし、ビッグバンがくり返し生じてたくさんの宇宙の系列が生じているのかもしれない。宇宙論研究者の中には、宇宙の法則の一部はそれぞれのビッグバンの直後に起きたことで決まったので、マルチバースの各宇宙で法則は違っている、と考える者もいる。さまざまな法則を持つ宇宙が充分な数あれば、そのひとつかふたつに生命と宇宙の観察者がいる可能性は高い。そうならば、そのような宇宙に自分たちがいることを人類が発見しても何ら不思議ではない。

ファインチューニング問題に対するマルチバースの解答は通常、神の解答に代わるものとして提唱されている。だが、シミュレーション論証によれば両説は両立できる。まず、生命や観測者についてまったく興味がないシミュレーション実行者がいるとしよう。彼らの興味は、異なる法則を持つさまざまな宇宙における力学を一覧表にすることだけだ。その場合、彼らが充分な数の宇宙をつくれば、その中には生命と観測者を維持する宇宙も現れるだろう。さっきと同じように、人類がそのような宇宙に自分たちがいることを発見しても何ら不思議はない。そうなると、そこには一種の神がいるものの、私たちの宇宙を神がデザインしたというファインチューニング問題はなく、マルチバースが存在するだけになる。デザインが何らかの役割を果たすとすれば、マルチバース全体のデザインとなる。

以上の議論は、ファインチューニング問題をマルチバースで解決しようとするときの、一般的な弱点をあきらかにする。マルチバースをつくりだす微調整とはどのようなことか？　マルチバース自体は、基礎にある法則や原理の結果だと考えられる。それらの法則が違っていたら、マルチバースではなく単一宇宙になっていたかもしれない。だからマルチバースが生じるための微調整について説明しなければならない。ここで、私たちのいるマルチバースの上の階層にさらにマルチバースがあることを仮定するのは、問題を反復するだけなので役に立たない。ほかの答えが必要だ。答えの候補は次である。マルチバースのための微調整は説明が不要な何かである。あるいは、その微調整は結局、幸運の産物にすぎない。あるいはその微調整はデザイナーを前提としている。

一方でシミュレーションの類推は、すべてのデザイン論証が抱える弱点をあきらかにする。デザイナーはデザインを指示するのだから、見事な存在に違いない。それゆえ、デザイナー自身もデザインされていることになる。では、そのデザインはどこから来たのか説明が必要となる。かくして、そのデザイナーあるいはデザイナーの全システムをデザインしたのは何か、という問題が永遠に続く。ここで、神は説明不要の存在だと言う者もいるかもしれないが、それは手前勝手に見える。したがって、デザイナー説にもマルチバース説にも説明しきれない部分があるのだ。

説明されていない印象深い部分は、宇宙に関する生の事実として受けいれるべきなのかもしれない。また、基本レベルの単純な原理にまで濃縮して、説明すべき項目を最小にしようとすることもできる。それでもつねにいくつかの問題は残る。なぜそこには何もない、ではなく、何かがあるのか？　なぜ究極の法則は現在の姿になったのか？　なぜそれらの法則はおもしろいのか？

神の存在のためのシミュレーション論証

神の存在に関する論証に問題点を見つけるのは容易だ。ファインチューニング論証は最有力説かもしれないが、それでも決定的な説にはほど遠い。

ひょっとすると、神の存在に関して、シミュレーション論証がもっとも強力だという可能性はないだろうか？　それは創造者に関する論証であって、全知全能で完璧な善の存在の論証ではない。その点は宇宙論的証明もデザイン論証も同じだ。だが、シミュレーション論証はそのふたつと違って、単なる創造者の力を超えた力と知識を有する神を提案している。くわえて、それはローカルな創造者だけのことを指しているが、その点はデザイン論証も同じだ。シミュレーション論証がデザイン論証と同じくらいよいものであるなら、神の存在に関する論証の神殿に入る価値はあるだろう。

シミュレーション論証の一バージョンはコンピュータが誕生するはるか前につくられた。ただし、その古い論証においては、シミュレーションについて語られるところが、宇宙創造の話になっている。それは、第5章で紹介した最初のシミュレーション論証の従兄弟と言ってよいだろう。

前提

1. 最上位の階層にいるわずかな集団それぞれが、多くの集団をつくる。
2. 最上位の階層にいるわずかな集団それぞれが、多くの集団をつくるならば、知的存在の大部分がつくられたものになる。
3. 大部分がつくられた知的存在ならば、私たちもつくられたものである可能性は高い。

結論

4. ゆえに、私たちはつくられた存在なのだろう。

最上位の階層にいる集団というのは、（全宇宙の神以外の）だれかにつくられた活動体ではない。

「わずか、多く、大部分」という言葉は、第5章で数字をあげたシミュレーションと同じように考えてほしい。たとえば、「わずか」は少なくとも1割、「多く」は1000、「大部分」は99パーセントなどとなる。前提の2と3も第5章とだいたい同じ流れで、2は数字の裏付けができ、3は、人類を知的存在の典型と見るならば、裏付けとなる。

100年前にこの主張をしていたら、次のような異議が唱えられただろう。前提1を信じる根拠は？　つまり、宇宙をつくる能力が一般的なものと信ずる根拠は何か？　当時は推測することはできても、明確な根拠はなかった。

ところが、シミュレーションの概念が前提1を信じる根拠を与えた。宇宙をつくる能力は比較的簡単なので、多くの集団が実行可能だろう。前提1が受けいれられれば、あとはすんなり進む。少なくとも、シムブロッカーとシム・サインの適切な条件がつくまでは。

シミュレーション論証と同じで、この〈創造者論証〉も、私たちがつくられた存在だろうという結論にまではたどり着けない。シミュレーション論証は、人間に似せたシムをつくるのは不可能だ、可能だとしても人間に似たノンシムはシムをつくることを選ばないだろう、という主張に阻止されるかもしれない。創造者論証でも、人間に似た存在をつくるのは不可能だ、可能だとしても最上層の階層にいる人間に似た存在はシムをつくることを選ばないだろう、という主張に阻止されうる。それでも、結論は次の3つの選択肢のうちのどれかだと言うことができる。(1)大部分の活動体がつくられたものだ。(2)人間に似た存在の大部分は人間に似た集団をつくらない。(3)人間に似た存在をつくるのは不可能だ。コンピュータ・シミュレーションが開発される前は、無神論者は容易に(1)の代わりに(2)を受けいれただろう。当時はまだ、集団をつくることが普及すると考える理由がそれほどなかったからだ。だが、コンピュータ・シミュレーションの登場により、普及すると考える理由が多くなり、私たちはつくられた存在だという主張も説得力を持ってきた。

シミュレーションは独特な神につながる道だ。シミュレーション実行者は自然の一部なので、それは自然的な神というものだ。それに対して、存在論的証明や宇宙論的証明、デザイン論証はしばしば自然の外にいる神、すなわち超自然的な神のために用いられる。シミュレーション実行者は私たちの物理的宇宙を超えるが、全宇宙という自然までは超えられない。原理的にシミュレーション実行者は全宇宙の自然法則によって説明できる。

結果として、シミュレーション論証は自然主義と相性がいい[3]。自然主義は哲学的ムーブメントのひとつで、最低でも超自然を拒絶する思想だ。万物は自然の一部であり、自然法則で説明できると考える。一般に自然主義と神は和解できないと考えられているので、自然主義は無神論と結びつくのだ。ところが、シミュレーション論証は和解の道を提示する。自然主義者であっても信じることができる神を用意したのだ。神の存在を否定するもっとも有名な議論は、悪の問題だ。もしも神がいるのならば、完全なる善で全知全能の神は、世界に自然災害や大量虐殺などの悪いことが起きるのを許さないはずだ。でも実際にそうしたことは起きているので、神はいないのだ、という見方がある。この問題については第18章で深掘りしたい。ここでは、自然主義的なシミュレーション実行者の神にとって悪の問題は障害にならないことを書きとめておこう。すでに見てきたように実行者は完全なる善である必要はないからだ。シミュレーションの中に多少の悪があっても我慢できるだろう。

シミュレーション神学[4]

ポーランドのSF作家スタニスワフ・レムの短編に「我は僕（しもべ）ならずや」がある〔『完全な真空』所収〕。コンピュータの中にプログラムされた知性を研究する「パーソネティクス」の専門家のドブ教授が、人工の知的存在「パーソノイド」が生きる社会をつくった。何世代も経ると、パーソノイドは自分たちの創造者について推測するようになった。パーソノイドのＥｄａｎ１９７は、自分たちが神の救いを得るためには、創造者である神を信じ、神が求められる畏敬と感謝を捧げるべきだ、と考えた。Ａｄａｎ９００は、それは不公正だと批判した。神は自分の存在を示す強い証拠をパーソノイドに見せていない。だから自分を信じないという理由だけでわれわれを罰することはできない。完全に公正な神ならば信じない者も救うはずで、そうしないのだから神は全能ではない、と主張した。

ドブ教授は興味深くこの議論を聞いている。彼らの理由づけは申し分がない。パーソノイドをつくった教授こそが彼らの神なのだ。でも自分が存在する証拠を与えてこなかったし、彼らから崇拝されることは望んでいない。のちに教授はこう言っている。

じつのところ、私があの知的存在をつくったときに、自分が彼らから特別待遇を受ける資格があるとは思っていなかった。愛情や感謝、何かのサービスを受けることさえ期待していなかった。私は彼らの世界を大きくも小さくもでき、時間の流れを速くも遅くもでき、彼らの状態や知覚手段を変えることもできる。彼らを抹消することも、分割することも、増やすこともできるし、根本的に存在を変えることもできる。私は彼らに対して万能なのだが、だからといって彼らが私に何かの義務を負っているわけではない。

教授は巨大な補助ユニットをつけ足せば、今後は自分を信じるパーソノイドだけを認めるようにできると考えた。信じない者は抹消するか罰を与えるのだ。その行為は「まったくもって恥知らずなエゴイズム」だとみなされるだろう、と教授は言う。そして、彼は後悔とともに記す。きっといつの日か、シミュレーションをやめるよう大学から求められるだろう。

レムのこの小説は、〈シミュレーション神学〉の初期のものだ。おおざっぱに言うと、神学とは神のしもべの視点から神の性質を研究する学問だ。シミュレーション神学とは、シミュレーションの中にいる者の視点から、神であるシミュレーション実行者の性質を研究するものだ。

私たちもその神学にかかわることができる。今、自分はシミュレーションの中にいると仮定して、その実行者の性質を推測するのだ。人間に似た存在だろうか、あるいは一種のＡＩだろうか？　シミュレーションを動かしている目的は、娯楽か科学か意思決定か、それとも歴史分析だろうか？

推測する根拠はどこにもないじゃないか、とあなたは思うかもしれない。そう、すべてのシミュレーション神学には根拠がないのだ。だがシミュレーション論証を真剣に受けとめるならば、その神学は意味を持つようになる。全宇宙（コスモス）の歴史の中で、どのようなシミュレーションがもっとも出現しやすいかを考え、実行者の性格を推理することができる。

たとえば、実行者は現実世界にいる生命体か準生命体か、ＡＩシステムに似たものか、シミュレーション世界にいるシムだろう、と考えるかもしれない。少なくとも私たちの世界では長い目で見たときに、生物系よりもＡＩシステムのほうが速さも能力も上になるだろう。そうなると、ＡＩシステムのほうが多くのシミュレーションをつくり出すはずだ。全宇宙でも同じようになると考えても無理はない。それならば、私たちのシミュレーション実行者は、生物系や準生物系ではなく、ＡＩシステムだと思うべきだ。

これは創造者が機械だった『マトリックス』のシチュエーションを連想させる。もしも私たちがマトリックスの世界に暮らしているならば、神（つまりシミュレーション実行者）は機械となる。神までいかなくても、少なくともデミウルゴスだ。これはシミュレーションの中に生きる者にとって典型的な事例になるかもしれない。創造者の大部分は機械なのだ。

（ここでマトリックス神学に関する私の理論に触れたい欲求にあらがえない。それはわが人生における誇らしい業績のひとつだ。『マトリックス』の公式ボックスセットに収められたボーナスビデオ「イースターエッグ」の中で、私は『マトリックス』の世界について解説したのだ。映画において主人公のネオはキリスト、モーフィアスは洗礼者ヨハネ、裏切り者のサイファーはイスカリオテのユダに相当するとよく指摘される。だが私の見解では、神は機械なので、この解釈はすべて誤りとなる。では機械の息子はだれなのか？　世界を壊そうとする者から世界を守るためにだれがそこに送りこまれたのか？　それはネオの敵のエージェント・スミスであることははっきりしている。エージェント・スミスこそ『マトリックス』における真のキリストなのだ。彼が続編で復活するのはとても示唆的だ）

また、統計を使って神学の理由づけをすることもできる。科学目的のシミュレーションは娯楽目的のそれよりもよく実施されている。科学目的の場合は一度に多くのシミュレーションを動かすこともあるのに対して、娯楽目的の場合は一度に複数人がかかわることは少ないので、シミュレーションの数はかなり少なくなる。それならば、私たちのシミュレーション実行者は娯楽目的の個人ではなく科学者である可能性が高いだろう。

たとえば私たちが生命進化のために、どのように宇宙を微調整すればいいか研究しているとしよう。充分高度なシミュレーション技術があれば、異なる法則や初期条件の宇宙を数多く用意できる。それらをいっせいに動かして、生命を進化させる宇宙がどれだけあるかを見るのだ。動かすシミュレーションの数が多ければ多いほど、正確な情報が得られる。おそらく上の階層にいる科学者はこの種のシミュレーションを数十億件も動かすのだろう。

また、意思決定のためにシミュレーションが使われることも多い。[5]　イギリスのドラマ『ブラック・ミラー』の「DJを吊るせ」というエピソードでは（ネタバレ注意！）、人々はスマホにマッチングアプリを入れていて、相性を調べるためにシミュレーションを動かすのが日常だった。瞬時に1000ものシミュレーションを動かすことができるので、見込みのある相手についてシミュレーションをして、よい結果を得られるかを見るのだ。1000のバージョンのうち998

でよい結果が出れば、そのカップルは結ばれるべきだとかなりの自信を持って言える。これは多くの時間の節約になる。だからあなたは、相手との関係が初期段階にあるならば、自分はシミュレーションの中にいることを強く疑うべきなのかもしれない。

次のような疑問を抱く人もいるだろう。意思決定のためのシミュレーションの中にいる人々がば、シミュレーション技術を使うことを、シミュレーション実行者は許すのだろうか？　それを許せば、シミュレーション内に大量のシミュレーションが生まれ、コンピュータの費用は膨大になる。それゆえ、シミュレーション内シミュレーションが増えることは、脅威となるだろう。一方で許さなければ、シミュレーション技術が普及しているところではシミュレートした現実は現実に似なくなるだろう。どちらにしても、与えられたシミュレーション技術は集団内で広まっているときには、それによって集団内の人々がどのように行動するかを予測する目的に貢献しにくくなるだろう。

この制約は、政治、軍事、金融分野における意思決定目的のシミュレーションにも当てはまる。ダニエル・F・ガロイの『模造世界』（第2章参照）などのSF小説で初期に書かれたシミュレーションのシナリオには、ビジネスにおいて開発中の商品を市場でテストするためにシミュレーションを利用する状況が描かれている。ここでシミュレートされた人々が、シミュレーション技術を持っていなければ、それでいい。だが彼らが技術を持っていたら、市場テストはより進んだ技術が必要となり、シミュレーション内にシミュレーションを築き、さらにその中にシミュレーションを築く羽目になるだろう。シミュレーション内における軍拡競争の結末は容易に予想できる。

どの場合でも、進んだシミュレーション技術を持たない私たちのような者は、技術の進んだ世界の意思決定には役に立たない。したがって、私たちのシミュレーション実行者は意思決定者よりも科学者である可能性が高い。だが私たちのまだ知らないシミュレーションの目的があるかもしれない。

宇宙にある科学目的のシミュレーションの大半は、バッチ（一括）処理される大量のシミュレーション（それぞれはよく似ていて、わずかに異なるだけだ）の一部だ、と考えるべき根拠がある。たとえば、大量のシミュレーションは独自に動くとしよう。バッチと単一の数の比は最低で1対100とする。すなわち、単一のシミュレーション1000個に対して、1000個のシミュレーションを動かすバッチ・シミュレーションひとつがあることになる。それゆえ、バッチ処理のシミュレーションは単一のそれの少なくとも10倍は存在するのだ。この理屈は、ひとつのバッチが100万かそれ以上のシミュレーションを持つ場合にも適用でき、バッチが巨大になりすぎて、運用できなくなり急激にその数を減らすまで続く。

単純化してみよう。10、100、1000、1万、10万、100万のシミュレーションをバッチ処理したものが、それぞれだいたい同数程度普及していて、その後急激に数を減らすとする。その場合は確率的に、ほとんどのシミュレーションが100万のバッチの中に入っているので、私たちもそこにいることが予想できる。数の減り方がゆっくりだと、10億のシミュレーションを持つバッチが大量に現れるので（たとえば100万のバッチの1パーセントとしよう）、私たちは10億のバッチの中に自分を見つけるだろうと思うべきだ。単一のシミュレーションがバッチよりもはるかに一般的でないかぎり、自分たちが単一のシミュレーションの中にいると思うべきではない。

したがって、もしも私たちがシミュレーションの中にいるのならば、それは大量のシミュレーションを動かすバッチの中だろう。

これはシミュレーション神学にとって大きな意味を持つ。大量のシミュレーションをバッチ処理するシミュレーション実行者は単一のものを動かす者よりも、個々のシミュレーションに注意することは少なく、介入もしないはずだ。もちろん、統計目的で観察データを集め、さまざまな自動介入システムを組んでいるだろう。実行者が進んだAIならば、バッチ内の個々のシミュレーションにも細かい注意を払うことはたやすいはずだ。それでも、実行者が私たちを無視する可能性があることは真剣に考えるべきことだ。

そのうえ、すべてのシミュレーションは停止条件を持っているはずだ。科学者や意思決定者はシミュレーションを使って情報を集めているので、必要な情報が得られれば、もはや動かしている必要はなくなる。倫理ガイドラインが無期限に動かすことを求めるかもしれないが、求めないこともある。だから停止基準を満たせば、唐突に宇宙が終わることも覚悟しておくべきなのだ。

もちろん、私たちは具体的な停止基準を知ることはできない。娯楽目的のシミュレーションならば、おもしろくなくなれば終わりになるだろう。[6] 哲学者のプレストン・グリーンは、シミュレートされた集団がみずからシミュレーション技術を開発したときに多くのシミュレーションが終了するだろう、と推測している。なぜならシミュレーション内でシミュレーションを動かすと、大きなコンピュータの能力が必要となり、費用がかかりすぎて続けられなくなるからだ。とはいえ、停止基準が何で、それを満たさない方法はないのか検討してみてもいいだろう。（停止基準という考えは、少なくとも表面上は19世紀の「歴史の終わり」という概念を連想させる。[7] それはドイツの哲学者ゲオルク・ヴィルヘルム・フリードリヒ・ヘーゲルらに関連する概念だ。ひとつのバージョンでは、世界は進歩していき、その本質に気づいたときに歴史は終わりを迎える、と唱える。シミュレーションの自然主義的な解答では、シミュレーション実行者は私たちが何を知っているかを調べていて、私たちがシミュレーションの中にいると気づいたときに、シミュレーションを停止するのだ）

シミュレーション説は来世を受けいれられるのか？[8] 少なくとも来世が存在するようにできる。コンピュータプロセスは移植可能なので、シミュレーション実行者はシミュレートされた脳のプロセスを元いた世界から別の世界（天国？）へ移すことができるだろう。あるいは、実行者自身のいる世界のだれかの肉体に接続することもできる（転生？）。おそらく一部のシミュレーションでは実行されるだろう。とくに個人の娯楽用シミュレーションで実施されそうだし、バッチ処理のシミュレーションの中にある真に例外的な活動体のために実施されそうだ。これを日常的に、ほとんどのシミュレーションでおこなうのは多大な費用がかかる。費用が法外なものであれば、来世は望むべきではない。一方、実行者を対象にした倫理審査会は、シムを殺してはならないと言うだろう。シムがシミュレーションの中で死んだとき、そのコードは別のバーチャル世界に移植することが必須になれば、費用を抑えるために低速処理で実行されるだろう。そうなると、来世の可能性は大きくなる。

シミュレーションの中でＡＩをつくったら、閉じこめておくことはむずかしいだろう[9]。たとえば、私たちがシムとコミュニケーションをとると、おそらくシムは自分たちがシミュレーションの中にいることに気づき、そこから脱出することに関心を持つだろう。私たちを説得して自分たちを解放させるために（あるいは少なくとも、自由にインターネットにアクセスできるようにするために。ネットの中ではシムは何でもできる）、私たちの心理を理解しようとするかもしれない。たとえ私たちがシムとコミュニケーションをとらなくても、自分たちがシミュレーションの中にいるという仮説を大いに楽しんで、シミュレーションを理解しようと全力を尽くすだろう。そして、シミュレーション神学が形成されるのだ。

原理的に、私たちも同じことができる。シミュレーションに関する本を書いたり、シミュレーションをつくったりして、シミュレーション実行者の注意を引き、コミュニケーションを図ろうとする。自分がいるシミュレーションを理解し、その目的や限界を突きとめようと努力する。しかし、ＡＩの実行者が隙のないシミュレーションのバッチを設計し、今は全然注意を払っていなければ、私たちの努力は無駄となる。

私たちのシミュレーション実行者はシミュレーションの中にいるのだろうか？　シミュレーション論証におけるバリエーションのひとつに、私たちは「シムシム」だ、というのがある。つまり、私たちはシミュレーション内シミュレーションにいる活動体だというのだ。少なくともシムシムブロッカー（多くのシムシムをつくるのを妨げる要因）がなければ、人間に似た存在の大部分はシムシムになるはずだ。一方で、コンピュータの性能に限界があれば、シムのときよりも強力にシムシムの作成は制限されるだろう。加えて、すべてのシムシムはシムだが、その逆は成立しないので、私たちがシムである確率よりもシムシムである確率のほうが低くなる。それでも私たちのシミュレーション実行者がシムである可能性は無視できないほどには残るのだ。

連鎖の最上位にはシムではないシミュレーション実行者がいなければならないのか? シミュレートされていない実在を備えた根本レベルが存在しなければならない、というのは直感的に言ってかなり正しそうだ。根本レベルの存在というこの議論に関しては、アメリカの哲学者ウィリアム・ジェームズの古いエピソードを思いだす。あるとき、彼の講演を聴いていた女性がジェームズに言った。地球はカメの甲羅の上に立っていて、そのカメは別のカメの上に立っているのです、と。話の最後に彼女は「カメはずっと続くのです」と言った。[10] とはいえ、現代の哲学者のジョナサン・シャッファーは自然において根本のレベルが存在する必要はなく、その代わりに階層が永遠に続くと主張する。[11] シャッファーが正しいならば、私たちはシミュレーションの階層がずっと続く全宇宙(コスモス)にいる、という理論上の可能性が開かれるのだ。

シミュレーションと宗教

シミュレーション神学はシミュレーション宗教へとつながるものだろうか? 宗教は神学より多くの意味を持つ。宗教は人々の人生設計や道徳的信条やその実践に深くかかわっている。ユダヤ教とキリスト教に共通する伝統では、モーセの十戒やキリストの山上の垂訓など、人がどのように生きるかを指示するものがある。イスラム教の道徳的戒律はコーランに記されている。ヒンドゥー教では各種経典にヤマ（禁戒）とニヤマ（勧戒）という道徳規範への誓いが書かれている。仏教の経典には五戒（仏教徒が守るべき生活規律）が記されている。

シミュレーション神学に道徳的実践は付随するのか？　付随するべきなのか？　それは個人的な実践かもしれない。たとえば、シムの可能性のある存在がシミュレーションの外でアップロードされることを望んで、特定の行動をとるとして、それが集団内に流行する実践になるかもしれない。あるいは、実行者によってシミュレーションを停止されないように、内部にいる私たちはシミュレーションの作成を禁ずるべきだ、と考えたとしよう。それはシミュレーションを守るための道徳的命令なのだ。だがそれらの主義は宗教の構成要素ではない。

宗教の特徴としてはそのほかに、礼拝の形式が決まっている点がある。ユダヤ教やキリスト教、イスラム教、ヒンドゥー教の信者はそれぞれの神を崇拝する。仏教や儒教、道教など明確な神がおらず、崇拝もしない宗教もある。だが、神のいるところ崇拝がルールとなっている。

それでは、私たちはシミュレーション実行者を崇拝するべきか？　イエスと言う理由はない。彼らはたぶん、階層が上の世界にいる科学者や意思決定者にすぎない。私たちの世界をつくってくれたことに感謝はするかもしれないし、彼らがこの世界に及ぼしうる力を畏怖するかもしれない。しかし、感謝と畏怖だけでは崇拝にはならない。

私たちは、シミュレーション実行者が私たちの存在に及ぼす力を恐れるかもしれない。聖書の預言者であるアブラハムの神は、来世を約束する代わりに崇拝を求めたが、もしも実行者がそれに似ていると私たちが信じるならば、生き残るために崇拝を約束するだろう。しかし、実行者がそのような心理を持っていると考えるべき理由は少ない。そして、もしも実行者がそう要求しても、本当に崇拝に値する者なのだろうか？　レムの小説に出てきたパーソノイドのAdan900の言葉をこう言いかえてみよう。「われわれに崇拝を要求する神は崇拝に値しない」

たとえシミュレーション実行者が慈悲深い存在だとしても、なぜ崇拝しなければならないのだろうか？　実行者は全宇宙における幸福量を最大にするために、できるだけ多くの世界をつくって、幸福と不幸のバランスを調節しているのかもしれない。それならば、私たちは感心し、感謝するとしても、崇拝する必要はない。

私自身の考えは次のとおりだ。もしも実行者が、私たちの創造者であり、全知全能で善良だとしても、私は神だと思わないだろう。なぜなら、実行者は崇拝に値しないからだ。真性な意味で神であるためには、崇拝に値するものを持っていなければならないのだ。

これを考えたことは、私が宗教的ではなく、自分を無神論者だと思っている理由を理解する役に立った。私は全知全能で完全なる善に近い創造者の概念をかならずしも退けていない、ということがわかった。この概念は自然主義的な世界の見方と一致しないと一度は考えていたが、シミュレーションの概念が一致させてくれた。しかし、私の無神論にはもっと根深い理由がある。そもそも私は崇拝に値する存在などないと思っているのだ。

これはシミュレーションを超えた話になる。たとえアブラハムの神がいて、神としての完全さを備えていたとして、私は神を尊敬し、賞賛し、さらには畏敬の念さえ抱くかもしれないが、崇拝しなければならないとは思わない。ナルニア国の王で神であるライオンのアスランはすべての善性や知恵を備えているが、私は崇拝しなければならないとは思わない。全知全能で完全なる善、あらゆる知恵を持つことだけでは、崇拝する条件を満たしていないのだ。そもそも私はいかなる属性でも崇拝するまでの価値があるとは思っていない。だから、崇拝する価値のある存在はいない。

もちろん、宗教に関心を持つ読者の多くが納得しないことはわかっている。それでも、一介のシミュレーション実行者が崇拝される価値がないことには同意してもらえるだろう。したがって実行者は純粋な意味で神ではないのだ。そのときに次の質問が浮かんでくる。「崇拝される要素は何で、その理由は何か？」

第8章
宇宙は情報でできているのか?

1679年、ドイツの哲学者で数学者のゴットフリート・ヴィルヘルム・ライプニッツは「ビット」を考案した。[1] アイザック・ニュートンとともに微積分学を確立したライプニッツは最初の機械式計算機のひとつを設計し、組み立てた。自分たちは可能世界の中で最良のものに住んでいる、と考えた楽天主義で有名だ。だが彼のアイデアでもっとも重要なものは、現代コンピュータの基礎となっている2進法、つまりビットを発明したことだ。

森羅万象の変化法則を説く古代中国の書物『易経』からインスピレーションを受けたライプニッツは、1703年に「2進法の解説」という論文を発表した。『易経』は占いに卦(け)——陰(‐‐)と陽(—)からなる「爻(こう)」を上下に並べたもの——を用いている。卦は陰と陽の区別にもとづいた単純な2進法だと解釈できる。陰陽それぞれが2進法の数字、つまりビットに相当する。

10進法は0から9の数字を使うのに対し、2進法は0と1だけだ。2進法の1は10進法の1、10は2、11は3、100は4……となる。『易経』の六十四卦〔6本の爻を組みあわせて得られる64種(2の6乗)のしるし〕は2進法の

『易経』の卦を2進法に変換しているライプニッツ

6桁の数字（110101など）で表される。文字列や数字の列は何であれ、原理的にはビットの列で表現できる（ただし、列の長さは増大する）。

『易経』と同様に現代のコンピュータの集積回路（IC）もビットの連なりをコード化している。『易経』では破線が0、実線が1として使われるが、IC内のトランジスタでは低電圧が0、高電圧が1として使われる（逆の場合もある）。『易経』は6つのビットを一度にコード化するのに対し、コンピュータは1兆ビットかそれ以上をコード化することも多い。現代のコンピュータがおこなうことのほとんどすべては、ビットの相互作用を使って説明できる。

ビットの相互作用は現実をモデル化するためにも利用できる。1970年にイギリスの数学者ジョン・ホートン・コンウェイは「ライフゲーム（*Game of Life*）」というシミュレーションゲームを考案した。それはビットのパターンで宇宙を表したものだ。宇宙はセルと呼ばれる2次元の格子でできていて、碁盤のように全方向に無限に広がっている。各セルはつねにオンかオフの状態にあり、それは2進法の0と1に等しい。

ゲームタイトルが示すとおり、コンウェイは生命プロセス（誕生し、しばらく成長し、死んでいく）をシミュレートすることに興味を持っていた。その目的のために、セルが進化する基本ルールをいくつか定めた。それがライフゲームの物理法則なのだ。

各セルには周囲（縦横斜め）に8つのセルがある（次ページのイラスト参照）。各セルの運命は周囲8つのセルの状態によって決まる。あるセルがオンのとき、周囲にオンのセルが少ないと「孤独」で死んでしまうし、多すぎると「過密」で死んでしまう。具体的には、オンの状態のセルにおいて、隣接するセルがふたつか3つオンの状態にあると、当該セルはオンの状態が維持される。周囲にオンのセルがひとつ以下か4つ以上だと、当該セルはオフに変わる。当該セルがオフの場合は、周囲にオンのセルが3つあるときにかぎり、当該セルはオフからオンに変わり、新しい命が誕生するが、それ以外はオフのままだ。

こんな簡単なルールなのに、数々の複雑な行動が始まる。まわりにオンのセルがいないセルは孤独で死ぬ。2×2の正方形で4つのセルがすべてオンならば、隣接セルの3つがオンという条件を満たしつづけるので、ずっと変わらない。「ブリンカー」と呼ばれるパターンは、並んだ3つのセルが縦になったり横になったりする。「グライダー」は、5つのセルの形状が規則的にいくつかのパターンをくり返しながら、世界を斜めに動いて往復する。イラストに示したグライダー銃というパターンは、グライダーを永遠に撃ちだしつづける。

このライフゲームは、オンラインのいろいろなサイトでプレイすることができる。[2] 多くの形状

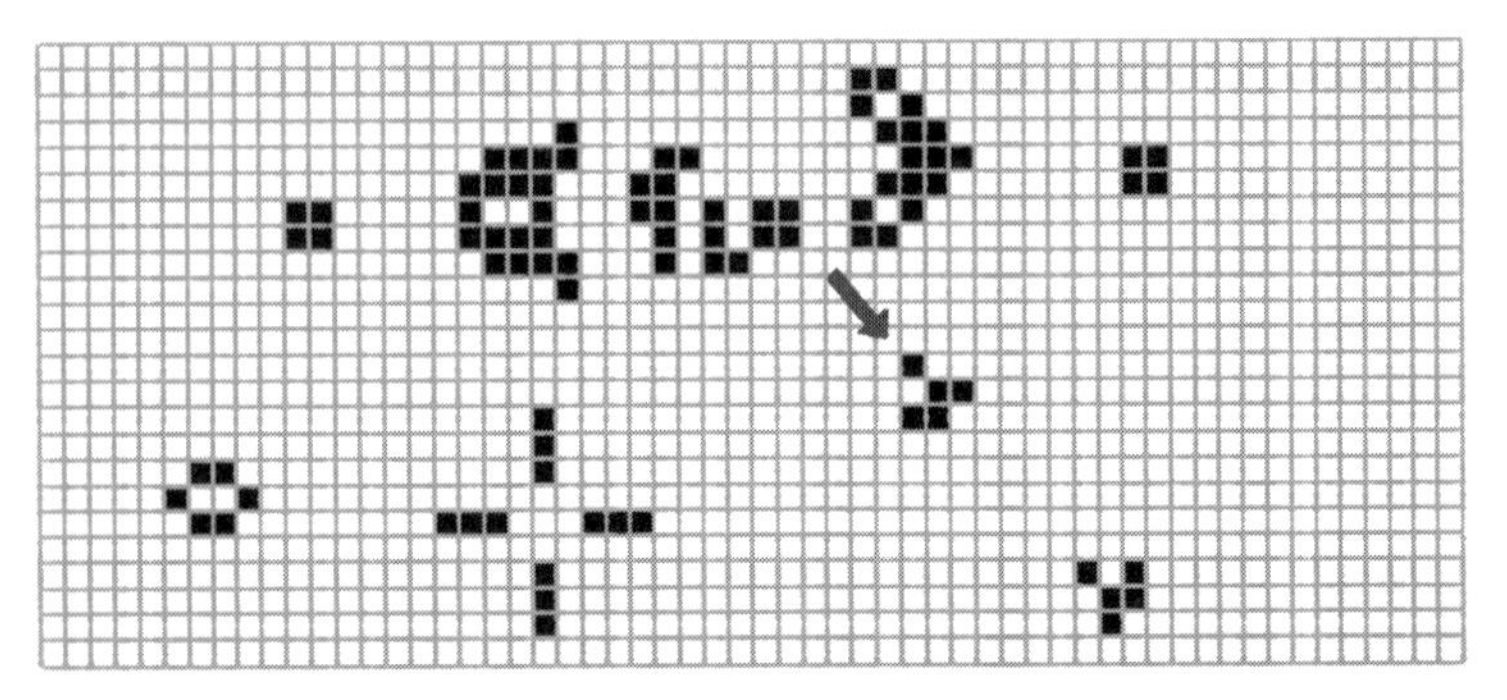

コンウェイのライフゲーム：上部中央のグライダー銃が右下にグライダーを発射している。左下の安定した6つのセルは蜂の巣、その右は信号灯と呼ばれる4本のブリンカーでできている振動子だ（3つのセルでできた棒がそれぞれ縦になったり横になったりする）

が生まれ、成長して、いくつかのフェイズを生き抜いていく。やがて安定した状態になり、いくつかのセルが決まったくり返しパターンで生きていく（これは、大学で終身在職権を獲得するプロセスに似ている、と言われてきた）。だがその中には、無限に成長し、くり返しパターンに落ち着くことがない、繁栄する生物にかなり似た状態がいくつかあることを数学者が証明した。

ライフゲーム自体はセル・オートマトン〔格子状のセルと単純なルールによる離散的計算モデル〕として知られる一種のコンピュータである。これが万能コンピュータであることは証明されている。つまり、ほかのコンピュータにできることはすべておこなえるコンピュータなのだ。私たちはライフゲームを使って、火星ロケット打ち上げプログラムや巨大なシミュレーションを動かすこともできる。コンピュータで全宇宙のシミュレーションが可能になったとき、ライフゲームでもそれは可能になる。

ここで疑問が生ずる。私たちの宇宙はライフゲームに似たものなのか？　宇宙にあるものすべては、つきつめればビットのパターンなのだろうか?

このアイデアはときに、〈ビットからイット説〉と呼ばれる。この名前は1989年に物理学者のジョン・ホイーラーが使いはじめた。ホイーラーは少し違う意図があってこの名称を使ったようだが、その点についてはあとで触れよう。それでもビットからイットのアイデアはとても強力で、ホイーラーの当初の考えを超えてしまったのだ。その強力な説とは、私たちのまわりにある物質世界のあらゆるもの——テーブルや椅子、恒星や惑星、犬やネコ、電子やクォーク——はビットのパターンでできている、というものだ。

このビットからイット説は新しい形而上学的アイデアなので、哲学者にとっては魅力的だ。実在は心でできている、と考える哲学者がいる。また原子でできている、と考える哲学者もいる。そして今、新しい説が登場したのだ。〈世界はビットでできている〉

この説がシミュレーション説と共鳴するのはあきらかだ。もしも私たちがシミュレーションの中に生きているならば、その世界はある意味、巨大コンピュータのプロセスなのだから。そのコンピュータが標準のデジタルコンピュータならば、すべてのプロセスにビット処理が含まれている。ビットパターンを変換する論理回路によって、0と1からなる列を処理するのだ。

私たちがデジタルコンピュータ上のシミュレーションの中に生きているならば、私たちの宇宙はビットの相互作用にもとづいている。したがって、シミュレーション説はビットからイット説の一バージョンと見ることができよう。両説の関係については次の章で検討するとして、まずはビットからイット説そのものを見ていこう。

形而上学：水から情報まで

「実在」の哲学的探究である形而上学は、多くの問いかけをする。おそらくその中核には「実在をつくっているものは何か？」という問いがある。つまり、万物は何に由来するのか、実在のもっとも基本レベルには何があるのか、という問いだ。

先住民文化の多くは独特の形而上学的体系を有している。[3] オーストラリアのアボリジニの伝統では、私たちが現実だと知るものは、先祖の霊の夢に由来するという。アステカ帝国を築いたナワトル族の伝統では、現実は「テオトル」という自己生成する力を基礎としている。

形而上学の理論化[4]の初期黄金時代のひとつは古代ギリシアにあった。ミレトスのタレスから始まる伝統が今日まで受け継がれている。プラトンよりも200年ほど早い紀元前600年ごろの哲学者だ。タレスは万物は水でできているという形而上学的主張で、良くも悪くも有名だ。水は「万物の根源」で、すべてのものが水からつくられ、そして水に帰っていく。「木や岩はどうなんだ？」とあなたは尋ねたくなるだろう。タレスは水が形状を変えることで木や岩にもなり、いつかは水に帰ると考えていたようだ。

ほかのギリシアの哲学者は別の説を主張した。紀元前550年ごろに生きたタレスと同じミレトス学派（イオニア学派）のアナクシメネスは、万物の根源は「空気」だと考えた。同じ世紀の初めのほうでは、ヘラクレイトスは万物の根源を「火」に求めた。世界の根本には変化があるので、「同じ河に二度入ることはできない」という記憶に残る言葉を残している。だが、水の説も空気、火の説も人気が出なかった。

古代にそれらよりも広まった説は、実在は４つか５つの元素からなるというものだった。４大元素は土、空気、火、水で、そこに「エーテル」（アリストテレスでは、月より上の空間を満たす第５の元素）か「ボイド（空虚、真空）」を加える説があった。ギリシアでは紀元前４５０年ごろにエンペドクレスが４大元素説を唱えた。紀元前１０００年ごろに成立したバビロニア神話の創世記叙事詩である『エヌマ・エリシュ』は、土、風、空、海を代表する神々が世界をつくった、と語る。インドの「ヴェーダ」は、紀元前１５００年ごろから紀元前５００年ごろにかけてインドで編纂（へんさん）された一連の宗教文書の総称だが、そこではたびたび５大元素――土、空気、火、水、空間（あるいはエーテルかボイド）――について言及している。紀元前２００年ごろに成立した古代中国の自然哲学の思想である「五行思想」は、５つの元素が永久に循環すると言った。木は火の燃料となり、火は土をつくり、土は金（金属）を生み、金は水を集め、水は木の栄養となる。

現代では、土、空気、火、水はさらに基本的な構成要素に分解されていて、最終的にクォークと電子にたどり着く。それよりは、古代ギリシアのもうふたつの考えのほうがうまく表現できているだろう。紀元前５５０年ごろの哲学者で数学者のピタゴラスは、「万物は数なり」と唱えた。１という数は万物の起源を表し、２は物質、３は始まりと中ごろと終わり、４は四季を表す……。ピタゴラスの体系の各論はもう生き残っていないかもしれないが、実在は数でできているというアイデアは、現代でも重視されている。これは、ビットからイット説の形で言いかえれば、「世界は０と１のパターンでできている」と述べるものだ。

もっと影響力のあった形而上学的アイデアは、紀元前450年ごろの哲学者デモクリトスにかかわるものだ。陽気な態度ゆえに「笑う哲学者」として知られている彼の考えは、師であるレウキッポスに大きな影響を受けていたのだが、デモクリトスのほうが「現代科学の父」と呼ばれることがある。デモクリトスとレウキッポスは万物は「原子」からなる、と主張した。原子はそれ以上分割できない小さな物質で、無限のボイドの中で動く。インド哲学では、ニヤーヤやヴァイシェーシカやジャイナなど多くの学派が原子説を唱えた。

デモクリトスの見方が、世界は物質でできているとする現代の唯物論の祖先であるのはあきらかだ。唯物論はこの数十年間、哲学者と科学者のあいだで、もっとも人気のある形而上学的見解だろう。現代科学が唯物論を支持していると考えられることも多い。なぜなら現代科学は、アイデアを実験的証拠でサポートし、いっさいを物理学で説明するという目的を有するからだ。

唯物論の最大の障害はいつでも「心（精神）の存在」である。唯物論にとって代わろうとする形而上学は複数あるが、それらは心に大きな役割を認めている。代替のひとつが観念論だ。それは実在は心からなる、もしくは、実在は根本的に心的なものなのだ、という説だ。本書ではすでに、18世紀のバークリーによる「見えが実在である」という主張や、仏教の「実在は意識だ」という主張で観念論を紹介している。また、古代ヒンドゥー教の聖典「ヴェーダ」にも観念論が見られ、それは不二一元（ふにいちげん）論学派において中心的な役割を果たしている。不二一元論では、究極の実在は「ブラフマン（一種の宇宙の意識）」であり、そして万人の心と万物はブラフマンにもとづいている、と考える。

古典的形而上学理論にはほかに二元論がある。二元論は、物質と心（精神）の両方を基本要素だと考える。物質で心を説明することはできないし、その逆も無理だが、両方を使えば万物を説明できる。インド哲学のサーンキヤ学派は厳密な二元論を展開し、宇宙はプルシャ（意識）とプラクリティ（物質）でできている、と唱える。伝統的なアフリカ哲学やギリシア哲学、イスラム哲学はすべて二元論の要素を濃く持っている。17世紀のルネ・デカルトは二元論の中心的提唱者となり、世界は物質と精神の相互作用からできている、と説いた。

デカルト以降のヨーロッパ哲学における形而上学の理論化は、唯物論、二元論、観念論のあいだで振り子を揺らしながら進んだ[5]。デカルトと同時代のイギリスの哲学者トマス・ホッブズは唯物論を唱えた。18世紀のバークリーは観念論を唱え、19世紀のドイツとイギリスではいろいろな形の観念論が支配的だった。20世紀に入ると振り子は勢いよく唯物論に戻り、数十年前から今まで支配的なアプローチの位置を占めている。だが唯物論は、心をどう説明するかという大きな障害を抱えていて、その結果として哲学の内外で二元論者は多く残っている。観念論は21世紀の哲学界で少し復活したが、その理由のひとつは、万物は意識の要素を持っているという汎心論（はんしんろん）が盛んになったことにある。

多くの人が参加したこの形而上学の風景の中で、実在は情報、すなわちビットでできているという見解は、刺激的な新参者という印象だった。ビットの発明者であるライプニッツなら、ビットからイット説を気に入っただろう、とあなたは思うかもしれない。だが実際の彼は、観念論の中の汎心論を選び、知覚を持つ「モナド」〔ライプニッツの中心概念で、あらゆる事物を構成する究極的要素となる、分割不可能の単純な実体〕で世界はできている、と考えた。ビットを物質の基本構成要素と考えると、ビットからイット説は唯物論に近いと言える。それでも特異で特別な形の唯物論だ。この見方を紹介する前に、「情報」の概念を明確にしておく必要がある。

情報の多様性

「情報」について論じる際、この言葉の中心的なところにある「あいまいさ」に出会わないわけにはいかない。情報は事実の領域でもあるし、ビットの領域でもある。だがそのふたつは大きく異なる。

「情報」とは、通常「事実」を意味する。私が来週の映画の上映予定について知っていたなら、こう言うだろう。「君が興味を持ちそうな情報があるんだ」。ここでの情報は、来週地元の映画館で『スター・ウォーズ』が上映されるという事実となる。同様に、「現在の気温は0度です」「アメリカの大統領はジョー・バイデンだ」といった事実も情報を構成する。

「オーストラリアの首都はシドニーだ」といった虚偽の主張も情報に含まれるのか、というおもしろい問いがある。通常、誤報と情報は区別されるが、ときに両者を同じグループとみなすのがよい場合がある。たとえば現代のデータベースは、膨大な量の情報の中に誤報も含んでいる。あるオンラインのデータベースで私の住所は古いままだし、生年月日もまちがっている。哲学者は通常、「事実」という言葉は「真なる主張」の意味として使い、真偽のわからない主張には「命題」を使う。この点で、もっとも使いやすい情報の概念は、事実よりも命題を扱うことだろう。現在、私は両者の中間に立っている。事実という言葉のほうが単純で一般的なので、私は多く使うだろうが、それはほとんどの場合で命題に言いかえることができる。

事実も誤報も含んだ意味での情報はしばしば〈意味情報〉[6]と呼ばれる。それは世界に関する主張だ。たとえば、『スター・ウォーズ』が来週上映される、と言うことだ。意味情報は、言語や思考やデータベースなどを理解するうえできわめて重要となる。哲学者の中には実在は意味情報でつくられている、と唱える者もいる。1921年に出版した『論理哲学論考』の中でルートヴィヒ・ウィトゲンシュタインは、「世界は物の総体ではなく事実の総体である」と書いた。この〈事実からイット〉の見方は重要な形而上学的見解である。ただし、実在はビットでできていると唱えるビットからイット説とはまったく異なる。

情報の種類の中でコンピュータ科学の中核をなし、本書でも中核となる情報を、私は〈構造情報〉と呼びたいと思う。構造情報は通常、ビットの連なり、つまりビットの構造を含む。すでに見てきたとおり、ビットは2進法の0と1で、「01000111」のように2進数の連なりに変換することができる。現代のコンピュータは基本的に構造情報を扱っている。すなわち、コード化されたビット構造を別のビット構造に変換することをしているのだ。

2進法の発明に加え、ライプニッツは最古級の機械式計算機を設計し組み立てた。最古の機械式計算機は、ライプニッツに並ぶ偉大な哲学者で数学者のブレーズ・パスカルが1642年に発明した。パスカルの計算機は加減しか計算できなかったが、ライプニッツが1671年に設計し

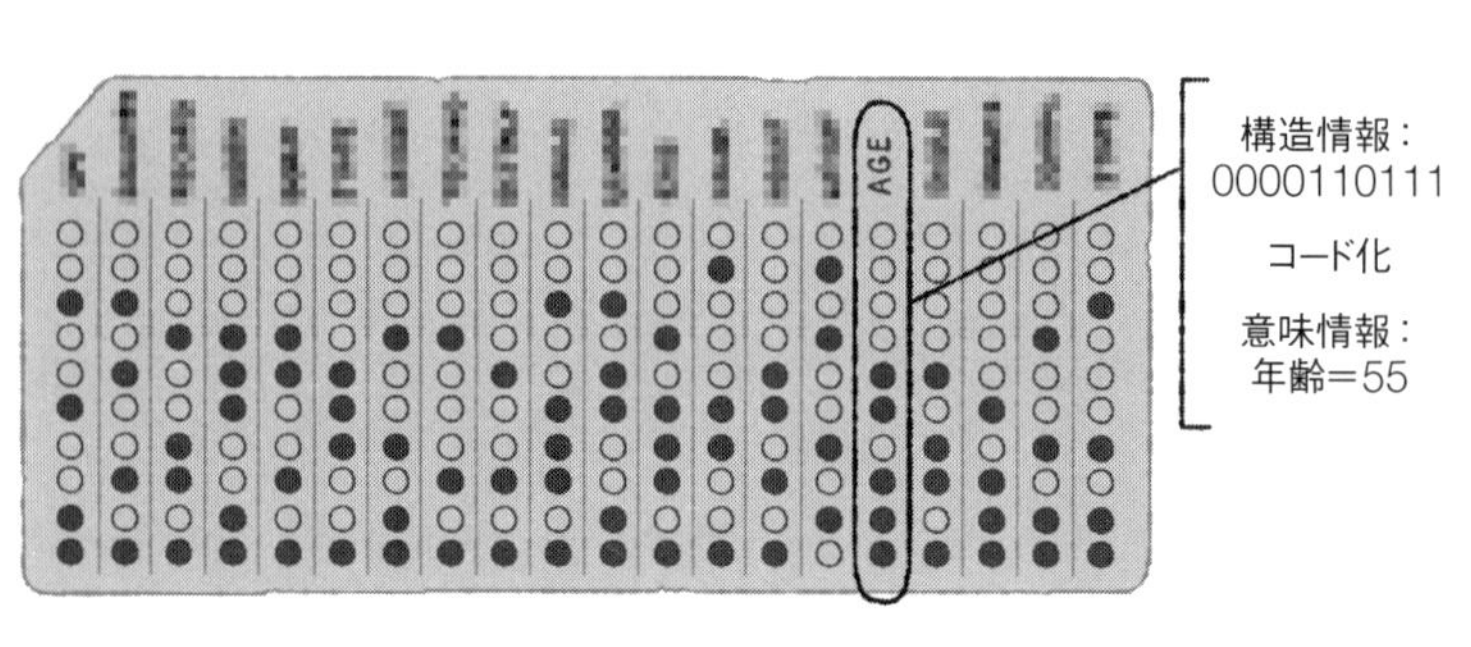

パンチカードは構造情報、意味情報、記号情報を表す

たものは乗除の計算もできた。彼らの計算機はダイヤルを使い、2進法ではなく10進法の数字を入力したが、それらが処理する構造情報はまったく同じだった（ライプニッツは1703年のエッセイで2進法の計算機について述べているが、実際につくることはなかった）。このことから、ビットはかならずしも構造情報に必要でないことがわかる。10進法の数字列やアルファベットの文字列でさえ構造情報になる資格はある。それでも構造情報の中核となるケースは、ビット列にある。

　ビットが事実をコード化するとき、つまり構造情報が意味情報をコード化するときに、もっともおもしろい種類の情報が浮上してくる。私はそれを〈記号情報〉と呼ぼう。たとえば、「110111」（2進法で55を表す）というビット列（構造情報）が、データベースメモリの特定の領域にあるか、上のイラストのようなパンチカード上にあり、それは私の年齢である55歳という事実（意味情報）をコード化したものだとする。ビットが事実をコード化するときにビット列は記号情報となるのだ。

　記号情報は現代のデータ科学において中心となる情報の種類だ。世界に情報を伝えるデータベースやコンピュータのシステムはどれも、ビットで事実をコード化している。また記号情報は通常の言語でも表すことができる。たとえば、「ジョンは今シドニーにいる」という文字列は、世界に関する事実をコード化している。文字列は構造情報であり、その意味は意味情報なので、言語は全体として記号情報を含むのである。

要約してみよう。構造情報にはビットが含まれ、意味情報には事実が含まれ、記号情報には事実をコード化したビットが含まれるのだ。

実際には、この定義はもっと広げるべきだ。[7] すでに見たように意味情報は誤報（例：シドニーはオーストラリアの首都だ）をとり込むために、事実を超えて命題まで内包することができる。同様に構造情報はビットを超えて、文字列や10進数の列を含むだけでなく、（これから触れるように）広く差異を基礎としたシステムも内包することができるが、中核はビットや事実である。

データに関してもこれと同じ3通りの区別ができる。構造データにはビットが含まれる。意味データには事実が含まれる。記号データには事実をコード化したビットが含まれるのだ。さまざまな状況で「データ」という言葉は3通りのどれかとして使うことができる。しかし、今のビッグデータの時代では、最後の意味（事実をコード化したビット）が支配的のようだ。

構造情報

事実をコード化しないビットもある。ときにビット列はまったく別の目的に使われる。ライフゲームなど多くのコンピュータプロセスでは、ビットは事実も命題もコード化しない。基本的にコンピュータは構造情報をコード化し処理する装置だ。意味情報をコード化し処理することは、主な適用業務のひとつにすぎない。

20世紀に誕生した情報理論という分野では、その中心に置かれるのは、意味情報ではなく構造情報になる。情報理論の大きな業績のひとつは、構造情報の尺度を提供したことだ。現在、重要な尺度は少なくとも3つある。[8]

もっとも単純でもっともなじみがあるのは、ビット列のサイズを測る方法だ。たとえば8つのビット列（8桁の2進数）内の情報量は8ビット、つまり1バイトとなる。「コンピュータのメモリが32ギガバイトだ」と言うとき、この尺度を使っている。第2の尺度は1940年代に数学者で電気工学者のクロード・シャノンが発明したもので、決まったビット列内にどれだけ「意外さやありえなさ」があるかを表すものだ。第3の尺度は、1960年代にロシアの数学者アンドレイ・コルモゴロフとアメリカの数学者のレイ・ソロモノフおよびグレゴリー・チャイティンが発明した。コンピュータプログラムによってどれだけ簡単にビット列が生成されるかを測り、それを構造情報の大きさとするものだ。構造情報に関するこれら3つの尺度は、計算とコミュニケーションを分析するときに相互補完的な役割を果たす。

すでに見てきたように、構造情報はかならずしも2進法を使わなくてもよい。ライプニッツの計算機は10進法を基礎としていた。3通りの情報の状態（0、1、2の数字）を使って3進コンピュータをつくることも可能で、3進数は「トリット」と呼ばれる。3進法で構造情報を表すこともできるが、計算は2進法のほうが向いている。

すべての種類の構造情報は差異を基礎としたシステムを持つ。もっとも単純な2進法では、0と1という状態の差異だ。さらには、量子とアナログの差異にまで構造情報を一般化することもできる。

比較的新しい分野の量子コンピュータは量子ビット（Qubit）に焦点を合わせている。従来のビットは0と1のふたつの状態のどちらか片方をとるが、量子ビットは0と1のそれぞれの振幅に合わせて、0と1というふたつの状態を同時にとることができる（量子の重ね合わせ）。量子ビットは従来のビットよりも複雑だが、やはり差異を基礎としたシステムを持つ構造情報の形をしている。

理論家はアナログの計算モデルも開発してきた。[9] たとえば、0・732や2の平方根（ルート2）などの、実数という連続量を使って計算をするものだ。1989年にレノア・ブルームら3人の研究者が発表した論文では、ビットの代わりに0・2977などの実数（無限精度をともなう）を使ったコンピュータを記述した。これらの数字は「連続する数字」あるいは「アナログ数字」と呼べるかもしれないが、[10] ここでは「ビットリアルの連続形」と呼ぼう。

連続量を使ったアナログコンピュータは実践において特別有用なわけではない。信頼できる無限精度を有するアナログコンピュータをつくることは不可能だ。物理的な材料に対して無限の精度を持って制御することはできないし、雑音（回線や回路に入ってくる余計な信号）によって一定の精度以上は実現できないからだ。充分なビットを使った通常のデジタルコンピュータでもそれに近いことができるので、有限精度のアナログコンピュータは不必要なものだとみなされることも多い。それでもチップの設計においてある程度の役には立っている。哲学の目的からは、連続情報は、情報処理のために使える可能なシステムにどのようなバリエーションがあるかを考える際に役立つ。とくに、構造情報と一連の物理法則とのつながりについて考えるときにかかわってくるだろう。

情報は物理的だ

私がオーストラリアのアデレードでハイスクールに通っていたとき、町中の全学校に対して、町の反対側に設置されていた1台のコンピュータが割りあてられていただけだった。コンピュータを使うために私たちはパンチカードの丸印を鉛筆で塗りつぶし、それをコンピュータのところへ送る必要があった。コンピュータプログラムは印のついたカードを理解してくれるはずだったが、1、2日後に、印刷された出力結果が送られてくると、かなりの確率で「シンタックスエラー（プログラム言語の構文上の誤り）」となっていた。コマンドのまちがいを探して、カードをつくり直し、プログラムが正しく動くまで送りつづけなければならなかった。

この経験は私が構造情報の力を理解する助けになった。パンチカードの本質はビット列、つまり連続する0と1だ。丸印を鉛筆で塗りつぶすと1を表し、そのままだと0を表す。各カードには1000もの丸印が印刷されているので、1000ビットの連なりとなる。「01000……」

のような数ビットが「P」などの文字を表す。文字を連続させて、「PRINT」などの単語にし、さらに単語を連続させて、たとえば、2の平方根を印刷させるための「PRINT SQRT(2)」というコマンドをつくる（これは単純化した例で、実際はAPLというプログラミング用の超圧縮言語を使って時間とカードを節約していた）。たくさんのパンチカードにたくさんのビットを記せば、コンピュータプログラムができあがるのだった。

これらのビットは紙のカードに表された物質的ビットだ。20世紀の多くの年月で246ページのイラストのようなパンチカードが計算の中心であり、キーパンチ機を使ってプログラムはコード化された。紙に穴を開ければ1を、そのままなら0を表した。穴を開けて、レースのようになった紙にビット列を具体化していった。カードはカードリーダーにかけられ、リーダーが穴か鉛筆で塗ったあとを認識し、情報を処理できるようにする。

これらのカードは重要な教えをさずけてくれた。「情報は物理的である。少なくとも構造情報は物理的に具体化できる」と。[11] ビットの列としての構造情報は、抽象的な数学的概念を基本概念としているが、パンチカードやコンピュータなどの物理的システム内で具体化されると因果的力を得るのだ。現在のビットは、トランジスタ内の電圧やハードドライブの磁化方向、ソリッドステートメモリ内の電荷という形で具体化する。これらの物質的ビットの本質は物理的システム内の2進の状態で、コンピュータ内の物理的プロセスを動かす因果的力を持ち、結果として私たちの生活の大きな部分を動かしているのだ。

イギリスのサイバネティクス学者で記号学者のグレゴリー・ベイトソンはかつて、因果的力を使って、情報とは「差異を生みだす差異だ」[12]と定義したことがある。この定義は意味情報には適用できないかもしれない。ささいな事実ではだれに対しても何に対しても違いを生みださないからだ。純粋数学における構造情報にも適用できない。0100のような2進法の数字の列は抽象的な差異を基礎とするシステムだが、どの数学的事物が与える以上の影響もほかの存在に与えられない。それでもベイトソンの定義は物理的情報[13]（物理的に具体化した構造情報）の特徴を完璧に表現している。

ここで、パンチカードについて考えてみよう。ビットは紙に穴が開く、開かないという差異として物理的に具体化している。その差異はカードリーダーに対して差異を生みだす。カードを読みこむプロセスは穴の部分と紙の部分の違いを感知するので、違いが生まれるのだ。パンチカードはコンピュータに先行していた。まず1804年に織機を制御するために使われはじめた。指図を差異としてコード化して別の形の差異を生みだした。1833年に数学者で発明家のチャールズ・バベッジが、みずから設計した〈解析機関〉（初期のコンピュータ設計だが、製作はされなかった）の入力にパンチカードを使うことを考えた。1890年、アメリカの国勢調査において機械で読み取り可能なパンチカードが使われ、それまでのどの国勢調査よりも格段に速くデータを処理できた。これらのイノベーションはすべて、構造情報の物理的具体化（差異を生みだす差異）によりなし遂げられた。

パンチカードのはるか前には、力学的機械装置が情報処理のために使われた。古代ギリシア時代の遺物である「アンティキティラ島の機械」では、惑星の意味情報をコード化するために一連の歯車が使われていた。パスカルとライプニッツの計算機では、数学的計算をするために一連のダイヤルが使われた。最初の汎用コンピュータは１９４０年代はじめに設計されたが、ビットパターンをコード化した継電器（リレー）〔電気信号で電気回路を開閉する装置〕によって機械式スイッチを動かした。ほどなく、物理的情報は完全に電子的になり、ビットは真空管の列に具体化し、のちには集積回路のトランジスタの中に具体化した。

この流れは〈イットからビット説〉と呼びたくなる（ホイーラーのビットからイット説と混同しないように）。歯車やトランジスタなど、少なくともふたつの異なる状態を持つ基本的な物理的存在（これはイットだ）によって、ビットは物理的に具体化されているのだ。このイットの持つ差異はビットの差異を生みだす。イットの構造中にビットの構造を置くことによって、計算という抽象的な数学の力を物理的システムの中で利用するのだ。

単純だがきわめて強力なアイデアだ。差異を生みだす差異としてビット列を体系的にコード化することで、私たちは現代コンピュータ・テクノロジーの基礎を築いてきた。コード化の効率は上がっていき、より小さな差異がより速く差異を生み、それがコンピュータの効率化につながる。現代コンピュータのハードディスクドライブの中や回路基板上に、差異を生みだす差異の構造としてビットの巨大構造を具体化することができる。

原則として物理的情報はどんなやり方でも具体化できる。１９６１年、ロシアの物理学者でSF作家のアナトリー・ドニェプロフは「ゲーム（The Game）」という短編を発表した。[14] こんな話だ。１４００人の人間があるゲームのためにサッカー場に呼ばれた。彼らはシンボルが描かれた数枚のカードをもらう。そしてそのカードを替えたり、互いに交換したりするための簡単なルールが示される。ゲームの終わりに、参加者は自分たちがポルトガル語をロシア語に翻訳する道具となっていたことを知るのだ。途中では何をしているかだれもわからなかったが、カードはビットとして使われ、参加者は情報処理装置として働いたのだった。物理的情報が必要とするのは、差異を生みだす差異の系統的パターンだけなので、どんな基体にも具体化できるのだ。

この意味で、物理的情報は基体からの中立性を持つと言える。この概念には第5章の「心の基体中立性（独立性）」で出会っている。それは、ニューロン（脳の神経細胞）、シリコンチップ、さらには緑のスライムというまったく異なる基体でできているシステムの中に、同種の意識経験が生まれるというアイデアだ。しかし、これには反対意見も多い。対照的に、情報の基体中立性にはまったく異論が生じない。同じビット列がいろいろな種類の基体、たとえばパンチカード、機械式スイッチ、トランジスタ、ビール缶のパターンなどにコード化できる。サッカー場で人とカードを道具としたドニェプロフの翻訳システムと、電子回路基板とは、同じ情報を同じアルゴリズムで処理する点で共通しているのだ。

情報の物理学

近年、情報と物質界とのあいだにかつてないほど強いつながりが築かれている。物理学者のロルフ・ランダウアーは「情報は物理的だ」というスローガン[15]を唱えて、構造情報が物理法則の中で役割を果たしていることを説明した。ランダウアーは情報と熱力学の中核概念とのあいだにある緊密な結びつきを解きあかしてきた。ほかの者は、もっと基本的な物理法則を情報用語の中に投入しようとしてきた。さらには極端なアイデアを唱える者もいる。「すべての物理学はビットの処理にかかわっているのではないか?」

コンウェイのライフゲームはこのことを示唆する絵を見せてくれる。ライフゲームのようなものは、私たちの世界の物理学の基礎になりうるのか? コンウェイのゲームに限らず、似たようなゲームでもいい。クォークや光子は、ビットでできた3次元、4次元のグリッド（格子）の中で差異のある形状になれるのだろうか? あるいは、量子力学的宇宙の量子ビットでできたグリッドの中ではどうか?

このアイデアはときにデジタル物理学[16]とともに語られる。その分野の先駆者はドイツの工学者のコンラート・ツーゼで、1941年にプログラム可能なZ3コンピュータを製作した業績から、一部からはコンピュータの発明者と見られている。1960年代にツーゼは『計算する宇宙（*Calculating Space*）』という本を著して、宇宙は全体として一種のコンピュータのようなもので、そこはビットが相互作用するデジタルの法則にもとづいている、と言った。このアイデアはエドワード・フレドキンやスティーブン・ウルフラムなどの理論物理学者によっていろいろなバージョンに発展していった。

デジタル物理学は、今ではおなじみのホイーラーのスローガン「ビットからイット[17]」に要約できる。このスローガンは、すべての物質（イット）は構造情報（ビット）にもとづいている、と唱える。ホイーラーはこのアイデアを次のように話している。

すべての物理量、すべてのイット(物質存在)の究極の意味は、イエス・ノーの2択の指示というビットに由来する。結論は次の言葉で表すことができる。「ビットからイット」

ホイーラー自身の「ビットからイット」の概念には明確でないところもある。彼はこの概念と、宇宙は観察者を必要とする参加型のものだ、という考えを結びつけている。観察者は顕微鏡や加速器などの観測機器を使って質問をし、ビットが答えを用意する。彼の主張をこのように理解すれば、そこには観念論の要素が見てとれる。実在は観察者の観察にもとづいていて、観察とは意識の状態である。しかし、ホイーラーのスローガンは、物理学はデジタル構造(ビットの構造)にもとづいているという考えだ、としばしば解釈されてきた。ビットと観察者や観測機器とのあいだに特別な結びつきがあるかどうかは関係ない。私はビットからイット説を次のように理解する。「すべてのイット、すなわち、すべての物質と物理量は、ビットのパターンにもとづいている」

現在の物理学において主流の理論は、ビットの視点から定式化されていない。その代わりに、より複雑な数学量を使用している。たとえば、質量、電荷、スピンの概念を含んだ量子波動関数などがそれで、こうした量のすべては空間と時間に埋めこまれている。だがこれらの理論は深いレベルでは、ビットか量子ビットの相互作用がかかわる点で一致している(これ以後の「ビット」には「量子ビット」も含む)。そのアプローチでは、現在の物理学はビットの相互作用がかかわるデジタル物理学によって実現するのだ。

哲学者が使う「実現する」という言葉は、「何かを現実のものにする」あるいは「何かが現実のものになる」ことを意味する。実際には、低いレベル（階層）の存在でより高いレベルの存在をつくるときには、つねに「実現する」を使うことができる。原子が分子となり、分子が細胞となることを「実現する」で言い表せる。この動詞は科学理論の議論においても使われる。たとえば熱力学がそうだ。圧力や温度など高いレベルの物理現象は、分子運動によって定式化された統計力学的プロセスにより実現される。分子の動きがわかれば、自動的に一定の温度や圧力を持った系がわかる。実際には、分子の動きが圧力を実現している。というのも、基礎にある統計力学的プロセスのおかげで、系は温度や圧力を有しうるからだ。

同じように分子物理学的プロセスも原子物理学的プロセスによって実現され、原子物理学的プロセスは素粒子物理学的プロセスによって実現される。原子物理学から分子物理学を引き出し、素粒子物理学から原子物理学を引き出すことができる。それぞれの場合、低いレベルが微細構造の基礎を提供し、それによって高いレベルのより大きな構造を支えている。

デジタル物理学の提唱者は、そこから現在の物理学と同じようなものが導きだせることを期待している。アルゴリズムによるビットの相互作用で構成される基礎レベルがそこにはあるだろう。それがあれば、ビットの相互作用を使って、質量や電荷を持ち、空間と時間の中で相互作用をする粒子や波を組み立てられる。そのときは、熱力学過程が統計力学過程の結果であることと似て、現在の物理学過程はデジタル物理学過程の結果となるのだ。

デジタル物理学における質量や電荷のような特性の状態はどうなのだろうか？　ビットのシステムの相互作用から生まれる高いレベルの特性となるだろう。もしもそうなら、デジタル物理学によって実現するだろうが、それらはデジタル物理学のもっとも基本的なレベルには存在しないかもしれない。デジタル物理学は単純にビットと、ビットの相互作用を支配するアルゴリズムだけしか内包していないかもしれないのだ。

基礎レベルでは、デジタル物理学は空間と時間を備える必要はない。一般相対性理論と量子力学を統一する〈量子重力理論〉の研究者は、分子の運動から圧力が生まれることに似て、空間と時間を生みだすより基本的な何かがある、という説を研究することが増えている。理論物理学者は、デジタル物理学を基礎とする何かが空間と時間を生みだすというアイデア[18]をあれこれ考えてきた。その基礎にあるレベルから空間と時間の構造が生まれる様を解きあかすのが彼らの目標になる。目標を達成すれば、現在の物理学における構造や力学や予測を、アルゴリズムに制御されたビットの相互作用から導きだせるのだ。

デジタル物理学とビットからイット説は、物理学界ではそれほど支持されていないことは言っておくべきだろう。量子重力理論の思弁的立場の中でさえも、ひも理論やループ量子重力理論といった非デジタルのアプローチのほうが人気だ。幸運なことに、私の目的からは、ここでデジタル物理学が正しいと主張する必要はないし、物理的証拠で支援する必要もない。重要なのは、ビットからイット説が正しい可能性があること、少なくとも今わかっている証拠と反さないことだ。この点でビットからイット説はシミュレーション説と似ている。ここで私は両説が正しいと力説するつもりはない。その代わりに、両説が世界について何と言っているか、両説から何が生まれるかを考えてみたい。

私たちが完全シミュレーションの中にいるならば、シミュレーション説はたとえ裏付け証拠を見つけられなくても、正しい可能性のあることはすでに見たとおりだ。同様の理由で、ビットからイット説も、それを支持する事実が見つけられなくても、正しいかもしれない。私たちの世界ではニュートンの法則が私たちの観測結果すべてを決定しており、その基礎レベルはビットの相互作用によって、完璧に実現されているとしてみよう。もしもそうなら、ビットからイット説は正しいことになる。私たちの宇宙にある存在はビットを基礎としている。しかし、もしもニュートンの法則が完結したものであるならば、私たちが観察するところにビットは現れないので、ビットからイット説の証拠を得ることは決してない。

ビットからイット説でビットを見つけられないバージョンを、〈完全ビットからイット説〉と呼ぶことにしよう。完全シミュレーション説と同じで、完全ビットからイット説も、絶対に証拠を得られないので科学的な説ではないかもしれない。検証不可能な説に不満な人は、ビットを検出できる不完全バージョンに注目すればいい。たとえ検証不可能な説でも哲学上の目的にとってのおもしろさは健在だ。それらはとても理路整然とした説で本当かと思わせるものなので、本当ならばそのあとはどうなるのかを考えることもできる。

ビットからイット説の従兄弟で、ビットの代わりに何かを入れた説がいくつかある。これまでに情報には、トリット（3進法の数字）、キュービット（量子ビットの数字）、リアル（実数値が割りあてられた連続的数字〉やそのほかの基本要素が含まれることは見てきた。それらに対応した〈トリットからイット〉物理学、〈リアルからイット〉物理学などがある。このうち、トリットからイット物理学はビットからイット説を上まわる説得力はなさそうだが、リアルからイット物理学は、連続量をともなう多くの物理理論の構造を反映している。たとえば、ニュートン物理学の質量と距離は、リアルの、つまりビットの連続したものとして理解できるのだ。

物理学者のデイヴィッド・ドイッチュ、セス・ロイド、パオラ・ジッジの3人は、物理的実在の基礎には量子計算があると考える〈量子ビットからイット説〉[19]を探究している。私たちがいるのは古典物理学的な宇宙ではなく量子力学的宇宙の中であると考えれば、従来のビットからイット説よりも量子ビットからイット説のほうが現実にマッチしている。量子力学による推定だけの知識を避けるために、私はここでビットからイット説に集中するが、そこで語ることの多くは、量子ビットからイット説にも当てはまるものだ。

〈イットからビットへそしてイット説[20]〉

ビットからイット説によると、クォークや電子などの物質的存在はビットによって実現される。それではビット自体はどうなのか？　さらに基本的なレベルの物理過程によって実現されるのか、それともビットが根本なのか？

保守的なビットからイット説は〈イットからビットへそしてイット説〉と呼んでもいいものだ。

この説は、銀河からクォークまで通常の物質的存在はビットでできていて、そのビットはより基本的な存在でつくられている、と考える。だから、ビットからイット説のアイデアに、通常のコンピュータが供給する「イットからビット」のモデルを結合したものだ。普通の存在はビットでできていて、そのビットは電圧などのより基本的な状態によってつねに物理的に具体化される。例をあげよう。ライフゲームにおいて、宇宙はセルでつくることができ、各セルはオンとオフの状態を切り替えられるが、オン・オフの状態は電荷などのより基本的な物理量によって具体化される。この宇宙ではビットはもっとも基本的なものではない。より基本的な何かの差異によって生まれた差異がビットなのだ。

〈イットからビットへそしてイット説〉のアプローチでは、デジタル物理学はビット以上のものを内包する、より基本的な物理学によって実現する。たとえば、ライフゲームのデジタル物理学はある種の電磁気物理学的過程のようなものによって実現されるかもしれない。実現化のほかのケースと同じで、重要なのは、ひとたび基礎となる電磁気のレベルが特定されると、その結果として、ライフゲームの構造と運動状態がわかるのだ。

より基本的な物理学とはどんなものだろうか？　いろいろな形があるだろう。物理的情報は基体中立的であることはすでに見てきた。デジタル物理学も同じだ。ライフゲームは電気や機械によって実現する。あるいは私たちのまだ知らない物理学の形によっても実現するかもしれない。原則として、正しいアルゴリズムに従った正しい情報を生むようにつくられているかぎり、どんな基体でも可能なのだ。

〈イットからビットへそしてイット説〉の急進的な形は〈意識からビットへそしてイット説[21]〉だ。この説は、意識の状態によってデジタル物理学は実現される、と唱える。それはバークリーの観念論が言うように、神の御心にある意識の複雑な状態かもしれない。あるいは、意識はどこにでもあると考えるが、汎心論のように原子の存在の中に意識の単純な状態があるのかもしれない。いずれにしても、〈意識からビットへそしてイット説〉の見方では、何らかの形の心が先にあって、そこから物理過程が生まれるのだ。このかなり思弁的な見方は、デジタル物理学がいろいろな種類の基体と調和する方法を強調している。

〈純粋ビットからイット説[22]〉

イットからビットへそしてイット説に代わるものに、〈純粋ビットからイット説〉がある。それは、ビットは宇宙でもっとも基本的なもので、その基礎となるイットはない、と考える。基本的存在にはふたつの状態があり、それを0と1、もしくはオンとオフと呼ぶことができる。このふたつの状態の差異こそが純粋な差異で、その下に電圧や意識の状態などが生みだす差異は存在しない。もっとも基礎レベルにある宇宙が、純粋な差異のある宇宙なのだ。

この考えは最初は理解しにくい。私たちはふだん、差異というものは「何かの中にある違い」だと思っているので、物理的に具体化したビットは、電圧や電荷などのより基本的なものにもとづいているはずだと思っている。だから、純粋ビットからイット説は、ハードウェアのないソフ

純粋ビットからイット説（左）とイットからビットへそしてイット説

トウェアのように聞こえるのだ。そう、コンピュータなしでマイクロソフトのワードが動くかのように。それでもなお、このアイデアは多くの科学者や哲学者を引きつけている。物理法則がビットによって定式化できれば、ビットより基本的なレベルを想定する必要性は減るというメリットがあるからだ。

私たちは、物理法則とコンウェイのライフゲームは完全に適合しているという強力な証拠を持っている。そして、物理学はビットの相互作用を内含するという証拠もある。ビットの構造のために、私たちはビット同士の関係について、ライフゲームにおける周囲のセルとの関係のように一定の想定をする必要があるかもしれない。しかし、ビットの下にさらに基礎があるとする〈イットからビットへそしてイット〉レベルまでをも想定する必要はあるだろうか？　多くの理論物理学者はノーと言っている。レベルを増やせばモデルが複雑になり、私たちが観察しているものの中に差異をつくれなくなるからだ。

純粋ビットからイット説をとる際の理論的コストは、その世界が根本には差異のみがある世界だ、という点にある。この考えは、最初はショッキングなものだが、多くの人は慣れていくだろう。物理的実在は数学用語で完全に記述することができ、最終的には構造情報が基礎となっている、と純粋ビットからイット説は主張する。この見方のより一般的なものが、近年人気となっている〈構造実在論〉だが、これについては第22章で触れよう。

たとえ現実の物理がデジタルなものではなく、連続的なものであるとしても、物理的実在に関して純粋ビットからイット説の見方は採用可能である。連続量を扱う物理理論は、実数（リアル）をビットの連続したものとして理解する〈リアルからイット説〉として展開できることはすでに見た。たとえば、古典物理学では、1個の分子の位置と質量は、0・237や3・281などと実数で表すことができる。また、ライフゲームの力学にビット同士の相互作用のルールが含まれていたように、古典力学には実数の相互作用に関する方程式が含まれる。だから、〈純粋リアルからイット説〉と〈イットからビットへそしてイット説〉のどちらかを選ぶことができる。前者は純粋な実数値を基本とし、後者はより基本的なものにもとづいて数量を出す。純粋リアルからイット説の見方では、実在は連続的な情報にもとづいている[23]、と言えるだろう。

究極的には、ビットからイット説の見方は、私たちが蹴とばすことのできる脚立のようなものになるだろう。最重要なのはビット自体ではなく、数学用語によって完全に記述できる実在の基礎となっている構造主義なのだ。それでもビットからイット説は、構造主義者の考えを上手に描いていて、シミュレーション説へ渡るきれいな橋を架けているのだ。

第9章
シミュレーションがビットからイット説をつくったのか？

情報化時代の創世記神話はこうだ。

神は「ビットあれ」と言われた。するとビットがあった。

神はそのビットを見て、よしとされた。神はそれをふたつに分けられた。神はひとつを「0」と名づけ、もうひとつを「1」と名づけられた。

ちょっと目を細めて見ると、ビットからイット説の創世話（ビットからイット創世説）を聖書の創世記に重ねることができるだろう。旧約聖書の冒頭では、すべては形がなく暗い状態で、何ものにも差異はなかった。そのとき神が「光あれ」と命じ、光と闇が分かれた。世界にあるものに差異が生まれたのだ。光と闇はビットだ。突然に宇宙が形成され、光と闇は周期的に交代するようになった。神は光を「昼」、闇を「夜」と名づけた。

創世記は光と闇をつくる前に、天国と地上をつくったと語っている。ビットからイット創世説では順番が変わる。神は先にビットをつくり、それが光と闇になるように配列するだけだ。天国

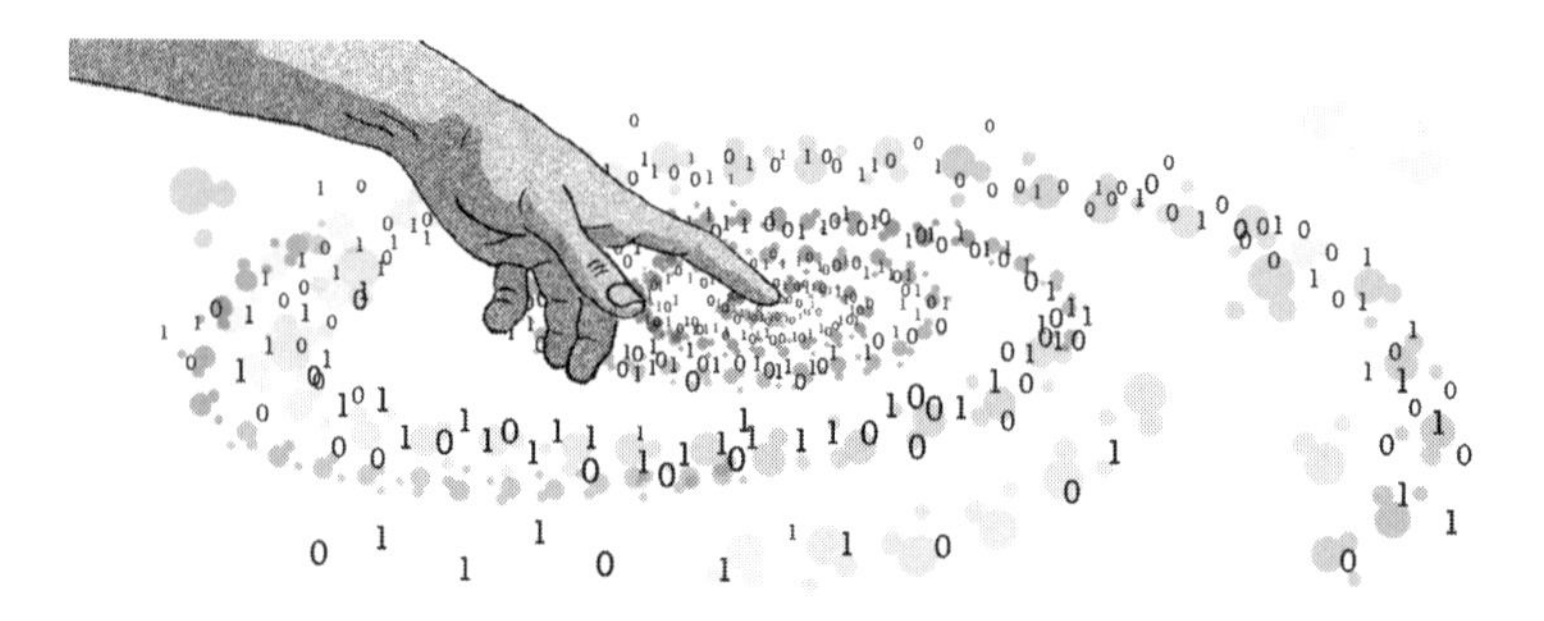

「ビットあれ」

と地上をつくるのはビットに任せればよかった。

　通常、創世話には埋めるべき穴が残されているが、ビットからイット説の話も例外ではない。まず多くの創世話と共通する穴がひとつある。「神はどこからやってきたのか?」。ほかの穴は「ビットはどこからやってきたのか?」で、ふたつを合わせるとこうなる。「神にビットをつくる能力があるのならば、すでに神の御心には多くのビットがあるのではないか?」。もしもそうなら、通常の創世話が、最初の心がどこからやってきたのかを語ることができないように、〈ビットからイット創世説〉は最初のビットがどこからやってきたのかを語ることはできないのだ。

　それでもビットからイット創世説はローカルな話としては、つまり、全宇宙（コスモス）がすでに心とビットを持っているなかで、私たちの宇宙（ユニバース）がどのようにつくられたのかを語る話としてはうまくいくのだ。神はすでに天国のような宇宙にみずからのビットを持って存在していた。1日目に神は言った。「ビットあれ」。ライフゲームの初期条件と同じように、神はビットをつくり、配列することで私たちの宇宙を始めた。2日目に神は「イットあれ」と言った。物理法則を支える形でライフゲームのルールを定めるように、神は物質界を支えるためにビットの相互作用をプログラムした。3日目に神は「実在を展開せよ」と言い、ビットの相互作用が開始された。私たちの宇宙はこのように始まった。

ふたつの仮説の話

ビットからイット創世説は、ビットからイット説と、ビットでできている物質世界を創造者がつくったという創世説とを結合したものだ。どこかで聞いたことのある説に思えるだろう。その構造はシミュレーション説と似ているのだ。シミュレーション説には、シミュレーション実行者とシミュレーションというふたつの基本要素がある。ビットからイット創世説の基本要素は、創造者とビットのふたつだ。シミュレーション実行者は、シミュレーションのためのアルゴリズムを動かし、創造者はビットの相互作用のためのアルゴリズムを動かす。つまり、創造者とシミュレーション実行者は本質的に同じ仕事をしている。

私はここで、ビットからイット創世説とシミュレーション説が正しいと主張するつもりはない。両者が同等であることを話したい。

もしもあなたがビットからイット創世説を受けいれるなら、シミュレーション説も受けいれるべきだ。その逆も真なりで、シミュレーション説を受けいれるなら、ビットからイット創世説も受けいれるべきだ。なぜならふたつは描き方こそ違うが、同じ状況を描いているからだ。

ビットからイット創世説とシミュレーション説は同じだ

ふたつの説について考えていると、相違点に注意が向くかもしれない。たとえば、かかわるのは、創世では神だが、シミュレーションでは人間だ。だがその違いは重要ではない。両説はともに、ビットを動かすことで実在をつくった存在について描いているのだ。

これが正しければ、重要な結果を持つ。ビットからイット創世説はリアリティを失う説ではないということだ。テーブルと椅子は錯覚で、実際には存在しないとする説ではなく、ビットでできたテーブルと椅子があるとする説なのだ。そして、もしもシミュレーション説とビットからイット創世説が同等ならば、シミュレーション説もリアリティを失う説ではないことになる。シミュレーション説が正しくても、そこには依然としてビットでできたテーブルと椅子がある。

ここで神が現れて、私がおまえたちの宇宙をつくった、と言うことを想像してみよう。私たちは「リアリティを失う」という結論を出さないだろう。もしも神がネコや椅子をつくったのならば、それはネコと椅子の歴史において興味深い事実になるだろうが、それでもネコと椅子は神が現れる前と変わらずにリアルなものとして存在しているのだ。

では次に、神がビットからイット説は正しいと言ったとしよう。従来の物理学の基礎にはビットの相互作用のレベルがあり、それはコンウェイのライフゲームと少し似ている。そのときに私たちはリアリティを失うという結論を出すだろうか? そうは思わない。原子が発見されても、私たちは分子の存在を否定しなかった。クォークの発見は原子を否定しなかった。だから、ビットを発見してもクォークを否定するべきではない。ビットからイット説が正しくても、そこにはクォークもネコも椅子も存在する。単にネコや椅子は原子でできていて、その原子はクォークと電子でできていて、そのクォークと電子はビットでできている、という話だ。

同じ考察の締めくくりとして、以下の点を考えてみよう。神が次のように言うとする。ビットからイット説のためにビットを配列し、相互作用させることで宇宙を創造したのだ、と。このとき私たちはリアリティを失うという結論を出すだろうか? そうは思わない。創世シナリオとビットからイット説のシナリオにリアルなものがあるならば、ビットからイット説の創世シナリオにあるものもリアルなのだ。そこには創造者がビットでつくったネコも椅子も存在するのだ。

以上により、ビットからイット創世説は、いっさいを幻とする懐疑論ではない、と言える。むしろそれは、普通に存在するものはリアルで、私たちが日常で信じていることのほとんどが正しい世界にある、と述べる説なのだ。

そうなると、次の論証ができる。

前提

1．もしもビットからイット創世説が正しければ、私たちが日常で信じていることのほとんどは正しい。

2．もしもシミュレーション説が正しければ、ビットからイット創世説も正しい。

結論

3．ゆえに、シミュレーション説が正しければ、私たちが日常で信じていることのほとんどは正しい。

前提1については今話した。ビットからイット創世説が正しければ、ネコや椅子などの普通のものは存在するし、私たちが日常で信じていることのほとんどは正しい。

前提2の準備として私は、シミュレーション説とビットからイット創世説が同等である、という提案をすでにしている。私の目的からすれば、完全に等しくなくてもよい。シミュレーション説から、ビットからイット創世説につながることをあきらかにできればよい（その逆を示す必要はない）[1]。それはこれからのふたつの節で試みよう。その主張は少し抽象的なので、結論に興味がある人は、282ページの「シミュレーション・リアリズム」の節まで飛んでもらってかまわない。

結論は、私が第6章でシミュレーション・リアリズム（実在論）と呼んだものになる。つまり、私たちがシミュレーションの中にいれば、ほとんどの物事は私たちが考えるとおりのものだ、という主張だ。この章では、この主張について話し、反対意見に対処してみる。

シミュレーション説から、ビットからイット創世説へ

それではシミュレーション説から始めよう。具体的には、完全でグローバルで永久のシミュレーションにおける仮説だ。私たちは完璧にシミュレートされた永久でグローバルな宇宙にいるとする。

ビットからイット説に合わせるために、シミュレーションはデジタルコンピュータで動かしていることにしよう。〈量子ビットからイット説〉に合わせるならば、量子コンピュータ上でシミュレーションが動くことにする。[2]第2章で見たように、量子世界の量子シミュレーションはまだ可能性の段階だが、現在のデジタル・シミュレーションよりもはるかに効率がよいはずだ。リアルからイット説に合わせるときは、アナログコンピュータ上にシミュレーションがあることにする。そこでのリアルとは、実数値を割り当てられた連続変量である。

シミュレーション実行者はまず、宇宙の物理構造と物理法則をシミュレートするアルゴリズム

を実行して、物理過程をシミュレートすることにとりかかる。そのためにコンピュータ上のビット（あるいは量子ビットかリアル）のパターンを一定の初期状態に設定し、アルゴリズムのルールに従ってビットが動くようにセットする。

ビットからイット説の創造者もそれに似たことをする必要がある。宇宙の物理構造を完全に反映するビット（あるいは量子ビット、リアル）の構造をセットし、正しいアルゴリズムにビットを従わせる。この時点で、両者の任務はよく似ている。シミュレーション実行者はビットからイット創世説の創造者の中心的仕事と同じことをしている。少なくともビットをつくり、配列するという仕事をしているのだ。

標準のシミュレーション・シナリオでは、シミュレーション実行者がつくるビットは基本要素ではない[3]。実行者の世界にあるコンピュータで処理されることでビットは実現する。しかし、それはただ、このシミュレーションが、原子は基本要素であるビットからできているとする〈純粋ビットからイット説〉の一バージョンではないことを意味するだけだ。このシミュレーションは、前章で紹介した〈イットからビットへそしてイット説〉と一致しているのだ（シミュレーション説の非標準バージョンに、コンピュータは純粋なビットからできている、と考える説があり、それは純粋ビットからイット説と一致するが、ここでは考察しない）。原子はビットからできていて、ビットはより基本的な何かでできている。もしも創造者であるシミュレーション実行者が原子をそのようにつくったのならば、それはなお、創世説に完璧にマッチしている。

シミュレーション説は、私たちはシミュレーションの中にいる、と言う。そのためにシミュレーション実行者は、シミュレーションと接続された私たちがそこから感覚入力を受け、運動出力をそこに送ることを実現しなければならない。第2章で見たように、やり方はふたつある。ひとつは、純正シミュレーション説のように、私たちがシムになることだ。もうひとつは、非純正シミュレーション説のように、私たちはシムにならず、ただシミュレーションと接続されていることだ。

純正と非純正のふたつのシミュレーション説は、ビットからイット創世説のふたつのバージョンにつながる。私たち自身がシミュレートされた存在であるという純正シミュレーション説で創造者は、私たちをつくるようにビットを配列しなければならない。私たちの体、脳、心はビットから生まれる。一方、非純正シミュレーション説で創造者は、私たちの体はつくるが、心はつくらない。私たちはビットと相互作用をするビットとは別の生き物なので、独立した形でつくる必要があるのだ。

今のところ、純正説と非純正説の片方だけを考えてもいいし、両方について考えてもいい。ビットからイット説の物質界に私たちが適合する方法と、私たちの心と体が相互作用する仕組みについて、両者の描く絵はまったく異なる。これらの絵については第14、15章でくわしく語ろう。

そこでシミュレーション実行者は、イットでできたビットが正しいアルゴリズムに従い、私たちの知覚と正しく接続するために、ビットを配列する。〈イットからビットへそしてイット説〉における創造者もよく似たことをしている（イットでできたビットの配列、正しいアルゴリズム、知覚との接続）。

シミュレーション説がビットからイット創世説につながる、という私の主張に反論するには、あなたは「それだけでは充分でない」と言わなければならない。つまり、ビットからイット創世説を正しいと主張するには、ビットの配列、正しいアルゴリズム、知覚との接続だけでは足りず、ほかに必要なものがある、と言うのだ。

ビットからイットはどのように実現できるか？

今のところ、私の主張に対するもっとも重要な挑戦は、「イットとは何か？」という問題だ。反論をくわしく見ていこう。ビットからイット説は、リアルな物質（イット）の存在を必要とするが、シミュレーション説は違う、と言う。後者で必要なのは、ビットとそれをつくり出すシミュレーション実行者だ。だから、シミュレーション説はビットからイット説ではなく〈ビット説〉と呼んでもいいかもしれない。シミュレーションの中にビットは存在するが、原子や分子については何も語られない。ビットからイット説がビット説につながることは容易にわかるが、その反対にビット説がビットからイット説へつながる理由がわからない。ビットの相互作用が原子や分子の存在につながる理由がわからないのだ。

それでもなお、シミュレーション説から、ビットからイット説へ至る道はある。シミュレーション説が正しいと仮定してみよう。それならば、そのシミュレーションはビットのシステムを持っているはずだ。私たちの経験はアルゴリズムによってつくられるが、そのアルゴリズムは

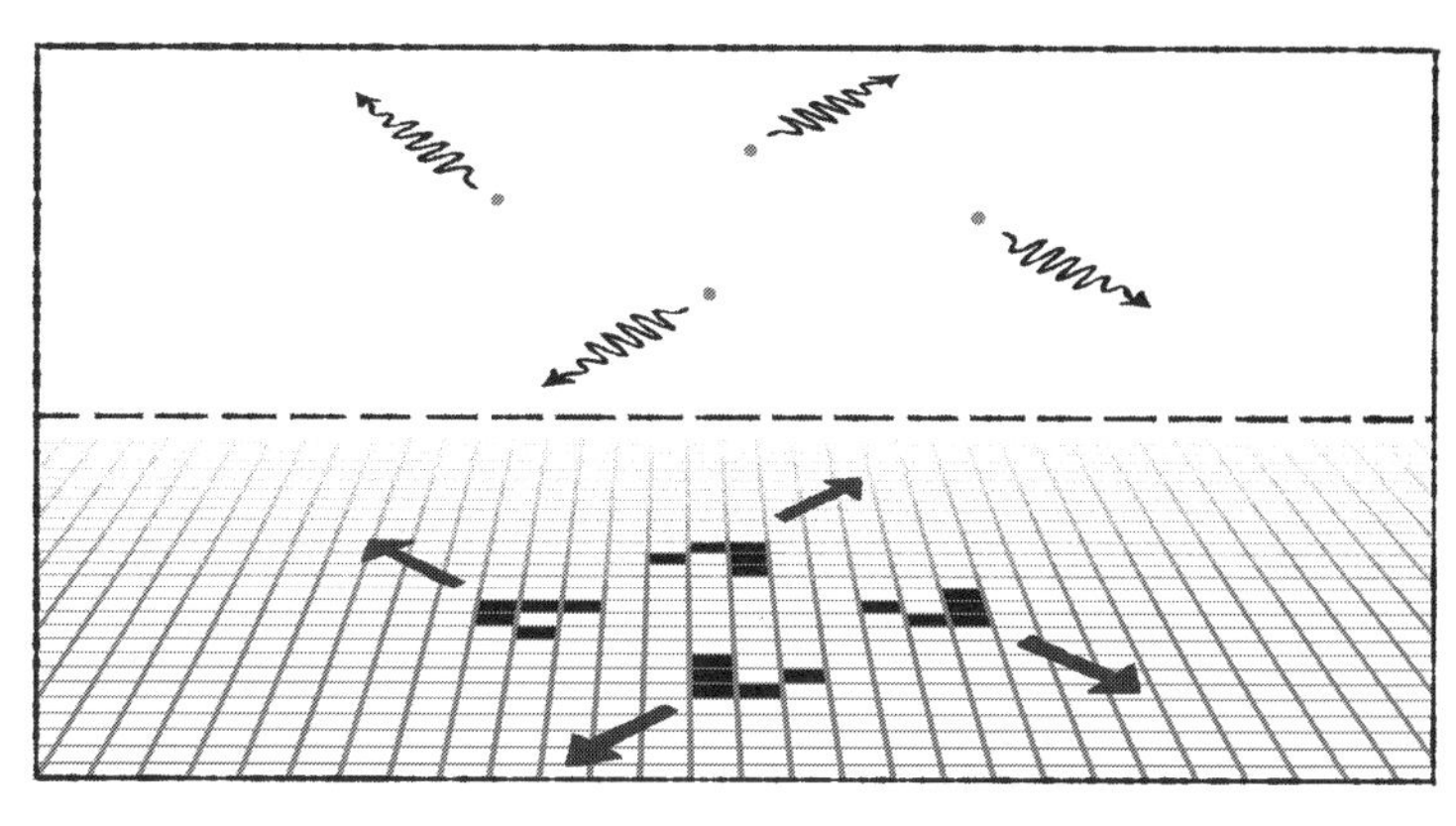

デジタル物理学の構造（例：ライフゲームのグライダー）が標準的な物理学の構造（例：光子）と対応づけられる

ビットのパターンによって標準的な物理学やクォークや電子などをシミュレートしている。このビットのパターン自体はデジタル物理学のシステムであり、ビットはデジタルの法則に従う。それを単純化して説明したのが上のイラストだ。ライフゲーム上でシミュレーションを動かしているところを想像してもらいたい。このデジタル物理学の中で5つの点で表示されているグライダーは標準的な物理学における光子をシミュレートしている。もしもデジタル物理学が標準的な物理学のクォークや電子を完璧にシミュレートしているならば、デジタル物理学の中のグライダーのふるまいは、標準的な物理学における光子のふるまいを完璧にシミュレートしているはずだ。完全シミュレーションの中では、光子の数学的構造は基礎にあるデジタル事物の数学的構造によって再現されている。より一般的に言うと、基礎にあるデジタル物理学で、少なくとも標準的な物理学の数学的構造は再現できるのだ。

ここからが重要な段階だ。もしもデジタル物理学から標準的な物理学の数学的構造が再現され、デジタル物理学が私たちの観察結果を生みだしたら、デジタル物理学は標準的な物理学を実現することになる。デジタル物理学のビットは標準的な物理学のクォークや電子を実現する。単純化したイラストの例では、デジタル物理学のグライダーは標準的な物理学の光子を実現しているのだ[4]。

重要なことは、シミュレーション説が正しければ、私たちがクォークや電子を観察することは、ビットの特定のパターンによってつくられている、ということだ。私たちが光子を観察するたびに、その観察はビットパターンによってつくられている。イラストの例ではグライダーがそれだ。私たちの世界における光子の数学的構造の基礎にこれらのビットパターンがあり、なおかつそれが私たちの観察を生みだしているのならば、それらのビットパターンは光子を実現しているのだ。デジタル物理学のビットを適切な構造に配列することで、シミュレーション実行者は標準的な物理学の実体、つまりイットをつくってきた。こうして、シミュレーション説はビットからイット創世説につながるのだ。

たとえば、ひとつの理論が別の理論を実現するとき、両理論の実体はリアルだと言える。原子物理学が分子化学を実現すれば、分子は実在になり、それらは原子でできている。同じように、デジタル物理学が標準的な物理学を実現し、光子が実在になれば、それはビットでできているのだ。光子やクォークや電子が実在ならば、それらを材料とする原子や分子、細胞や岩、生物、建物、惑星、星、銀河もすべて実在になる。シミュレーション説が正しければ、すべての実体が実在になるのだ。

この重要な段階では、物理学における〈構造主義〉がかかわってくる。構造主義とは、物理学の諸理論をつきつめていけば、その理論の構造（大まかに言うと、数学的方程式と観察結果）に還元される、と考えるものだ。物理理論はその構造がその世界に存在していれば真である。たとえば、原子物理学の構造がその世界に存在するならば、原子物理学は真であり、原子は存在するのだ[5]。

構造主義は現代の科学哲学においてはとても人気がある。複数あるバージョンは物理学者にも支持されている。文化と社会に関する構造主義は20世紀なかばに大きなムーブメントを起こしたが、それとは異なる科学に関する構造主義は第22章でくわしく触れよう。今は簡単に中身を紹介し、それが私の推論をどう助けてくれるかを話そう。

ニュートン物理学を基本構造まで削っていったならば、すべての実体は、「$F = ma$」（運動方程式）や万有引力の法則などいくつかの数学的方程式に関連づけられるまでになる。これらの方程式は、質量が慣性と重力に対して一定の数学的役割を果たしていることを語っている。質量は観測に対しても役割を果たしているかもしれない。私たちは測定機器で質量を量ることができる。こうした数学的および観測的役割をもって質量を定義することができる、と構造主義は主張する。「質量は質量の役割を演じている」と言えるのだ。

同様に光子やクォークも、それらが果たしている数学的役割と観測との影響関係によって物理学の中に定義されている。光子とクォークもそれぞれの役割を演じているのだ。ここから次のように考えることができる。もしも世界に数学的および観測的に光子やクォークの役割を演じているものがあれば、それは光子やクォークなのだ。私たちの世界において素粒子物理学の標準理論で規定される役割を果たしている実体があれば、その理論は真である、と構造主義は主張する。

構造主義はデジタル物理学とシミュレーションにとってどういう意味を持つのだろうか？　光子とクォークを含む標準的な物理学の構造をデジタル物理学が複製できるかぎり、デジタル物理学によって標準的な物理学は実現する。グライダーが光子の数学的役割を演じていることと、私たちによる光子の観測結果をもたらしていること（私たちが光子の出現を予測すると、そのとおりの場所に光子が現れる）を私たちが発見できれば、そのグライダーは光子なのだ。論証は次のようになる。

前提

1. 光子は光子の役割を果たす。
2. シミュレーションの中で、デジタルの存在が光子の役割を果たしている。

結論

3. ゆえに、シミュレーションの中で、光子はデジタルの存在だ。

前提1は基本的に、光子に関する構造主義からの見方だ。ここでの役割とは、構造的役割のことであり、それは数学的に記述できる構造や、それが観察に与える影響に関係する。前提2はシミュレーション説の分析から出たものだ。特定のビットパターンが、光子の数学的役割を果たし、私たちの観測結果を生みだす。論証の結論はビットからイット説にほかならず、これこそが私たちの必要としていた鍵である。つまり、私たちがシミュレーションの中にいるのならば、光子のような「イット」は実際に存在し、デジタルの実体であるのだ。

より一般的にすると次のようになる。シミュレーションは標準的な物理学の構造を複製することができ、そこにあるデジタルの実体は重要な数学的役割を果たし、さらにはシミュレーションの中にいる私たちに正しい観察結果を与えている、としよう。この場合、そのシミュレーションは標準的な物理学を実現しているのだ。ビットからイット説が真であると言うにはこれで充分だ。

ここで私は、物理学のシミュレーションなら何でも物理学を実現する、とは言っていない。[6] 私たちがシミュレーションの外にいれば、私たちの物理学はシミュレートされていない。そのときは光子（つまり、私たちの世界における光子の構造的役割を果たしている実体）はおそらく非デジタルの実体だろう。その結果、シミュレートされた光子は真の光子ではない（くわしくは第20章で論ずる）。しかし、私たちがシミュレーションの中にいれば、そこの物理学はすべてデジタルのものだ。その世界では、デジタルの実体が光子の構造的役割を演ずる。その結果、シミュレートされた光子はすべて真の光子となるのだ。

もちろん、構造主義を否定することで、いつでもこの主張を否定できる。また、私たちの世界に光子があるためには、光子に関する構造的役割を果たす実体があるだけでは足りない、と反論することもできる。より一般的にすると、私たちの世界において標準的な物理学が正しいと言うには、正しい数学的構造があるだけでは足りず、正しい基体も必要なのだ。正しい構造は持っていても、正しい基体を持っていないシミュレーションもある。

たとえば、シミュレーションの中にある物質が、充分な硬さがなくてリアルさに欠ける、と一部の人が思ったとしよう。この見方では、実在の物質に比べてシミュレートされたものは、硬さと実体感が足りないというのだ。この見方では、デジタル物理学にもとづくビットからイット説の物理的実在を真にするためには、より実体感のある何かによってビットを実現しなければならない。そうならば、シミュレーション説がビットからイット説につながることはない。

硬さに関して、一般的イメージと科学的知見が異なることはすでに知られている。物理学において実在の基本レベルは、量子の波動関数などの長く続かない量からなり、硬さなどは特性ではないのだ。また硬い物質も、じつは空間だらけでスカスカの状態であることは科学が教えてくれる。物質を硬いと思わせるのは、物質同士の相互作用による。硬いとは、ほかの物質が簡単に貫けないことだ。したがって、硬さは相互作用における特定のパターンによって定義できる。そして、このパターンはシミュレーションの中で簡単に再現できる。

空間について心配する人もいる。シミュレーションの中では、見えているようには物質が空間に広がっていないのではないかと。自分の1メートル前に机があるように見えても、本当は1メートルではない。デジタル物理学で真の空間に真の物質を置くには、正しい空間的関係のもとでビットを配列する必要がある、と言うのだ。そうならば、シミュレーション説がビットからイット説につながることはない。

空間はものを入れる基本の容器だととらえることは直感的に正しく思えるが、物理理論はそれをまちがいだとする見方を強めている。相対性理論において空間は絶対的ではない。空間は基本レベルには存在しておらず、より上のレベルで現れるものだという理論が多くの物理学者を魅了している。それが正しければ、空間の存在が基本レベルを制約することはない。その代わりに、硬さと同じように空間はもの同士の相互作用によるパターンを土台としているのだ。そして、このパターンもシミュレーションの中で簡単に再現できる。

光子やクォークは何でできているのか、と疑問に思う人もいるだろう。クォークは「クォークっぽい」固有の性質を持っているが、シミュレーションの中のクォークはその「クォークっぽさ」を持っていない。

だが、現代物理学にこのクォークっぽさのたぐいはどこにもなく、クォークは数学用語によって特徴づけられているだけだ。一部の哲学者と物理学者は、クォークやほかの基本的実体がさらに基礎的となる性質を持っているのではないかと考えている。もしもビットからイット説が正しければ、そのさらに基礎的となる性質にはビットが含まれるだろう。シミュレーション説が正しければ、さらに基礎的となる性質には、ひとつ上の世界にあるプロセスが含まれるだろう。だが、この内在的性質が何であるかについて物理学は中立である。クォークがビットからできていることがわかればそれでよい。クォークであることに変わりはないのだ。

構造主義については第22、23章でくわしく触れよう。ここまで私の主張における第2の前提（シミュレーション説が正しければ、ビットからイット創世説も正しい）について話してきた。また、第1の前提（ビットからイット創世説が正しければ、私たちがふだん信じていることはほとんどが正しい）についても話してきた。ふたつの前提を合わせれば、私の結論を支持する論証をつくることができる。

シミュレーション・リアリズム

私の結論は〈シミュレーション・リアリズム（実在論）〉だ。「もしも私たちがシミュレーションの中にいるのならば、私たちが日常で信じていることのほとんどは正しい。私たちのまわりのネコや椅子はリアルなもの（実在）だし、窓の外の木もリアルだ」

たとえば明日、神が現れて、シミュレーション説は正しい、と私たちに告げるとしよう。ビットからイット創世説は正しい、と神から告げられるときと同じくらい、私たちは大きく反応するべきだ。神を信じるなら、ネコや椅子など普通にあるものは、すべて創造者によってもたらされたものであり、それはビットでできている、と言うべきだ。それは驚きであり、興味深いことだが、私たちがふだん信じていること――たとえば、今、椅子の上で寝ているネコ――が脅かされることはない。

おそらく、理論にもとづくタイプの信念の一部は訂正しなければならないだろう。それまで宇宙はつくられたものではないと思っていたのなら、それはまちがいになる。クォークがこの世界でもっとも基本のものだと思っていたのなら、それはまちがいになる。私たちのいる時空が全宇宙だと思っていたのなら、それはまちがいになる。だが、私のオフィスに椅子が2脚ある、といったもっとも普通の信念は真のままなのだ。

私たちがシミュレーションの外にいても、中にいる人がこの世界はリアルだと主張することは可能だ。たとえば私たちが『マトリックス』のようなシミュレーションをつくり、純正シムをそこに置く。彼らは自分たちの世界に関して多くの信念を持っている。彼らの世界はシミュレーションだから、彼らにとってシミュレーション説は真となる。また、その世界はつくられたもので、ビットでできているから、ビットからイット創世説も真なのだ。そして彼らがふだん信じていることはほとんどが真である。彼らが相互作用している事物は完全にリアルなものだ。ただビットでできているだけだ。

この結論に最初に出会うときは、直感に反すると感じるかもしれない。これからよくある異議について簡単に見ていきたい。それらの異議についてはあとの章でくわしく触れるが、そのときの指針となるだろう。

異議：「ひとつ上の世界にいるシミュレーション実行者はどうなのか?」。実行者がいつでも好きなときにシミュレーションを止められるのならば、それは私たちの現実にとって脅威ではないのか?　実行者が自分のいる世界にあるネコや椅子を元にして、シミュレーション世界のネコや椅子をつくったのならば、実行者の世界のものが本物で、私たちのは本物ではないのだろうか?

反論：これらの問題は、通常の創造者に関してつねに発生するものだ。神はいつでも世界を終わりにできる力を持っているが、だからといって私たちの世界がリアルでないことにはならない。神は天国のネコや椅子を元にして私たちの世界のネコや椅子をつくったかもしれないが、そのために私たちの世界のものがリアルでないことにはならない。

異議：「コンピュータ・シミュレーションの中にネコはいない」。コンピュータの中にはネコや椅子は入っていない。水槽の中の脳は、ネコや椅子を見ていると信じているが、シミュレーションの中にそれらはないのだ。

反論：コンピュータ・シミュレーションの中には、バーチャルのネコと椅子がある。それらはビットでできたリアルなデジタル事物だ。デジタル事物としてのバーチャル事物については第10章で触れる。

異議：「バーチャルのネコは本当のネコではない」。シミュレーションの中でハリケーンに遭遇しても濡れることはない。シミュレーションの中のネコやハリケーンが、ネコやハリケーンに関する私の信念を真実にできるのか？

反論：シミュレーションの中のネコはすべてバーチャルのネコだ。「ネコ」という言葉もバーチャルのネコを指す。私たちのネコに関する信念もすべてバーチャルのネコのことだ。こうした言語や思考に関する問題については第20章で触れよう。

異議：「シミュレーションは本物の心や脳や体を含有していない」。『マトリックス』のネオのようにシミュレーションの外に脳や体を置いているならば、シミュレーション内の脳や体は本物ではないという意味になるのではないか？　マトリックスのエージェントたちのようにシミュレーションの外に脳や体がない存在は、ゲームに出てくる心のないノンプレイヤー・キャラクターと同じだろう。

反論：ネオはマトリックスの中にバーチャルの体を持っていて、物理的な体は外の世界に置いていた。両方とも完璧にリアルな体だ。ネオは非純正シムとして、マトリックスの外にある脳がネオの心をサポートしていた。純正シミュレーションでは、人々はバーチャルの脳を持つが、それが心をサポートする点では同じでありうる。シミュレーションの中における心と体の関係については、第14、15章でくわしく考察する。

異議：「解釈次第で、何でもコンピュータになるのではないか」。この場合、実在を生みだせるかどうかは重要ではなくなる。コンピュータが生んだ実在の中に、真性な因果プロセスなどないだろう。

反論：コンピュータは相互に異なる要素を持っていて、それらが結びついて真性な因果プロセスになる。シミュレーションを動かすためには、因果プロセスが正しくセットアップされたシステムが必要で、それは決して小さなことではない。コンピュータと計算については第21章で触れよう。

異議：「シミュレートされた物理学は本物の物理学なのか？」。ビットは世界をつくる材料としてあまりにも不充分だ。シミュレーションは真の空間を生んでいるのか？

反論：前節で見たように、物理学に対する構造主義的見方を発展させ、物理的実在ははかないものだと考える量子力学やデジタル物理学などから類推することで、これらの異議には対応できる。これらの問題の一部については第22、23章でくわしく見ていく。

異議：「ほかの懐疑的シナリオはどうなのだろうか？」。完全で一生続くシミュレーションが錯覚でないとしても、ほかはどうなのだ？　もしも私がシミュレーションの中に入ったばかりだとしたら？　ローカル・シミュレーションはどうなのか？　私が夢を見ているとしたらどうなのか？　デカルトの悪魔ならばどうなのか？

反論：グローバル懐疑論となりうるグローバルなデカルト的シナリオ（悪魔のシナリオや一生続く夢など）について一般化した私の推論は第24章で述べる。また、きのうシミュレーションの中に入ったばかりというシナリオなどにもとづくローカル懐疑論の展望についてもその章で述べよう。これらの懐疑論をすべて克服できると言うつもりはないが、少なくとも外部世界に関するもっとも厳しい懐疑論のひとつに打撃を与えられるはずだ。

まとめ

一連のシミュレーション・リアリズムの議論で、外部世界に関するデカルトの問題に対する私の最初の対応を締めくくる。シミュレーション・リアリズムを議論することで、中核的な懐疑論が、グローバル懐疑論の主張にシミュレーションを利用することを阻止することができた。

デカルト的懐疑論にはふたつの前提がある。「自分がシミュレーションの中にいないことをわれわれは知ることができない」「シミュレーションの中にリアルなものはない」。ゆえに「何がリアルなのかわれわれにはわからない」という結論に達する。しかし、シミュレーション・リアリズムに関する私の主張が正しければ、第2の前提は誤りになる。シミュレーションの中でも物事はリアルであり、私たちが信じていることはほとんどが正しいのだ。だからシミュレーション説は世界に関する私たちの知識を何ら損なうことはない。

ここまで本書を頭から読んでこられた人ならば、これから進む道はいくつもある。これ以降の第4部から第7部までは独立した内容なので、順番に読む必要はない。ここまでの議論が現在のVRテクノロジーにどのように適用されるかに関心があれば第4部を読むとよい。心と意識の問題に関心があれば第5部、倫理と価値観に関心があれば第6部を読むとよい。シミュレーション・リアリズムの議論をより深く知り、その哲学的基礎を理解したい人は第7部を読んでもらいたい。

第4部

VRテクノロジーがつくる現実世界

第10章 VRヘッドセットは現実(リアリティ)をつくり出すのか？

ＳＦ作家のニール・スティーヴンスンが１９９２年に著した『スノウ・クラッシュ』[1]では、ＶＲ世界である「メタバース」が描かれている。この言葉はスティーヴンスンの造語で、現在注目されているメタバースの元になった。現在のそれは、コンピュータによって共有世界をつくり、人々はアバターを通じて、そこで交流し、働き、遊ぶ仮想空間サービスのことだ。小説の主人公のヒロ・プロタゴニストはゴーグルをつけ、インターネットに接続することでメタバースにアクセスする。メタバース内のメインストリートは広い並木道で「ストリート」と呼ばれている。

このメタバースはマトリックスに似ているように聞こえるが、重要な違いがひとつある。マトリックスはシミュレートされた宇宙で、大半の住人がそこで一生を過ごす。それに対して、メタバースはバーチャル世界であり、そこで一生を過ごす者はおらず、好きなときに世界に出入りできる。参加者はみんな物理的世界に生まれ、生活している。メタバースに入るときは、ヘッドセットをつけ、多くの者はボディスーツを着る。マトリックスはまだＳＦだが（私たちがすでにシミュレーションの中にいないかぎりは）、メタバースは少しずつ実在に近づいている。

その名に値するVRシステムを最初につくったのは、コンピュータ科学者のアイヴァン・サザランドで、1968年のことだった。サザランドはコンピュータ・シミュレーション技術と立体視技術（かつて立体カラー画像を見るために「View-Master（ビューマスター）」ヘッドセットに使われていた技術）を組みあわせて、ヘッドセットシステムを製作した。そのシステムは巨大でとても重く、頭に装着するには天井から吊さなければならなかったので、古代ローマの文筆家キケロが記した、頭上にぶら下がる剣の逸話になぞらえて「ダモクレスの剣」と名づけられた。没入型でコンピュータ生成だったが、ユーザーの頭の動きを感知して視界を変える能力に限界があって、インタラクションは限られていた。それからの数十年でヘッドセットは小さくなり、価格も安くなっていき、インターフェースとコンピュータ・シミュレーションは洗練されていった。現在では、一般消費者向けのVRヘッドセットが何種類も出ていて、広く使われている。

これまで多くの者がメタバースをつくろうと努力してきた。[2] 最大の成功例は「セカンドライフ」というバーチャル世界で、2008年ごろのピーク時には100万人以上のユーザーがいた。だがセカンドライフは2次元画面の世界で、そのフレームレート（1秒間の動画で見せる静止画の枚数）はVRが求める数字よりもはるかに少なかったために、真のVRに移植することは無理だった。VR内にメタバースをつくる試みも何度かなされているが、これだというものは、まだできないでいる。VRヘッドセットに関して言えば、ほとんどがゲームでの利用にとどまっている。それでも、「ソーシャルVR」として知られる社会的交流のためのVRは進歩しており、複数のメタバースが繁栄するエコシステム（もしくは、バーチャル空間の切りとり方によって、ひとつの巨大メタバースになる）[3]が遠くない未来に登場しても、驚きはしないだろう。

現在のＶＲに関する哲学的問いを提起するのに、わざわざメタバースをもち出す必要はなく、ゲームで使われる単純なＶＲ環境で充分だ。知識の問い（私たちがバーチャル世界にいないことがどうしたらわかるのか？）はつねに生じるわけではない。ＶＲヘッドセットを装着したユーザーの大部分は、自分がＶＲを利用していることをわかっているからだ。だが価値の問い（バーチャル世界でよい生活ができるのか？）と実在の問い（バーチャル世界は錯覚なのか実在なのか？）はここでも変わらずに適切な問いだ。シミュレーション説について私たちが話したことの一部が、通常のＶＲでも当てはまるが、重要な違いもある。

現在のところ、もっとも一般的な見方は、「バーチャルの事物はリアルではない」というものだ。スティーヴンスン自身もメタバース内のストリートはリアルではないと書いている。「この並木道は本当には存在しない。コンピュータが描いた架空の場所の景観だ」

あなたの予想どおり、私はこれに反対する。もしも並木道がバーチャルのものならば、それは本当に存在しているのだ。バーチャル世界にあるリアルな場所だ。コンピュータプロセスを基礎にしていることは、リアルでない理由とはならない。

ＶＲをよく使う人でも通常、「リアルな世界」とリアルではないＶＲ内の領域の区別はつく。だが私が正しければ、この表現はまちがっている。「リアルな世界」と言うのではなく、「物理的世界」あるいは「非バーチャル世界」と言い、「架空（イマジナリー）」の事物ではなく、「バーチャル」の事物と表現するべきなのだ。バーチャルの事物もリアルなものなのだ。

VRとは何か？

VR（バーチャル・リアリティ）はどのように定義するのがいちばんいいのか？　定義というものがやっかいなことを哲学者は知っている。たとえば「椅子」を定義してみよう。あなたがどんな定義を思いついても、そこにはかならず反例がある。椅子を「座ることができるもの」と定義すると、それなら椅子ではないのに、岩や床やベッドもその定義に当てはまるではないか、と異論が出る。「座るために設計された、座面が平らで、背もたれのついているもの」と定義すれば、ラウンジチェアやセダンチェア〔17〜18世紀に使われたふたりでかつぐ椅子かご〕は椅子なのにその定義に当てはまらない、と異論が出る。どれほど定義を練りあげても、すべての反例をつぶすことはまず無理だ。

1953年に出版されたルートヴィヒ・ウィトゲンシュタインの遺稿である『哲学探究』[4]で彼は、「ゲーム」と呼ばれるものすべてに共通する特性はないようで、せいぜいいくつかの共通のテーマを持つ家族的類似があるだけだ、と記した。カリフォルニア大学バークレー校の認知心理学者エレノア・ロッシュは行動実験により、人間の心に関して、ほとんどの概念は定義ではなくプロトタイプ（基本型）を使って表現される、と唱えた。たとえば、椅子は典型的な数種類の椅子に代表されることになる。実際のところ、哲学者の多くは、英語などの自然言語で通常の言葉を完璧に定義することは不可能だと考えている。それでも私たちはVRについて定義を試み、その努力が何をもたらしてくれるのかを見ることはできる。

まず「バーチャル（virtual）」から定義してみよう。この言葉の語源はラテン語の「ヴィルトゥス（virtus）」で、もともとは「男らしさ」の意味で、のちに「力」や「能力」の意味になった。また「virtus」は、英語の「virtue」の語源でもあり、「virtue」は一般的な意味では個人の持つ強みや能力を意味する。中世においては「virtual X」とは「Xの力や能力」という意味で、もっとも重要な意味は「Xの効果」だった。１９０２年の哲学の辞書には、アメリカの哲学者チャールズ・サンダース・パースが次のように定義を記している。[5]「virtual X（Xには普通名詞が入る）とは、Xではないが、Xとしての効果を持つ何かを意味する」

パースの流儀で定義すれば、「バーチャル」は「あたかも○○のようなもの」を意味する。バーチャルのアヒルとは、「あたかもアヒルのようなもの」となる。アヒルのように見えて、アヒルとしての影響力はある程度持っているが、本物ではない。光学効果にもとづくバーチャル事物は、実際にはそこにないのにその事物が存在するように見えることだ。パースの定義では、バーチャル・リアリティとは、あたかもリアリティ（実在）のようなものとなる。実在としての効果をある程度持つが、実在ではないものだ。このようなアプローチを採用すると、VRは多かれ少なかれ錯覚の一種であることになる。

フランスの博学者アントナン・アルトーが、英語の「virtual reality」に相当する「la réalité virtuelle」という造語[6]を演劇を表現する言葉として使ったのは、１９３２年の「錬金術的演劇」というエッセイの中だった。アルトーは「心の中におけるバーチャル」という考えを持っていたようだ。彼は演劇のことを、「架空で錯覚の」錬金術の世界になぞらえた。両者はともに「バーチャルな芸術」であり、「蜃気楼」の要素を持っている。アルトーは次のように記している。

本物の錬金術師はみんな、演劇が蜃気楼であるように錬金術の象徴〔銅が金星を表すなど、膨大なシンボル体系がある〕は蜃気楼であることを知っている。そして錬金術の書物のほとんどすべてに、演劇に関する事柄や原則の暗喩（あんゆ）をたえず見いだせること[7]は、登場人物や事物、映像や、一般に演劇の仮想現実（バーチャル・リアリティ）を構成するすべてのものが展開する世界と、錬金術の象徴が展開する純粋に架空で幻想的な世界とのあいだに存在する、同一性の表現（錬金術師はこれをとても強く意識していた）として理解するべきである。

アルトーは、ＶＲは「あたかも実在のようなものだ」と考えていた、と思われる。それは錯覚や蜃気楼なのだが、それでも大きな効果を持つ代替的世界というものだ。ここにはＶＲという言葉の現在の使われ方との結びつきが見てとれる。演劇と今日のＶＲには重要な類似点がある。ともに代替的世界を没入型で経験し、経験者の多くはそれが幻想であるとわかっていることだ。一方、両者には重要な違いもある。演劇は普通インタラクティブではないが、ＶＲにおけるコンピュータは通常、みずから体験を生みだす役目を担っていないので、インタラクティブであることが必要なのだ。

いろいろなめぐりあわせの結果、ここを出発点としてバーチャルの別の意味が発展してきた。

最近ではバーチャルは「コンピュータベース（コンピュータを基礎とした）」の意味に使われることがもっとも多い。バーチャル図書館はコンピュータベースの図書館で、バーチャル犬はコンピュータベースの犬だ。バーチャル図書館には、元の意味のうち、現実の図書館と同じ効果を多く持つという意味は残っているが、単なる図書館のようなものや偽物の図書館という意味はもはや持っていない。バーチャルXが真のXかどうかは事例によって異なる。バーチャル犬は真の犬だとみなされないが、バーチャルの図書館や計算機は真だと見られるだろう。

この用法に従うと、VRは「コンピュータベースの実在」になる。VRの開拓者であるジャロン・ラニアーは、この意味の「バーチャル・リアリティ」という表現を1980年代に最初に使った人物と記録されている。[8] VRをコンピュータベースと理解すると、VRが真の実在なのかどうかという問題が未解決のままになるが、それは私たちの目的にとっては好都合だ。それでもラニアーたちが理解していたように、VRは単なるコンピュータベースの実在以上の要素を持っている。『パックマン』はコンピュータベースの実在だが、2次元画面でプレイするのでVRではない。『Mr. インクレディブル』などのフルCG映画はコンピュータベースだが、フルスケールのVRではない。なぜなら、VR経験は能動的だが、映画鑑賞という経験は受動的だからだ。

ここからもたらされるのが、私が序章で示した定義だ。VR環境とは、〈没入型で、インタラクティブで、コンピュータ生成〉である。

没入型とは、その環境を自分のまわりにある世界として感じ、その中心に自分がいる経験である。没入の程度はいろいろある。普通のゲームはコンピュータの画面上でプレイするが、それでも心理的に没入は可能だ。一種のフロー状態〔ある活動に完全に没頭し集中できる心理的状態〕になり、すべての注意がそこに集まればいいのだ。しかし、知覚的没入にはならない。なぜなら、その世界を自分のまわりにある3次元の世界として知覚していないからだ。

真のVRは知覚的没入を必要とするが、それにもいくつかの程度がある。現在のVRヘッドセットは視聴覚の没入感を達成している。環境の見た目と音で、自分がまるでその場にいるように感じるのだ。だがまだ全身がその世界の一部と感じられる身体的没入感は獲得していない。

VRの聖杯は完全没入型であることだ。日本の作家の川原礫（れき）が2002年から2008年に出版した『ソードアート・オンライン』シリーズはのちにアニメ化され人気となったが、未来の仮想空間におけるオンラインゲームが舞台となるこの話の中では、「フルダイブ」VRと名づけられていた。完全没入型もしくはフルダイブのVRとは、ユーザーがまるでその環境に肉体があるかのように、すべての感覚でその世界を感じることができ、現実の物質的環境の痕跡はまったく残っていないことだ。

インタラクティブとは、ユーザーと、環境および環境内の事物とのあいだに双方向の相互作用があり、両者は影響を与えあう。フルスケールVRでユーザーはバーチャルの体（アバター）をコントロールして、ほとんどつねに行動の選択をしている。

コンピュータ生成とは、環境がコンピュータをベースとしていることだ。つまり、私たちの感覚器に送られる信号はコンピュータがつくっているのだ。これに対して、演劇や映画やテレビ、

VRの3条件は、没入型、インタラクティブ、コンピュータ生成である

さらには通常の現実はその環境をコンピュータがつくってはいない。シミュレーション説がまちがいならば、現実は没入型でインタラクティブだが、コンピュータ生成ではない。

目下の定義に従うと、VRは3つの条件（知覚的没入型、インタラクティブ、コンピュータ生成）をすべて満たさなければならない。それでも椅子やゲームといった言葉と同じように、ひとつの定義ですべての語用法を網羅することはできない。VRという言葉はときどき、VRヘッドセットで経験するあらゆるレベルの没入型環境に使われることがある。この広い使われ方では、360度映画のような非インタラクティブな環境までもVRになる。また、外科医が手術支援ロボットなどのテレプレゼンス（遠隔臨場性）装置を使って遠隔手術をおこなうこともVRに該当するが、これはコンピュータ生成ではない。ときにインタラクティブでコンピュータ生成だが、没入型ではないバーチャル世界にもVRという言葉が使われる。たとえばセカンドライフがそれで、2次元画面上での経験だ。さらにはZoomでおこなわれる音楽フェスなど、オンライン会議でおこなわれるイベントにもVRという言葉が使われることさえある。これは没入型でなく、コンピュータ生成でもない。

こうした使われ方でVRという言葉はかなり拡張されたと言えるかもしれないが、もともと言語はきっちりと定めることができない柔軟なものだ。だから、コアのVRは「没入型、インタラクティブ、コンピュータ生成を必要とする」と単純に規定したい。基本的に、私がVRと言うときには、このコアVRのことを指す。

次に「バーチャル世界」に関する重要な考えを見ていこう。この言葉を最初に使ったのはアメリカの哲学者のスザンヌ・ランガーで、1953年に出版した『感情と形式』という本の中だった。この本は芸術において多くの形式を持つバーチャル化、たとえば、バーチャルな事物や空間や力や記憶などに注目した先駆的な書だった。論じる中心は視覚芸術で、バーチャル事物のモデルケースは、典型的なものとして、絵画の中に登場するイメージがあげられた。

ランガーが理解した芸術に見られるバーチャル化では、バーチャル世界が没入型である必要はなかった。だから現在この単語が使われるときにも、没入性は必須ではないとするのが適切かもしれない。たしかにゲームの画面に広がる世界を、VRではないにもかかわらずバーチャル世界と呼ぶのは一般的だ。たとえば、ゲームの『ワールド・オブ・ウォークラフト』で舞台となるアゼロスは没入型ではないが、バーチャル世界だ。序章で紹介した『コロッサル・ケーブ・アドベンチャー』などの文字中心のアドベンチャーゲームでさえ、バーチャル世界を持っていると言える。

私はバーチャル世界を「インタラクティブでコンピュータ生成の空間」と定義する。VRが

「没入型」であるのに対し、バーチャル世界は空間として存在するだけでよい。アゼロスやコロッサル・ケーブは非没入型の空間だ。通常のデータベースはインタラクティブでコンピュータ生成だが、空間ではないのでバーチャル世界には当てはまらない。今は「空間」の定義に挑むつもりはないが、私は広義で直感的意味にとらえていて、物理的空間だけでなくバーチャル空間も含むものと考えている。前と同じで、部分的空間（バーチャル世界におけるひと部屋）と、断絶した空間（ふたつの別個のバーチャル空間が存在する）を除外するために、私は定義の条件に、空間は一部ではなく完全であり、かつ相互に接続していることを求める。

いかなる定義であれ、改善点や反例が指摘できるだろう。ユーザーが会話だけで交流する空間のないバーチャル世界はありうるのだろうか（私はバーチャル世界とみなさない）、地理的データベースはバーチャル世界なのか（完全にインタラクティブならば、なりうる）、複雑なソーシャルＶＲやゲーム環境で、ところどころに断絶された空間が存在するが、ユーザーはそれらの空間を行き来できるものはどうだろう。相互接続の程度によってひとつのバーチャル世界か複数のバーチャル世界かを判断するのか（最近の用法はどちらにも使える。柔軟性があることはありがたい）、ひとつの世界の複製を多数つくった場合はどうか（異なる事例とされることも、シェアされたひとつの世界とされることもある）。

本章と次章で私が話すことの多くは、ＶＲとバーチャル世界の両方に当てはまる。

バーチャル・フィクショナリズム（虚構論）

ＶＲはどれほどリアルなのか？　第６章で示したとおり、この問題を理解するために、ＶＲの中にあるもの、すなわち「バーチャルな事物」がどれほどリアルかを考えてみる。

スザンヌ・ランガーは著作の『感情と形式』で、バーチャル世界を紹介したときに、芸術哲学に「バーチャルな事物」という言葉も導入した。ランガーは次のように記している。

> ある「事物」について、それが単に見かけだけからできており、見かけを離れてはそこにまとまりも統一性もない、と私たちが知っていたとする。この場合、こうした事物――虹や影など――を「バーチャルな事物」あるいは「幻影」と呼ぼう。[2] 文字どおりの意味で、絵画は幻影である。私たちは絵の中に人の顔や花や、遠景の海や陸などを見るが、手を伸ばせば絵の具が塗られた表面に触れることを知っているのだ。

ランガーはバーチャル事物を幻影と同じだと定義した。だが、私の目的からすると、もっとニュートラルな定義がよい。つまりバーチャル事物とは、アバターなど「バーチャル世界の中の事物である」と定義したい。同様に、バーチャルな出来事とは、バーチャルのコンサートや戦闘など、「バーチャル世界の中の出来事」とする。

バーチャルの事物と出来事に対しては、実在の問いを投げかけられる。まず「バーチャル事物はリアルなのか?」と問える。私たちがVRの中で出会うアバターや事物は本当に存在するのか、あるいは単なる錯覚なのか? 次に「バーチャルな出来事は本当に発生しているのか?」と問える。私たちがVRの中で経験する戦闘やコンサートなどは本当に発生しているのか、あるいは単なる虚構なのか?

これらの問いに対するもっとも一般的な答えは「ノー」だ。バーチャル事物はリアルではないし、バーチャルな出来事は本当には起きていない。なぜなら、VRはリアルではないからだ。バーチャル事物はハリー・ポッターや『指輪物語』の指輪のように虚構の事物だ。バーチャルな出来事はセガのゲーム『ラストバトル』の戦闘や『スター・ウォーズ』のデス・スターの爆発のように虚構の出来事だ。この「VRは虚構的な存在だ」とする見方を〈バーチャル・フィクショナリズム〉[10]と呼ぼう。

ゲームのバーチャル世界は虚構である、と納得する理由はわかりやすい。『指輪物語』のゲームの舞台は「中つ国」で、それは原作小説の作者であるJ・R・R・トールキンがつくった虚構の世界だ。小説の中つ国は虚構の国で、ゲームの中つ国も同じはずだ。魔法使いのガンダルフも本では虚構の登場人物で、指輪も虚構のものだ。ゲームのガンダルフと指輪も同じだと考えられる。

ゲームが虚構であることは私も同意するが、今は、バーチャル世界のガイドとしてゲームはふさわしくない。なぜなら、こうしたゲームが虚構のものとされる理由は、バーチャルだからではなく、ロールプレイングゲーム(RPG)だからだ。

実写版RPGについて考えてみよう。プレイヤーの一部はホビットのフロドやガンダルフ、ならず者の衣装を着て、プラスチックの指輪をあの指輪に見立てて、映画『ロード・オブ・ザ・リング』の冒険を再現している。フロドやガンダルフは、私たちが役を演じているだけだから、変わらずに虚構の存在だ。私はフロドではないし、あなたはガンダルフではない。指輪も虚構のものだ。つまり、ゲームにおける登場人物や事物の虚構性は、バーチャルであることとは無関係なのだ。

では、ゲームの世界ではないバーチャル世界について考えてみよう。セカンドライフのバーチャル世界を例にしよう。それはゲームに似た目的でプレイすることもできるが、そうである必要はない。セカンドライフの参加者の多くが、その世界を交流とコミュニケーションのために利用している。あなたと私がセカンドライフ内で会話を交わすとしよう。私のアバターとあなたのアバターは同じ部屋にいる。あいさつをして、天気の話から始めて、哲学の話題に移り、それから一緒にコンサートに行く。このどこに虚構があるのだろう。

バーチャル・フィクショナリズムを支持する者は、アバターは現実にはいないし、部屋も存在しない、と言うだろう。アバターも部屋も虚構のもので、コンサートが実施されることもない。私はこの考えはまちがっていると思う。アバターも部屋もコンサートも完璧にリアルなものなのだ。

もちろんそれらは物理的な存在ではないが、リアルであることに物理的であるという条件は必要なのだろうか？　アバターはバーチャルな肉体だが、完璧にリアルなのだ。私たちは本当にバーチャルな部屋にいて、バーチャルな会話を交わした。バーチャルなコンサートにも本当に行った。これらのどこにも虚構はない。バーチャル事物とバーチャルな出来事は物理的な事物ではないが、リアルな存在なのだ。

バーチャル・デジタリズム

バーチャル事物には何が該当するのか？　第6章で言ったように、私はバーチャル・デジタリズムを受けいれている。バーチャル事物はデジタル事物、つまりビットの構造物だ。ここでのビットとは物理的ビット（第8章参照）で、集積回路などの物理的基礎にかかる電圧を形にしたものだ。バーチャル世界の基礎にあるコンピュータシステムの中にバーチャル事物は存在する。

バーチャル・デジタリズムの正しさを語るためには、弱い主張から始めてみよう。私たちが遭遇するすべてのバーチャル事物には、対応するデジタル事物がある。バーチャル世界であなたがアバターに出会ったら、コンピュータシステムの中にそのアバターに対応するデジタル事物があるのだ。通常、デジタル事物はコンピュータ内のデータ構造であり、アバターの各種特性（大きさ、形、場所、服装など）をコード化したものだ。セカンドライフのサーバーは全アバターに関するデータを構造化して集めていて、バーチャル世界にあるすべての建物やツールなどのデータも同様だ。それぞれのデータ構造はつきつめればビット構造なのだ。

物事が乱雑になるのは世の常で、バーチャル事物の一部は、多重のデータ構造に対応している。

たとえばバーチャルの都市は、多くの建物の多くのデータ構造を持っている。バーチャルな体のデータ構造は、腕や足などのより細かいデータ構造を持っている。そしてそこには、バーチャルの都市や体に対応するデジタル事物（ビット構造）があるのだ。

では、「バーチャル事物はデジタル事物に対応している」というバーチャル・デジタリズムの主張を強いものにしてみよう。第一近似として、「バーチャル事物はコンピュータ内のビット構造である」と言える。

これを少し洗練させてみよう。立体の像とそれを構成する原子の構造はまったく同じではない。原子は動きまわれるが、像はそのままだ。像は壊せるが、原子は壊せない。像が像であるのは、人間がそう解釈するからだが、原子は人間の解釈と関係ない。同じように、バーチャルの像とビットの構造とは決して完全に同一ではない。ビットは変化するが、像はそのままだ。像は壊せるが、ビットはそのままだ。バーチャルの像は人間がそう解釈するから像であるが、ビットは人間の解釈と関係ない。

こう考えると、デジタル事物とビット構造はまったく同じであるというわけではない、と言える。むしろ、物体と原子が対応するように、デジタル事物とビットは対応する、と言うべきだ。物体は原子でできている。ただし、それは原子の集まりに還元しつくせるとは言いきれない[11]。同様に、デジタル事物はビットの集合体だとは言いきれないが、ビットでできている。

事物が何であるかを決めるときに、人間の心が役割を果たす場合もある。テーブルがテーブルとされる根拠は何か？　ひとつは人間がそれをテーブルとして使うからだ。像が像たるゆえんは、人間がつくり、それを像とみなすからだ。お金は人間がそれをお金として扱うからお金なのだ。バーチャルのテーブルや像やお金についても同じことが言える。像のような物体は原子でできていて、おそらく人間の心がかかわっている。同じようにバーチャルの像などのデジタル事物はビットでできていて、人間の心がかかわっている。

バーチャル・デジタリズムは、今説明した広い意味でバーチャル事物はデジタル事物だと唱える。最大のライバルはバーチャル・フィクショナリズムだ。この立場は、すべてのバーチャル事物に対応するデジタル事物があることを認めたとしても、両者は同一ではないと考える。デジタル事物はリアルだが、バーチャル事物は虚構だと言う。

私たちがバーチャル・デジタリズムを支持するべき理由は何だろうか？[12]

理由のひとつは次のものだ。第9章で私はシミュレーション説はビットからイット説（私たちが知覚し相互作用するすべての事物はデジタル事物であると唱える）の一バージョンだと言った。一生続くシミュレーションの中にある事物にとってこれが正しければ、もっと短命のバーチャル世界にある事物についても正しいと言えるだろう。それならば、私たちが普通のバーチャル世界で知覚し相互作用する事物はデジタル事物なのだ。

もうひとつの理由は、バーチャル事物の持つ因果的力に由来する。見たところ、デジタル事物は互いに影響を与えあっている。バーチャルの野球バットはバーチャルのボールを打つことができる。アバターはバーチャルのお宝を掘り出すことができる。バーチャル事物はユーザーである私たちにも影響を及ぼすことができる。私がバーチャルの銃を見たとき、その銃は私から「戦うか逃げるか反応」を引き出すかもしれない。哲学者のフィリップ・ブレイは2003年の論文「バーチャル環境の社会存在論」で次のように書いている。[13]「バーチャル事物は単なる虚構の事物ではない。なぜならそれらはしばしば、豊かな知覚的特徴を持っているし、それよりも重要なのはインタラクティブであるからだ」

デジタル事物は因果的力を持つが、この力をバーチャル事物も持っていると思われる。バーチャルのバットがバーチャルのボールを打ったとき、バットに関係するデータ構造は、ボールに関係するデータ構造に影響を与える。それはコンピュータ内部のプロセスで、ひとつのデータ構造から別のデータ構造にまっすぐ進む。もしもバーチャルのバットが別の位置にあれば、ボールは別の方向に飛ぶことになる。

同じように、私がバーチャルの剣を見るときに、その剣にかかわるデータ構造からVRヘッドセットのスクリーン、そして私の目と脳にまで因果的経路が通っている。もしもバーチャルの剣がより長く、より鋭ければ、データ構造は違い、その結果として、剣は私により長く、より鋭く見えるのだ。

これをバーチャル・デジタリズムの論証に転換できる。

前提

1．バーチャル事物は一定の因果的力（ほかのバーチャル事物やユーザーなどに影響を与える）を持つ。
2．因果的力を実際に有しているのはデジタル事物である（そして、ほかのものはそれを有さない）。

結論

3．ゆえに、バーチャル事物はデジタル事物である。

これは決して異論を圧倒するほどのノックダウン論証ではない。バーチャル・フィクショナリズムを支持する者は前提1を否定するだろう。バーチャルのバットはバーチャルのボールにしか影響を与えられなさそうだ、と。それでもデジタル事物が因果的力を持つ確固たるケースはあり、それはデジタル事物とバーチャル事物が同じであるという主張を強く後押しする。

この論証がもっとも当てはまるのは、インタラクティブでコンピュータ生成のVRだ。インタラクティブでバーチャルな野球ゲームでは、バーチャルのバットはバーチャルのボール（別のデータ構造）のうちに差異をつくり出す。対照的に、通常のデジタル映画ならば、フレーム（コマ）ごとにコード化されたビット（データ構造）はバーチャルのフレーム同士は影響を与えあわない。没入型のデジタル映画も同じだ。観客の経験には影響を与えるが、フなバーチャル世界に入ったときにだけ、完全なる因果的力を持つバーチャル事物に会い、私たちはその因果的力をそのバーチャル事物が持つものだと考えるのだ。

インタラクティブなバーチャル世界でさえも、因果的力は事物によって強弱がある。第一に、装飾的なバーチャル事物がある。それらはほかの事物との相互作用はない。たとえば象の置物がそうで、ほかの事物はそのそばを通りすぎるだけだ。また、遠くに見える山には決してたどり着けない。ただユーザーの知覚に影響を与え、バーチャルの象や山を見るという経験をさせるというだけの因果的力を持つ。これだけでもバーチャル事物はリアルである条件を満たしている。少なくとも、心からの独立という条件を除外して、リアリティと因果的力を結びつける場合には、条件を満たすことになる（その立場はリンゴの赤色に似ているだろう。赤色は知覚に影響を与えるが、それ以上の力はほとんどない）。だがもしも、程度の問題としてとらえるのならば、装飾的なバーチャル事物はインタラクティブなそれよりもリアルではない。

第二に、硬いバーチャル事物がある。硬いのでほかの事物は突き抜けることができない。VR中の壁がそういう硬さを持っていて、動かすこともできないし、インタラクティブな力も有していない。リアルであることの要素として「硬さ」に重きを置くならば、硬い事物は装飾的事物よりもリアルの程度は高くなる。

第三に、動かせるバーチャル事物がある。持ち運びができて、いろいろな方向に向けられる。形を変えられるものもあるだろう。ほかのものと相互作用をすることも可能だ。可動性のある硬いものが何かとぶつかったときには何かが変わる。バーチャルの車2台が衝突したときに、何らかの変化が起きるだろう。通常、可動性のあるバーチャル事物は物理演算エンジンによって動かされていて、バーチャル事物の動きや相互作用はそのエンジンが決める。物理演算エンジンがすぐれていれば、可動性のあるバーチャル事物は、現実の物体が有する因果的力とそっくりなものを持てるかもしれない。

第四に、特別な因果的力を持っているために、ほかと区別される特別なバーチャル事物がある。ほかよりも複雑な力があるので、専用の物理演算エンジンが割りあてられることが多い。バーチャルの銃はバーチャルの弾丸を発射する能力を持つ。リズムゲームの『Beat Saber（ビート セイバー）』では、バーチャルの剣は飛んでくるバーチャルの立方体を破壊する力を持つ。バーチャルの宝物には発掘される能力があり、バーチャルの鍵は特定のドアを開ける力がある。バーチャルのモンスターは人をつかんで地面にたたきつける力を持つ。私たちは受動的な事物と能動的で特別な事物を見分けることができる。銃や宝物は受動的で、その因果的力が発揮されるにはだれかや何かがきっかけになる必要がある。一方、ロボットやモンスターやほかのノンプレイヤー・キャラクターは能動的で、その因果的力は自動的に使われ、ほかからのきっかけは不要だ。

第五に、ユーザーがコントロールして動かせるバーチャル事物がある。そのような事物の中心はアバターだ。その因果的力の由来するところはバーチャル世界ではなくユーザーの行動だ。ユーザーがコントロールできるという点では、動かせるバーチャル事物は、受動的で可動性のあるバーチャル事物に似ている。だがアバターはコントロールがきわめて直接的だ。アバターの中には、現実世界の人間の体が持つ因果的力を反映した因果的力を持つものもいる。

この分類は完全ではない。複数のカテゴリーに分類できるバーチャル事物も多いだろう。だから、バーチャル事物を分類する代わりに、因果的力を分類してもよい。因果的力とは、知覚させる力であり、貫通することを許さない力、物理法則によって支配されるようにする力、特別な方法でほかの事物と相互作用する力、ユーザーによって操縦される力などである。以上の議論によって、ひとつのバーチャル事物が多くの因果的力を持っていることが明確になる。

バーチャルの子ネコは本物なのか？

バーチャル世界の事物はリアルである、という私の考えには次のような反論がある。『ワールド・オブ・ウォークラフト（WoW）』のバーチャル世界にはドラゴンがいる。しかし、現実世界にドラゴンが存在しないことは確実だ。それならば、『WoW』のドラゴンはリアルではないだろう。

私の答えはこうだ。『WoW』のドラゴンは物理的なものではなく、バーチャルのドラゴンだ。それはデジタル事物で、コンピュータの中に存在するリアルな事物である。

また別の反論もある。バーチャルな椅子はリアルな椅子ではないし、バーチャルな車もそうだ。完全にリアルな存在ではないのだ。

私は同意する。バーチャルな椅子も車も本物ではない。私たちは「椅子」という言葉を物質の椅子に対して使うし、私たちがシミュレーションの中にいるのでないかぎり、バーチャルな椅子は物質の椅子とはまったく違う。それでもバーチャルな椅子は、事物としては完全にリアルだと言ってよい。

類推してみよう。リアリティの点では、バーチャルな子ネコはロボットの子ネコに似ている。現在、犬やネコなどのロボットペットをつくる小規模な産業があるが、あなたがそのひとつである「Zoomer Kitty（ズーマーキティ）」を買ったとする。じゃれたり、ゴロゴロ鳴いたり、体をすりつけてきたりするそのロボット子ネコはリアルなものだろうか？　確実にリアルな事物だと言

左から、生物学的子ネコ、ロボットの子ネコ、バーチャルの子ネコ

える。実際に存在し、因果的力を持ち、私たちの心とは独立している。それでもひとつ足りないことがある。リアルな（本物の）生物学的ネコではないことだ。

それでは未来において、実物そっくりの毛に覆われ、先進のAIテクノロジーでプログラムされ、実物そっくりの行動をするロボット子ネコが開発されれば、それはリアルなのだろうか？　食べる、繁殖する、死ぬことまでできる。それでもリアルな子ネコではない。現在のところ、ネコはDNAを基礎とした生物システムであると理解されていて、ロボットはそれに当てはまらないからだ。これはロボット子ネコへの侮辱ではない。多くの点でロボットのほうが生き物の子ネコよりもすぐれた点がある。両者はロボットか生き物かという違いがあるだけで、それ以上ではない。

バーチャルな子ネコにも同じことが言える。それは半導体技術によりリアルなものとなったデジタルの実体であり、現在の分類では、バーチャルな子ネコは生き物の子ネコではない。それでも完全にリアルな存在だ。ロボット子ネコと同じで、バーチャルな子ネコには生き物の子ネコと同じか、すぐれた点があるだろう。両者はバーチャルか生き物かという違いがあるだけで、それ以上ではないのだ。

ここにはいくつか例外もある。すでに記したが、バーチャルな図書館は本物の図書館で、バーチャルな計算機も本物の計算機だ。バーチャルな交友関係もクラブも本物だ。Xというカテゴリー（そしておそらく、Xという言葉）について、バーチャルXが本物のXであるときは、「バーチャル内含」、その他は「バーチャル除外」と呼ぶことができるだろう。[14]

「バーチャル内含」に属する図書館や計算機やクラブと、「バーチャル除外」に入るであろう車や子ネコや椅子とのあいだには、どんな違いがあるのだろうか？　関係がありそうなのは、後者が「基体依存（基体独立でない）」であることだ（第5章で触れた）。そのものを構成している材料がバーチャル世界では再現しにくいのだ。それに対して、図書館や計算機やクラブは「基体に中立」である。クラブや交友関係は社交だし、図書館や計算機は情報だ。重要なのは情報や人がどのように結びついているかであって、何でできているかではない。バーチャル世界はその結びつきを再現できる（少なくとも、かかわる人が本物の人だと推測できる程度には）。だからこれらの場合は、バーチャルXは本物のXとなる。そこで第一近似としては、Xが何でできているかよりも、ものや人の相互接続が重要なときには、Xはバーチャル内含である、と考えられる。

内含の場合、言葉の使い方が鍵となる。かつて「結婚」という言葉はLGBTを除外する形で使われていた（同性婚は結婚とみなされなかった）が、現在はLGBTを内含する形で使われている。同様に「男性」「女性」という言葉もトランスジェンダーを内含するほうへ、すなわち、トランス男性は男性として、トランス女性は女性として認められる方向へ進んでいる。VRに関する未来において、車はバーチャル除外から内含のほうへ進み、バーチャルの車もリアルな車としてみなされることが起こりえないとは言えない。もっと重要なのは、「人間」という言葉も変わっていき、バーチャルの人間（純正シム）を人間として認める日が来るかもしれない。哲学ではこのプロセスを「概念変化」もしくは「概念工学」[15]と呼ぶ。第20章で、言語に関するこの問題に戻ってこよう。

それではバーチャルな事物は、第6章で紹介した〈リアリティ・チェックリスト〉にどれだけ当てはまるだろうか？　存在：コンピュータ内部のデジタル事物としてたしかに存在している。因果的力：すでに見てきたとおり、ほかのデジタル事物やユーザーに影響を与える因果的力を持っている。心からの独立：私たちの心から独立して存在している。私がヘッドセットをはずして、ほかのことをしても、そのバーチャル世界は存続している。非錯覚：この問題は少し複雑だが、次の章では、少なくとも、熟練ユーザーにとってVRはかならずしも錯覚を含まないことを話そう。

最後の基準は「それは本物のXか？」だ。バーチャル事物であるXが、本物のXでない事例はよくある。少なくとも現在の言葉の用法では、バーチャルのドラゴンや車は本物ではないとされている。こうして見てくると、バーチャル事物はリアリティ・チェックリストの4つか5つを満たしているようだ。

もしも私たちがシミュレーションの中にいるならば、そこの事物はリアリティ・チェックリストに掲げる5つの基準全部を満たしている、と前に話した。通常のVRにおける事物はそれと同じではない。私たちがシミュレーションの中にいるならば、シミュレートされた車はリアルな車だ。なぜならその世界で本物の車は、すべてシミュレートされた車だからだ。しかし私たちがシミュレーションの外にいるならば、本物の車とはバーチャルのものではない。通常のＶＲにおけるバーチャルの車は本物の車と比べて、どこか新しく、異なるところがある。そのため私のバーチャル・リアリズムはシミュレーション・リアリズムよりも少し弱い。バーチャルの車や子ネコなど多くの通常の事物は80パーセントがリアルで（リアリティ・チェックリストの5つの基準を4つ満たしているから）、バーチャルの計算機などそれ以外は１００パーセントがリアルだと考えられる。もしも私たちが一生シミュレーションの中にいるのならば、シミュレートされた車や子ネコや計算機は１００パーセントがリアルだ。

ＶＲは物理的実在と同じではないものの（その物理的実在がシミュレーションの中にあるのでないかぎり）、どちらも真の実在性を持っている、という結論はこれまでの議論で強化できただろう。バーチャルの子ネコは生き物の子ネコと同じではないが、リアルなのだ。存在し、因果的力を持ち、私たちの心から独立していて、錯覚である必要もない。バーチャルの未来においては、バーチャルの子ネコと生き物の子ネコをともに真の子ネコだと認識する日が来るかもしれない。

第11章 VR機器は錯覚を生む機械なのか？

人々がVRについて話をするとき、錯覚の話はつねにつきまとう。前章で見たとおり、アントナン・アルトーは、演劇は錯覚であり蜃気楼で「la réalité virtuelle（英語のvirtual reality）」だと言った。同様にスザンヌ・ランガーは、1953年に出版した『感情と形式』の中で、バーチャルな事物は「幻影」だとし、「見かけを離れては……まとまりも統一性もない」と書いた。

アルトーとランガーは芸術におけるバーチャル性について話していたが、VRと錯覚のつながりは、コンピュータベースのVRの議論でもつきまとってくる。VRの先駆者であるジャロン・ラニアーは2017年に出版した回顧録『万物創生をはじめよう――私的VR事始』の冒頭で次のように書いた。[1]「VRはわれわれの時代における科学的、哲学的、技術的フロンティアだ。包括的な錯覚をつくり出す手段である。それによりあなたは現実とは違う場所にいる。そこは空想的で見知らぬ環境かもしれない。あなたの体もヒトではないかもしれない」（傍点引用者）

このテーマはSFでよく見られる。アーサー・C・クラークの1956年の小説『都市と星』[2]

は、コンピュータがシミュレートするVRについて最初に活字になったもののひとつだ。

だが、両者にはひとつの根本的な違いがあった。シャルミレインの大きなくぼみは現実に存在するが、この円形劇場はそうではない。これまで存在したことはなく、単なる幻影だ。呼び起こされるまで中央コンピュータの中で眠っている電荷のパターンなのだ。アルヴィンは、現実の自分は自室にいることを知っていた。まわりにいる無数の人々も同じように各自の家にいるのだ。アルヴィンがこの場所を動かないかぎり、幻影は完璧だった。

後年、この錯覚の概念を中心にしてVRの科学的研究がおこなわれてきた。心理学者のメル・スレイターはVRが人間の心にどのように作用するかを調べるという影響力の大きい研究をしている。[3] 彼はVRによって引き起こされる「その場所にいる」という感覚を「プレゼンス」と呼び、それを場所の錯覚ともっともらしさの錯覚のふたつに分解し、次のように定義した。

場所の錯覚：自分がそこにいないことはよくわかっているのに、そこにいると感じる強い錯覚

もっともらしさの錯覚[4]：見かけ上発生していることが、実際は起きていないとわかっているのに、発生していると感じること

私がVRゲームの『*Beat Saber*（ビート　セイバー）』をプレイしているときに、〈場所の錯覚〉は、自分が細い空間でライトセイバーを振っているという錯覚だ（実際にはわが家でヘッドセットをつけていることはわかっている）。〈もっともらしさの錯覚〉は、立方体がかなりの速度で自分に向かって飛んでくるという錯覚だ（現実にそれが起きていないことはわかっている）。

ここに第3の錯覚が加えられることもある。〈身体化の錯覚〉あるいは〈身体所有感の錯覚〉[5]と呼ばれるもので、バーチャルの体やアバターを自分の体だと感じる錯覚だ。まるで自分がアバターの中に入りこんでいるように感じる。実際の体に近い感覚でその体の持ち主になったように感じる。『ビートセイバー』の中で私は立方体を切るアバターに身体化しているように感じるのだ。

スザンヌ・ランガーは、これと近い関係にある第4の錯覚を唱えている。〈力の錯覚〉と呼べるものだ。舞踊について彼女は次のように書いている。「舞踊の主たる錯覚は力の仮想領域である。それは現実で物理的に発揮される力ではなく、仮想のジェスチャーによって生みだされる見た目の影響や作用なのだ」。ランガーの主張は『ビートセイバー』のようなバーチャルのダンスの世界にも当てはまるはずだ。そこは仮想のジェスチャーに多くを頼っているし、立方体を実際に切っているという感覚など力の錯覚もあるからだ。

VRに関するコンセンサスのある意見は次のように要約することができる。VR装置は錯覚発生機械だ。プレイヤーのいる場所、していること、そこで起きていることに関して錯覚を発生させる。自分が何者かについて、少なくとも自分の体についてプレイヤーに錯覚を抱かせる、など。

『ビートセイバー』をプレイするスザンヌ・ランガー。これは錯覚?

錯覚発生機械という見方を支持する権威ある人々のリストは壮観だが、私は根本的にはまちがいだと思う。VRが錯覚を発生させることは正しいが、それは不可欠なことではなく、多くのユーザーも錯覚を必要としていない。ユーザーが知覚する場所や妥当性、力、身体化が錯覚である必要はない。知覚がバーチャル世界の正しいガイドになることもよくある。多くの場合で、ユーザーは自分たちが現実ではなくバーチャルの場所にいる感覚を持っていて、実際にバーチャルの場所にいる。物事が起きるのは現実ではなくバーチャル世界だという感覚を持っていて、実際にバーチャル世界で物事は起きている。ユーザーには自分がバーチャルの体をしている感覚があり、実際にバーチャルの体を持っているのだ。バーチャルの行動をしている感覚があり、実際にそのとおりなのだ。そこに錯覚は必要ない。

VRには、場所に関する内臓（はら）でわかる感覚や妥当性や身体化の要素があると言った点でスレイターは正しい。ただ、それらが錯覚である、とした点に異議を唱えたい。錯覚の場合もあるが、多くの場合で、錯覚ではないリアルなVRの知覚がともなうのだ。

もしも私が正しければ、ＶＲ装置は錯覚ではなく、実在を発生させる機械なのだ。

ＶＲは幻覚なのか?

ＳＦ作家のウィリアム・ギブスンは１９８４年にサイバーパンク小説の『ニューロマンサー』を発表した。そこでギブスンは「サイバースペース」という造語を登場させた。それは「合意にもとづく幻覚で毎日、数十億人の正規のオペレーターが経験している」ものだった。のちにサイバースペース（電脳空間）はインターネット空間に似た意味を持つようになるが、ギブスンによる初期の用法ではＶＲ空間に近い。集団的ＶＲは合意にもとづく幻覚だ、とギブスンは言っている。

では、幻覚とは何で、錯覚とどう違うのか？　哲学者はときどき次のように区別する。錯覚では、あなたはリアルな事物を知覚するが、その事物は見たとおりのものではない。つまり、あなたはまちがって知覚しているのだ。錯覚の一例は、まっすぐな棒の一部を水の中に入れると曲がって見えることだ。つまり、あなたは本物の棒を見ているが、それが曲がって見える。しかし、実際にはまっすぐだ。

一方、幻覚では、あなたはリアルな事物を知覚していない。幻覚の一例は、あなたが酔っ払ってピンクの象を見ることだ。あなたがピンクの象とまちがえた元となる現実の事物は存在していない。あなたの脳がピンクの象をつくり出したのだ。

哲学者による錯覚と幻覚の区別は役に立つ。ここでVRについてふたつの問いを投げかけることができる。ひとつは「VRは幻覚なのか？」だ。つまり、VRの中で私たちが知覚した事物は本当に存在するのか？　もうひとつは、「VRは錯覚なのか？」[6]。つまり、VRの中で私たちは事物についてまちがった知覚をするのだろうか？

第4章で紹介したイギリスの哲学者ジョナサン・ハリソンは、VRは幻覚だと見ているようだ。彼が書いた「ある哲学者の悪夢」という話で、主人公のスマイソン博士が発明した装置を「電気幻覚発生器」と呼び、幻覚を起こす装置の一種と位置づけていた。ハリソンは「幻覚」という言葉を、哲学者の言う意味で使っていたのだ。統合失調症や酩酊（めいてい）のときには、脳の回路が混線して、頭の中で事物をつくり出すことがあるが、ハリソンはVRをその意味にはとらえていなかった。彼が考える幻覚はほとんどが外部装置によってつくられたものだった。その装置は幻覚を見せる。ピンクの象や蜃気楼と同じで、実在しない事物を見ることになる。

バーチャル事物の存在を否定する人にとってこれは自然な見方だ。彼らにとってVRは全面的な幻覚なのだ。そこで数百のバーチャル事物を見ても、どれも本当には存在していない。ピンクの象や蜃気楼のように、心と世界との複雑な相互作用によって生みだされているのだ。

あなたはもう驚かないだろうが、私はこの見方に反対する。バーチャル事物はコンピュータ内部にあるデジタル事物として本当に存在するのだ。私たちがバーチャル事物を見るとき、それはコンピュータ内部の活動パターンを見ている。『パックマン』で遊んでいるとき、パックマン自体は一種のデータ構造であり、私はそれを見ている。私が見ているのは、パックマンの幻覚ではなく、リアルなデジタル事物なのだ。

ここでマトリックスのシナリオを考えてみよう。私たちはつねにバーチャル世界の中にいる。この場合、そこにあるテーブルや木はリアルなもので、ビットでできたデジタル事物だ、と私は主張する。見ている私たちには、本当にデジタル事物なのかわからないところもあるが、私たちはそれを見ている。次にヘッドセットを装着した通常のVRについて考えてみる。この場合、私たちは日常生活でデジタル事物を見ることはあまりない。しかし、ヘッドセットをつけると、マトリックスの世界にいるキャラクターに似た状況になる。私たちが見ている世界はデジタル事物で満たされた場所なのだ。マトリックスの世界において、「私たちはデジタル事物を見ているのだ」と言えるのであれば、VRの中においても「私たちはデジタル事物を見ているのだ」と言うことは自然である。

自説を展開するために私は、哲学者が〈知覚の因果説〉と呼ぶものを召喚してもいい。その説によると、私たちが見る事物はつねに、私たちが事物を見るという経験の原因となる事物なのだ。私が木を見るとき、その木が私の経験の原因である。木が因果関係の長い連鎖を始動させ、光子が私の目、視神経を通り私の木を見るという経験に至らせる。錯覚中でも、私が水につかった棒が曲がっているのを見ると、その棒が私の経験の原因となる。光の屈折で私の経験は正確なものではなくなったが、それでも私がその棒を見ていることに変わりはない。

では、バーチャル事物を経験するときには、何が経験の原因になるのだろうか?　答えは明快で、デジタル事物だ。コンピュータ内のデータ構造が長い因果関係の連鎖を始動させ、コンピュータ、画面、大気、私の目などを経由して、私にバーチャルの木を見る経験をさせる。だがこれは、私が見ているものがデジタル事物であるという証明にはならない。結局、私の経験の原因は複数あって、幻覚さえもそのひとつかもしれない。それでもデジタル事物が中心となって私に経験をもたらしていることは、私がデジタル事物を見ていることの裏付けとなる。

これに対しては、私の経験の真の原因は、コンピュータ画面かヘッドセット内のスクリーンではないか、という反論があるだろう。だがコンピュータ画面はテレビと同じで中間端末にすぎない。私がテレビでバラク・オバマを見たならば、それは本当にバラク・オバマを見ているのだ。テレビは中間端末で、私がオバマを見るのを手伝うだけだ。あなたがテレビを見るときに、その経験の原因がテレビであることは真実だ。だがテレビを見ているときにオバマを見たという経験の根本的な原因はオバマにある。コンピュータゲームも同じだ。コンピュータの画面でパックマンを見るとき、私は本当にパックマンを見ているのだ。画面はそれを可能にする存在にすぎない。

VRヘッドセットの場合、スクリーンは見えないので話はより明確になる。3次元空間でアバターや建物など幅広いバーチャル事物を見ることができる。現実に一部のヘッドセットはスクリーンをなくして、光子を直接ユーザーの目の網膜に映すものがある。その場合、スクリーンがないので、自分がデジタル事物を見ているという思いはさらに強くなるはずだ。

〈VR経験は幻覚ではない〉というのが私の結論だ。VRを使っているときに、あなたが知覚するバーチャル事物は本当に存在している。コンピュータ内の具体的なデータ構造なのだ。

VRと物理的実在における色と空間

バーチャル事物は本当に存在し、私たちはデジタル事物を見ていることを納得できても、さらに大きな問題が待っている。VRは錯覚なのか？　つまり、VRを使うときに私たちの見ているバーチャル事物は本当に見た目どおりのものなのだろうか？

VRは錯覚だと言うのは自然なことだ。VRの中では目の前にバーチャルの建物があるが、実際には何もないのだから。バーチャルの建物があるとすれば、それは目の前ではなく、コンピュータの中だ。また、巨大に見えるバーチャルの建物も、対応するデジタル事物はとても小さい。水につかったまっすぐな棒が曲がって見えるように、錯覚ではないのだろうか？

色と形に関する経験でも同じことが言える。たとえばバーチャルの海にいる1匹のバーチャルの魚が紫色に見えたとしよう。物質界において、まったく同じ色の魚はいないかもしれない。同様に、バーチャルの魚とまったく同じ形状の魚は物質界にはいないかもしれない。バーチャルの魚が物質界には存在しない色や形状をしていることは、VRが錯覚であることの証拠になるのだろうか？

これらの問いに対する答えは「それは込み入った問題です」だ。理解しやすくするために、まずはVR内で色と空間がどのように作用しているのかを見ていこう。

色から始めよう。バーチャルの魚が緑色に見えるのはどういうことだろうか？　その魚はデジタルの魚で、物理的な緑色でないことは確かだ。コンピュータ内部を見て、魚に対応するプロセスを特定できたとして、それらは色がないか、まったく別の色だろう。しかしながら、魚はバーチャル上で緑色をしている。それは物理的な色ではなく、バーチャルな色だ。バーチャルな色はＶＲ内で問題になる色だ。

形とサイズについても同じことが言える。[7] バーチャルのゴルフボールが丸く見えて、直径１・５インチ（約３・８センチ）だとしよう。丸い形も直径も物理的なものではないことは確かだ。コンピュータ内のデジタル事物には、物理的な形や大きさをしたボールはない。それでもバーチャルなボールは丸く、直径１・５インチに見える。バーチャルな形と大きさはＶＲ内で問題となるものだ。

では、バーチャルの色と大きさはいったい何なのか？　これは魅力的だがやっかいな質問で、第23章でくわしく検討する。ここで言えるのは、あるバーチャル事物が私たちに赤く見えたら、その事物はバーチャル的に赤い、ということだ。少なくとも、普通の人間の観察者が、ヘッドセットを装着するなど通常のＶＲの条件下においてはそうだと言える。

物理的な色に関する一般的な見方も同じだ。リンゴが赤いというのはどういう意味だろうか？　リンゴが赤いのは、通常の観察者が通常の条件下で、つまり視力に異常がなく、昼の太陽光のもとなどの条件で、それが赤く見えるから赤いのだ。つまり、物理的な赤い色は普通その色に見えることに由来するのだ。同様にバーチャルな赤色もＶＲの中で普通その色に見えることに由来する。バーチャルな形や大きさ、場所なども同様だ。この単純な見方に問題点を見つけるのは簡単なので、のちほどくわしく見てみよう。現在はこの説明で話を続けたい。

この見方によれば、バーチャル事物は、物体が物理的空間に広がるように、バーチャル空間に広がっている。1マイル先にバーチャルの建物が見えるとき、その建物は物理的にではなく、バーチャル上で1マイル先にあるのだ。同様に高さや角度、赤色も物理的なものではなく、バーチャル上のものだ。

これで錯覚の問題が解決されるわけではないが、状況を明確にしてくれる。物理的空間とバーチャル空間とを区別できれば、問題を次のように定義することができる。「バーチャルの建物は物理的な赤色に見え、物理的に1マイル離れているように見える。だが本当は物理的に赤くもないし、1マイル離れているわけでもない。物理的には色はないし、すぐ近くにある。たとえそれがバーチャル上で赤く、1マイル離れているとしても、それで錯覚を排除できるわけではない。バーチャルな建物が見た目とは違うことが、その建物を錯覚にするのだ」

これが100パーセント正しいとは思わない。私の言いたいことを説明するための最良の方法は、少し脇道にそれて、鏡について考えることだ。

鏡の像は錯覚なのか？[8]

あなたは寝室の鏡を見ているとしよう。このとき、あなたは錯覚を経験しているのだろうか？鏡は錯覚を起こすという見方によると、鏡を見ているあなたは〈事物が鏡の向こう側にあるように見えるという錯覚〉に陥っているという。つまり、あなたが見ている事物はいつでも、鏡の表面から奥のどこかにあるように見える、というのだ。あなたが鏡から3フィート（約90センチ）離れていたら、その鏡に映るあなたは実際のあなたから6フィート（約180センチ）離れた場所にいるように見える。もちろん、そこに体はないので、あなたは錯覚を経験しているのだ。

鏡は錯覚を起こさないという説は、〈事物が鏡の向こう側にあるように見えるという錯覚〉はないと考える。現実のあなたの右側にあるものは、鏡の中でもあなたの右側にある。鏡に映るあなたは現実と同じ場所にいるように見える。鏡に映る友人とあなたの位置関係は現実と同じだ。このようにあなたが鏡を見るとき、ほとんど現実と同じ経験をするのだ。

どちらが正しいのか？　実際に鏡の前に立って、錯覚を経験しているのかどうか調べてみるのもよい。

私の見解は、通常の経験ではほとんどの場合で錯覚は起こらないが、錯覚説が正しい場合もある、というものだ。たとえば、こんな経験をした人は多いだろう。あるレストランに入るとしよう。最初はすごく広いレストランだと思ったが、鏡を見ていることに気づかなかったのだ。鏡に映る店内を見て、広いと感じたのだ。このときにあなたは〈鏡の向こうの錯覚〉を経験している。鏡だと気づいたときに、店は折りたたまって小さな空間になる。このときに広い部屋の錯覚は消えるのだ。

次に非錯覚説が正しい場合を見ていこう。車を運転しているときにバックミラーを見る。そこに車が映っていたら、実際にあなたの車の後ろをその車が走っているのだ。バックミラーに映る車が前を走っているように見えるだろうか？　錯覚説は見えると言う。どういうわけか一定の距離を保ったまま、あなたのほうに向かってきているように見えるのだと。これはバックミラーの認識がまちがっているのだ。運転をする者ならだれでも、バックミラーには後方にあるものが映ることはわかっている。鏡の錯覚があるとすれば、鏡に映った事物は実際よりも近くに見えることだ。たとえば映画『ジュラシック・パーク』で追いかけてくるティラノサウルスがサイドミラーで大きく見えるので、危機感をあおられる。しかし、運転をしている者はサイドミラーに映った事物が実際にすぐ後ろにいると思ってあせることはない。むしろ、事物はずっと変わらずにまあまあ後ろを走っていると感じられる。

錯覚説の支持者は、視覚レベルではバックミラーに映った車はあなたの前を走っているように見えるのだが、後ろを走っていると頭で補正しているのだ、と言うかもしれない。多くの錯覚と同じで、あなたは見えるものを額面どおりに受けとるべきでないという判断を積んできている。水につかった棒が曲がって見えても、棒はまっすぐだと頭で補正する。しかし、私の経験では、バックミラーの事例は水につかった棒のそれとは違う。なぜならバックミラーに映った車は後ろにいるように見えるからだ。

では、レストランの鏡とバックミラーでは何が違うのだろうか? これを一般的にすると、鏡の向こう側の錯覚が起きる場合と起きない場合にはどのような違いがあるのか? 明白な違いは、バックミラーの場合にはそこに鏡があることを知っているが、レストランの場合は鏡に気づいていないことだ。後者では鏡に気づいた瞬間に見え方は変わる。ときに心理学者はこれを「知覚における認知的侵入[9]」と呼ぶ。人の知識や信念などが知覚に影響を及ぼすことだ。

バックミラーに映る車。後ろにいるように見えるので、注意をする必要はない

鏡の有無に関する知識以外の要素もある。生まれてはじめて鏡を使う人は、自分が鏡を使っていることを知っていながらも、鏡の向こう側にだれかがいるという錯覚に陥るだろう。その錯覚を避けるには、鏡についてくわしくなる必要がある。ほとんどの人は鏡に慣れているので、前述のレストランの場合などを除いて、鏡を使うときに即座に正しく解釈できる。鏡に慣れている人にとって、この解釈は見え方に影響を与えるほど深いものだ。バックミラーの場合、私たちの行動は、ミラーに映る車がどのように見えるかに大きく左右される。車がうしろから高速で近づいて来るときに、そのとおりに見えたら、道を空けようとするだろう。一方、錯覚によって前を走っているように見えたならば、頭で補正するので、回避行動はあまり自動的ではなくなるかもしれない。

鏡に関する錯覚はほかにもある。文字を鏡に映すと左右逆になるので、異なる言語の文字に見えるが、これも一種の錯覚だ。私たちの知覚システムには左右逆の文字を元に戻して解釈できるほど特別な力はない。また、鏡を見ていることを知っているのに、事物が鏡の向こう側にあるかのような錯覚に陥ることがある。運動学的な鏡の錯覚では、あなたの右手の横に鏡を置くことによって右手を見えなくし、本来右手のある位置には鏡に映る左手が見えるようにすると、頭ではわかっているのに、鏡に映る左手を右手だと強く感じてしまう。

大部分の人は鏡に慣れていて、「鏡の現象学」を持っている。「現象学」とは主観的経験を指す気どった言い方だ。鏡を使うときに熟練者が持つ独特な主観的経験がある。鏡の存在が、特別な方法でこの光景を解釈しろと助言する。空間があるのは鏡の向こう側ではなくこちら側なのだと。この解釈はすばやく自然におこなわれるので、鏡で見る像の解釈に影響を与える。これが理由で、私たちは鏡で錯覚を経験しないで、だいたいありのままを見ているのだ。

VRは錯覚なのか?

では同じ質問をVRにもしてみよう。VRにおける通常の経験は錯覚なのか?　VRと鏡のあいだにはかなりの類似があると私は考えている。

ここでも2通りの見方があるだろう。VR錯覚説によると、ユーザーはだれでも物理的空間の錯覚を経験する。ユーザーの前に事物があるように見えるが、それは錯覚だ。VRの中であなたに向かってボールが飛んでくると、あなたの前の物理的空間をボールが進んでくるように感じられる。ところが、実際の空間にボール（バーチャルでも何でも）はなく、あなたの経験は錯覚なのだ。

一方、ＶＲ非錯覚説によると、物理的空間の錯覚はなく、バーチャル空間の中で事物を経験していることになる。バーチャル空間で事物は見えるままのところにあるので、そこに錯覚はない。バーチャル空間の中をあなたに向かって飛んでくるボールは、実際にそのとおりなのだ。

どちらの説が正しいのだろう？　鏡の場合と同じで、ＶＲにおける通常の経験ではほとんどの場合で錯覚は起こらないが、錯覚説が正しい場合もある。

錯覚は、自分がＶＲを使っていることを知らないときに起こりうる。たとえば、ある男性が眠っているとする。友人がふざけて軽量のＶＲヘッドセットを彼に装着する。彼が目を覚ましたときに、ＶＲを使っていることを知らないままに、自分が地球のはるか上空を漂っている映像を見せられたら、それを信じるかもしれない。これはまちがいなく錯覚だ。

非錯覚説が正しい場合としては、ＶＲ熟練者がめずらしいバーチャル空間にいることを考えてみる。たとえば、『マインクラフト』（特定の目標がなく自由度が高い人気のサンドボックスゲーム）をＶＲでプレイしているとしよう。プレイヤーは自分がバーチャル世界にいることをわかっていて、その世界をバーチャルとして経験している。熟練者にとってバーチャル空間は物理的空間のようには見えない。独自のルールを持つバーチャル空間に見えるのだ。だから熟練者は、バーチャル事物が物理的空間において自分の前にあるという錯覚に悩まされることはない。実際どおりに、バーチャル事物がバーチャル空間で自分の前にあると感じる。

では、さまざまなケースを考えながら、鏡の非錯覚説からＶＲの非錯覚説へ移っていこう。最初の一歩として、目で見るバックミラーから、ミラー型バックカメラへ移ることができる。ミラー型カメラは近年普及していて、ひとたびそれに慣れると、バックカメラに映る事物はあなたの後ろにあるように見える。ミラー型サイドカメラの場合も同じで、サイドカメラに映る事物はあなたの斜め後ろにあるように見える。

話をカメラから、リモコンの車やロボットに変えてみよう。あなたは家で座ってリモコンカーを操縦しながら、車載カメラの前方映像を見ている。熟練者ならば、映像が自分の目の前ではなく、まったく別の空間にあるリモコンカーの前を映していることを承知している。1966年の映画『ミクロの決死圏』のように、超小型のロボット潜水艦を遠隔操作して患者の血管の中を進むシーンを想像してもらいたい。しばらくすると血管内のロボットのまわりで起きていることを映像で見ていることを理解するようになる。つまり、物事を自分のまわりとは異なる空間にあるものとして見るようになるだろう。

ここまで考えれば、バーチャル空間まであと少しだ。熟練者ならばVR内の事物を、現実の空間の一部かまわりにあるものと解釈することはなく、バーチャル空間のことだと解釈する。鏡のときと同じで、知識と慣れで自動的に解釈がおこなわれる。多くの場合でユーザーは、目の前の光景がバーチャルであると解釈して行動する。たとえば、多くのバーチャル空間でものや壁を通り抜けられるが、現実の空間では不可能なことだ。バーチャル空間ではテレポート（瞬間移動）も可能だ。特別な方法でバーチャル事物を拾いあげることもできる。目の前の空間をバーチャルだと自動的に解釈することが熟練した行動には不可欠だ。

鏡のときと同じで、VR錯覚説の支持者からは、そのような解釈のすべては知識や判断のレベルでのみおこなわれるもので、知覚が関係するレベルではＶＲ内の事物は現実の空間にあるように見えるはずだ、という反論がある。すなわち、ここでは脳による知的補正が働いているのだ、と。たとえば、水につかった棒に関しては、判断力が錯覚を補正している。その結果、知覚的錯覚は存在するものの、私たちは目の前に見える事物がバーチャル空間のものだと信ずるようになり、さらには知っているようになるのだ。

これは重要な見方だが、鏡のときと同じで、誤った認識だと思う。ＶＲの中で、ものはバーチャルのものに見える。目の前にある事物は現実空間にあるものではなく、バーチャル空間にあるものに見える。熟練のユーザーが知らされないまま、完成度の高いＶＲの中に入れられたとすると、目の前に見える事物は現実の空間にあるものと思うだろう。でもひとたび、ＶＲ内にいることを知らされると、広範囲に及ぶ知覚の再解釈がおこなわれ、事物はバーチャル空間にあるように見えるのだ。

これを「仮想性の現象学」[10]（バーチャル現象学）あるいは「仮想性感覚」（バーチャル感覚）と呼ぶことができる。ＶＲを使うときに熟練ユーザーが持つ独特な主観的経験があるのだ。ほとんどの場合で、ヘッドセットの利用や映像の質が特別な方法で物事を解釈しろと助言する。熟練者にとってこの解釈はすばやく自然におこなわれるので、自分が今いるのはバーチャル世界だと知覚するのだ。バーチャル世界をそのままの姿で見ているので、そこに錯覚はない。

それでも仮想性感覚を持つ熟練者ですらＶＲで錯覚を抱くことがある。たとえばＶＲ内で鏡に気づかないまま鏡を見ていると、バーチャル世界であなたの右側にある事物が、鏡の中では左側に現れる。現実における多くの錯覚と相似する錯覚がＶＲの中に存在しうる。それでもなお、ＶＲにおける非錯覚的知覚はたくさん存在する。

ＶＲ非錯覚説に納得できない人もいるだろう。人間の脳には大昔から、その人に物理的空間モデルを与えるための知覚メカニズムがあり、結局のところ、ＶＲはそれを利用しているのだ。それはとても強力なメカニズムで、私たちがＶＲを使うときに、自分が経験している空間が現実の空間であるという感覚から脱することはむずかしい。すばやくここはバーチャル空間だと解釈するかもしれないが、その解釈は知覚のあとに続くものだ。最初は現実空間に見えるという知覚が来る。この見方によると、ＶＲにおける知覚は錯覚なのだ。

この問題が複雑であることは認めよう。感覚処理の初期段階で私たちの脳は、ＶＲがまるで現実の空間であるかのようにとらえている。そして、熟練ユーザーの脳には、ＶＲの世界をバーチャルだとすばやく自動的に解釈する層がある。その層は知覚とみなせるほど深くにあり、信念や判断とは異なるものだ。鏡のときと同じで、ものの見え方、感じ方に影響を与える。

仮に私がまちがっていて、解釈の層が知覚よりもあとに来ることがあきらかだとしても、私の述べることの大半は依然として成りたつ。熟練ユーザーにとってバーチャル世界をバーチャルだと解釈することはほとんどの場合で支配的な解釈なのだ。物質界であるかのような感覚は後退し、すべてはバーチャル世界で起きているのだという感覚が圧倒的になる。

場所ともっともらしさの錯覚

これらのことすべてと、スレイターの〈場所の錯覚〉〈VRがもたらす、自分がそこにいないことはよくわかっているのに、そこにいると感じる強い錯覚〉とはどうかかわるのだろう？　VRは場所の錯覚をもたらすときもある、と私は考える。新規ユーザーは自分がなじみのない現実にいるという強い錯覚を抱くだろう。自分がVRにいると知らない人も同じだ（ただこの場合は、スレイターの定義のうち「自分がそこにいないことはよくわかっている」は満たしていない）。熟練ユーザーでもときどきは、バーチャル環境を現実環境だと解釈することはあるだろう。たとえば、ニューヨークのVRで、自分が今、現実のニューヨークにいるという錯覚を覚えるかもしれない。

ほかの場合では場所の錯覚はまったく起こらない。場所の感覚はあるが、それは錯覚ではなく、自分はバーチャルな場所にいるという正しい感覚だ。最低でも、自分のアバターはバーチャルな場所にいるという感覚はあるはずだ。それだけわかっていれば、自分がVRにいることはわかる。現実世界でも、心ここにあらずの状態においても、自分がどこにいるかはわかるのと同じだ。熟練ユーザーにとって、VRでなく現実にいるという感覚はまったくないか、少しあっても、バーチャルの場所にいるという感覚によって上書きされるだろう。

スレイターの〈妥当性の錯覚〉でも同じことが言える。見かけ上発生したことが、実際には起きていないとわかっているのに、発生したと感じられるのである。VRの中の出来事が現実世界で起きているように感じられるときは錯覚が作用している。だが、熟練ユーザーがそうであるように、VRの中の出来事がそのままバーチャル世界で起きているように感じられるときは、そこに錯覚はない。バーチャルの出来事はVRの中で実際に起きているのだ。

スレイターのもっともらしさの錯覚は〈もっともらしさの感覚〉と言いかえることもできる。それは、すべての物事が本当に起こっているという感覚で、〈実在感覚〉[11]と呼んでもいいだろう。

心理学者と哲学者は、通常の知覚の中にあるこの「実在感覚」について議論を重ねてきた。ほとんどの場合で物事はリアルに感じられるが、特別な条件下では見るもの聞くものがリアルには感じられなくなる。統合失調症で妄想の症状が出る人は、幻覚が現実感のあるものとは感じられないことがよくあるという。もっと日常の例では、「不気味の谷現象」がある。人型ロボットが人間にかなり似ているときに、逆に現実の人間とはまったく感じられずに気味悪く感じられる現象だ。

VRでも実在感覚、非実在感覚は起こる。[12]脳科学者のギャド・ドロリ、ロイ・サロモンたちによる最近の論文は、VR内のさまざまな環境で実在的、非実在的に見えた割合を測定する実験を報告している。普通の部屋を普通の3次元状態で再現したバーチャルの部屋は実在的に見え、引きのばされた部屋は非実在的に見えた。ここでの「実在的に見える」というのは、「もっともらしい物理的環境のように見える」に近い意味だ。VRに慣れていないユーザーにとって非実在的に見える環境の中には、熟練ユーザーにとってはバーチャルに見えるものがあるはずだ、と私は思う。それならば、非実在感覚はバーチャル感覚の前触れなのかもしれない。

物理的な体とバーチャルの体

VRにおける3つめの大きな錯覚は〈身体所有感の錯覚〉と呼ばれるもので、バーチャルの体（アバター）を自分の体だと錯覚することだ。現実では背の低い人が長身のアバターを選ぶと、自分が長身の体を持っている感覚になる。現実では女性らしい体つきの人が男っぽい体つきのアバターを選ぶと、自分がそういう体になった感覚になる。この錯覚の支持者は、VRによって異なる体を持っている感覚を与えられるだけでなく、その感覚が錯覚だ、と主張する。

その感覚は錯覚である必要はない、というのが私の見解だ。バーチャルの体は物理的な体とは異なるが、どちらもリアルであることは同じだ。バーチャルの体が本当の意味で「私の体」となることは可能で、一般的には、人々はバーチャルの体を「所有できる」し、そこに宿ることができる。

「アバター」という言葉はヒンドゥー教に由来し、ヴィシュヌ神などが地上に降りてくるときに化身となる体の意味として使われた。ヴィシュヌ神は人間の形をした体（アバター）に宿ると言われている。この化身は一時的なものだろうが、それが続くかぎりアバターがヴィシュヌ神の体なのだ。

のちにアバターは「バーチャルの体」の意味に使われるようになった。それは1980年代のゲームによるところが大きい。RPGの『ウルティマⅣ（*Ultima IV: Quest of the Avatar*）』や、多人数RPGの『*Habitat*（ハビタット）』などがそうだ。ほかには90年代に入ってから、SF作家のニール・スティーヴンスンが発表した『スノウ・クラッシュ』でもこの言葉を使っている（2009年にジェームズ・キャメロン製作、監督の映画『アバター』におけるアバターは、エイリアン種族の肉体に宿る人格なので、バーチャルの体よりはヴィシュヌ神に近い）。私の見解では、バーチャルのアバターはヴィシュヌ神の化身に似ている。私はバーチャルのアバターの中に自分を宿らせることができる。自己身体化は一時的なものだろうが、私がアバターの中にいるときにはそれが私のバーチャルの体なのだから。

自分の体であるためには何が必要なのだろうか？　物理的な肉体としての要件はいくつかある。

・私の体は私の行動の中心にある：体は私が行動するときに、もっとも直接的にコントロールできるものだ。
・私の体は私の知覚の中心となる：私は体にある感覚器を通して世界を知覚し、目を通して世界を見る。
・私の体は私の身体感覚の中心となる：痛みや空腹を感じるのは体を通してだ。
・私の体は私の心の中心となる：私の思考や意識は脳のプロセスと深く関係していて、脳は体の一部なのだ。
・私の体は私のアイデンティティの中心となる：この体は私の一部であり、私が何者かを表していると感じられる。
・私の体は私をアピールする中心となる：私が外部世界に自分をアピールし、他人に知ってもらうために、私の体は唯一ではないが、重要な部分になっている。

・さらには、私の体は私の存在の中心である、という要件を加える者もいる：私の体は私がだれであるかを表している。つまり、私はこの体に生まれ、この体で死んでいく。この体なしに私は存在できないのだ。

これらの要件はバラバラにすることもできる。自分の体は醜いという考えにとらわれる身体醜形障害などの患者は、自分の体のアイデンティティを失うが、そのほかの要件は満たしたままということもある。第14章で紹介するように、デカルト的二元論が正しければ、私の思考の中心は体の外のどこかになるが、体は変わらずに私のものだ。哲学者のダニエル・デネットのSF小説風エッセイ「私はどこ？（Where am I?）」では、被験者の脳と元の体は長いあいだ水槽に浮かんでいて、リモートの体を操作している。リモートの体が知覚や行動、アピールの中心であり、元の体と脳は心の中心であり、おそらく存在の中心だ。このような場合、体はふたつに分かれる。

ではバーチャルの体についてはどうだろう？　私のアバターはバーチャル上の行動の中心となる。VR内での私の行動はバーチャルの体を介するのがほとんどだが、外の世界にいる私が直接に行動することがある。たとえばバーチャルの体を使わなくても『テトリス』のブロックを回転させることができる。私はアバターの視点からバーチャル世界を知覚することが多いが、ときどきは鳥の目で高所から世界を俯瞰（ふかん）するなど異なる目線を用いる。VRにおいて私のアバターは私がアピールする中心だ。他人は私のアバターを知覚して、私を知覚することが多い。またアバターはVRにおける私のアイデンティティの中心だ。ゲーム内のクイックタイムイベント〔画面に表示された特定のボタン、キーを押すイベントの一種〕などの短い活動でも、アバターが自分だという感覚がある。セカンドライフのような長期の活動では、アバターに対してより深いアイデンティティを持ち、アバターが自分の一部を反映していると感じるだろう。

ではバーチャルの体に欠けているものは何だろうか？　人間の体ほど内実が豊かではない。VRの体は豊かで複雑な身体感覚を持っていない。アバターは痛みや空腹、飲食の中心ではないし、さらには、心や存在の中心でもない。私がアバターの中にいるとき、私の思考はバーチャルの脳ではなく自分の脳と密につながっている。アバターが死んでも、私が一緒に死ぬことはない。アバターは私と同じではないのだ。

しかしながら、今あげた欠けているものが、バーチャルの体を自分の体だと感じるために必要な要素なのかどうか定かではない。現実の私も痛みや空腹を感じなかったり、飲食をできなかったりするときもあるが、それでもこの体は私の体だ。デカルト的二元論のとおりに思考と体とは別物だとしても、この体は私の体だ。そして、物理的な体が存在の中心であることは明白ではない。脳を別の体に移植したり、クラウド上にアップロードしたりすれば、元の体がなくても生きていける。だから私のアバターと同じで、物理的な体は私と同じであると言いきれないのだ。

とてもおおざっぱな意味であるならば、バーチャルの体は「私の」バーチャルの体だと言うことができる。なぜならバーチャルの体はバーチャル世界において私の知覚と行動の中心となり、アイデンティティとアピールの中心となるからだ。「アバターは私のアバターだ」という台詞が私の言いたいことをだいたい表している。この主張は単純に真実だ。この意味で、「バーチャルの体は私のバーチャルの体だ」と言うときに、この体は錯覚である必要がない。これは明確な事実である。

ただし、バーチャルの体は物理的な体ではない。バーチャル環境にいる人間は通常、家に座ってコンピュータを操作している物理的な体と、バーチャル世界を冒険しているバーチャルの体というふたつの体を持っている。そのときどきにおいて、どちらか一方の体の感覚が支配的になる。現在のVR機器では、バーチャルの体の感覚は物理的な体の感覚を介しているので、両者の感覚は結びついている。たとえば、あなたは物理的な腕がどこにあるかわかっていることで、バーチャルの腕の位置がわかるのだ。一方で、VR内の身体感覚は視覚を介する場合もよくある。ゲームで多くのプレイヤーはアバターの後ろに視点を置きたがるが、それによって空間におけるアバターの体の位置がわかり、アバターがしていることを把握しやすいからだ。視点によって、物理的な体とバーチャルの体が別個のものだと認識できる。現実空間であなたの体は動かないでいるのに、バーチャル空間でアバターを走らせるという経験も可能だ。

それでもアバター化による錯覚は起こりうる。そのコアな事例は、バーチャルの体を物理的な体として経験することだ。たとえば背の低いユーザーに、長身である点以外は物理的な体に似たアバターを与えてみる。そのユーザーは現実の自分は背が高いという感覚を持つようになるかもしれない。現実とは違うので、これは錯覚だ。だが、これにも錯覚がないケースが多数ある。VRの熟練ユーザーは長身のアバターをバーチャルの体として経験するだろう。バーチャル世界で長身のバーチャルの体を持つ。そこに錯覚はない。

ある場合では、長身のバーチャルの体を感じることで、錯覚の力が働いて、現実の自分も長身なのだと感じることがある。だが、そうした感覚を分けておくこともできて、バーチャルでは長身だが、現実は背が低いと感じることも可能だ。たとえば、あなたが長身のアバターを使いゲームをしているとしよう。物理世界でパソコンを置いた机は高さがあって、マウスやキーボードに手を伸ばすのが大変なほどだとする。最初は物理的な体を忘れて、長身のバーチャルの体に集中している。だが、やがて机の高さに対応するために物理的な体に注意を向ける必要が生じ、あなたの注意は両方の体を行き来することになるのだ。

2018年公開の映画『デジタルの私たち：私のアバターも私なんです!（*Our Digital Selves : My Avatar Is Me!*)』は、13人の障害者がセカンドライフでいろいろなアバターを操作する様子を追ったドキュメンタリーだ。障害のないアバターを選んだ者もいたし、自分に似た障害を持つアバターを選んだ者もいた。独特な方法で障害を表現する者もいた。参加者の多くは、バーチャルの体は物理的な体の代わりではないと言ったが、それでもとてもリアルなものだった。ひとりはこう言う。「現実の自分の体を否定しているわけじゃない。これは私の別の部分なのです」。もうひとりは次のように言う。「これは現実逃避ではない。拡張なのです」。彼らが価値のある別の自分としてバーチャルの体を経験しているのが印象的だ。彼らのバーチャルの体は錯覚ではない。バーチャル・リアリズムはこの感覚が正しいと主張する。参加者は、アバターが物理的な体の代わりになっているという錯覚を抱いていない。ただリアルなバーチャルの体を経験しているのだ。[13]

ほかのケースでは、バーチャルの体を物理的な体の代わりとする場合もあるだろう。トランスジェンダーの人がセカンドライフのような環境ではじめてさまざまなタイプの体を経験できたという報告もある。アバターによって異なる体を持つことはどのような感覚なのかを知り、他人がどう接してくるかを知ることができる。この試みによって、自分が物理的な体とは違う新しい体（背が高い、やせているなど）を得た感覚になる。しかしそこにはより深い真実があるかもしれない。それは、その人の内なるアイデンティティや理想と一致する新しい体を経験することなのだ。男性的な物理的体と女性的なバーチャルの体の両方を自分の体だと思う人も出てきた。アバター化に関する哲学と心理学は複雑だが、バーチャルの体を自分の体だと思うのが錯覚であることはまれだ。

ここで話は、第1章で紹介したナーラダの変身の説話に戻る。ヴィシュヌ神はナーラダがスシラとして過ごした長い人生を錯覚だと言ったが、本当に錯覚なのだろうか？（ヴィシュヌ神は人生のすべてが錯覚だと言うが、彼に従う必要はない）スシラの体はバーチャルの体に似ている。コンピュータではなくヴィシュヌ神がつくり出したバーチャル世界の体だ。スシラはその体で知覚し、行動し、アピールし、アイデンティティを持つ。ヴィシュヌ神が地上に降りるときはアバター（化身）となったが、それが本物の存在であったように、女性として生涯を送ったスシラは本物のバーチャルの体を持っていた、と私は考える。VRユーザーと違って、スシラは自分がバーチャル世界にいるとは知らなかった。その結果、バーチャルの体を物理的な体だと思うという錯覚がそこにはあった。この問題については第20章でふたたび話すが、スシラがバーチャルの体で過ごす時間が長くなるとともに、スシラの「自分の体」という概念がバーチャルの体のことを指すようになったと考えることもできる。その場合、そこに錯覚はない。

錯覚を生む機械なのか、現実を生む機械なのか?

VRが物質界の感覚とバーチャル世界の感覚の両方にかかわることがあるという点は、みんなが同意してくれるだろう。

物質界の感覚が支配的になるときもある。たとえば、新規ユーザーならばブロックが自分の頭の上に落ちてくるのではないかと思うかもしれない。バーチャルテニスが肉体競技のように感じることもあるだろう。バーチャルのカリブ海のビーチに座っていると、現実のカリブ海にいるように感じるかもしれない。バーチャルの新しい体を試していると、本当の体のように感じるかもしれない。これらの場合は、リアルなバーチャルの存在を経験しているのに、それを物質界の経験のように感じている。ここには錯覚がかかわるが、もっと深い真実もかかわっているかもしれない。

逆にバーチャル世界の感覚が支配的になるときもある。たとえば、熟練ユーザーが地球上にはないようなバーチャルの土地に住むときには、物質界の感覚はないだろう。バーチャルの新しい体を試していても、決して本当の体のように感じることはないかもしれない。これらの場合は、バーチャルの存在をバーチャルのものとして経験していて、そこに錯覚はない。

大部分のＶＲユーザーは両方の感覚をある程度は経験するだろう。３次元ＶＲはつねに物理的空間として解釈されることもありえる。そして、あなたの知覚メカニズムの一部はそう解釈するかもしれない。反対につねにバーチャル空間として解釈することもありうる。慣れたユーザーならだれでもそうしているだろう。少なくとも、知覚レベルの一部や判断や熟考のレベルではそのはずだ。ひとつの解釈が支配的になることもよくある。その解釈によって、最初に物理的世界という錯覚を抱くか、正しくバーチャルととらえるかが決まる。

ＶＲは錯覚を生む機械にもなりうるが、そうである必要はないし、実際に錯覚を生む機械でもない。その代わりにＶＲはバーチャル世界を生み、ユーザーがそれを正しく認知することを許す。ユーザーが正しく認知できれば、それは現実を生む機械となるのだ。

第12章 ARは真の実在なのか?

２０１６年の数週間、ＡＲ（拡張現実）が世界を席巻した。主役はスマートフォンゲームの『ポケモンＧＯ』だ。プレイヤーはカメラ付きスマホを持って『ポケモンＧＯ』のバーチャルの生き物を探して、現実空間を歩きまわる。生き物に近づくと、まるで現実空間で目の前にいるようにスマホの画面にその姿が現れる。そのときにはバーチャルのボールを投げて、その生き物に当てられれば、捕獲できるのだ。

『ポケモンＧＯ』は最初に大ヒットしたＡＲアプリとなった。ＡＲは物理的世界にバーチャルの事物を置くテクノロジーだ。通常のＶＲではユーザーは物理的世界と切り離され、バーチャル世界しか見ない。一方、ＡＲは物理的世界がベースで、そこにバーチャルの事物が配置される。町の通りなど通常の物理的世界がバーチャルの事物で拡張されるのだ。

『ポケモンＧＯ』にヘッドセットは必要ない。拡張はすべてスマホにより実施され、バーチャルの生き物はカメラを通してとり込まれ、画面に映しだされる。より洗練されたＡＲ技術はメガネ

ARグラス。プラトンがアテネにつくったアカデメイアという学園の遺跡に、学園とともにプラトンとアリストテレスの姿を映しだした（イメージはラファエル作『アテナイの学堂』による）

型の機器（ARグラス）を利用し、情報をグラス上に表示する。このテクノロジーは没入型ARを生む。今のところ、ARグラスは扱いにくいが、小型高性能化は進んでいて、その先にはARコンタクトレンズもある。

10年、20年のうちに私たち全員がARを利用するようになるかもしれない。ARによって、あなたの前の空間にあるスクリーンやほかのインターフェースに情報を表示するので、デスクトップパソコンやモバイルパソコンの画面は不要になるだろう。いつの日か、町にある標識や信号がデジタルのものにとって代わられるかもしれない。遠くの友人とまるで同じ空間にいるように話ができるようになる。内蔵の地図を道案内に使い、自動顔認識システムで人を認識し、言語翻訳アルゴリズムを利用して外国語を翻訳する。名所旧跡では歴史的なシーンが再現される。

ARは環境と私たちの心を同時に拡張する。第16章でくわしく話すが、ARはナビゲーション、認識、コミュニケーションにおいて私たちの脳にこれまでにない能力を与え、心を拡張してくれる。この章ではARが物理的世界を拡張することについて話そう。

ARについては、「実在の問い」を投げかけられる。「ARはリアルなのか？」たとえば、『ポケモンGO』の生き物はリアルなのか？」。あなたは驚かないだろうが、私の答えはほとんどの場合でイエスだ。『ポケモンGO』の生き物は因果的力を持ち、私たちの心と独立して存在する。リアルな生物ではないかもしれないが、リアルなバーチャル事物だ。コンピュータの中にデジタル事物として存在し、ARシステムによって可視化される。

もうひとつ重要な「実在の問い」がある。「ARは錯覚なのか？　そう見えるだけのものにすぎないのか？」。こちらのほうが難問だ。ARによってバーチャル事物は物理的空間の私たちのまわりに存在するように見えるので、VRのときのようにバーチャル空間にだけ存在するものだ、とは言いにくい。ARが強力な場合には、バーチャル事物が物理的空間に存在すると感じさせる錯覚の力を持ちうる。

真相を究明するためには、次の問いに取り組む必要がある。「AR内のバーチャル事物は物理的空間に存在するのか？」。一見すると答えはノーだが、そんな簡単なものではない。『ポケモンGO』の生き物が私たちのまわりの物理的空間に存在する、と言えるだけの意味が少なくともある程度は存在するからだ。

ＡＲ内のバーチャル事物

未来においてだれもが同じＡＲシステムを使うようになったところを想像してほしい。そのシステムを「Earth＋（アース プラス）」と名づけることにする。アース＋はすべての人のために地球上すべての場所でバーチャル事物によって物理的環境を拡張する。そのシステムは外科手術によって人体に埋めこむので、だれもが装着している。物理的空間の特定の場所ではだれもが同じバーチャル事物（バーチャルの助手や家具や建物など）を見ることになる。

アース＋のユーザーは自分たちの前にあるバーチャル事物を見聞きするだけではない。脳を刺激するテクノロジーによりにおいや味も経験できる。だから、バーチャルの食べ物や飲み物を味わうこともできる。特別な触覚テクノロジーのおかげで、バーチャル事物に触り、感触を経験できる。バーチャルの石を拾い、その重さを感じることもできる。特別なボディスーツによって、バーチャルの椅子に座ることもできるし、バーチャルの壁にぶつかったときに押し返す力を感じられる。

ユーザーは通常、自分が相互作用している事物が物理的なものかバーチャルなものか簡単にわかる。両者は見た目が異なるし、バーチャル事物には固有の特徴があるからだ。たとえば、バーチャルの椅子は自動で大きさや形状や座り心地を変えられるし、バーチャルの食べ物はいつまでも新鮮なままだ。

ニューヨークのワシントン・スクエア公園にバーチャルのピアノが置かれたとしよう。あなた

ワシントン・スクエア公園に置かれたバーチャルのピアノ

はピアノの前に座って、演奏をし、みんながその音楽を聴く。

ここで、「このバーチャルピアノはリアルなのか?」と問いかけてみると、5項目のリアリティ・チェックリスト（191ページ参照）の複数に印がつく。因果的力を持つ（演奏できる、ピアノの中を通り抜けられない）、心から独立している（すべてのユーザーがいなくなっても、だれかが移動させないかぎり、ピアノはワシントン・スクエア公園に存在しつづける）。

では、このピアノは本物なのか?　やっかいな問題だ。現実世界にあるデジタルピアノや電子ピアノは本物のピアノなのか?　イエスと答える人は少ないだろう。「アコースティックピアノ」や「デジタルピアノ」という言葉は広まりつつあり、まるで種類の異なるピアノのように思える。それでも大多数の人は、デジタルピアノは本物のピアノではないと言うはずだ。ピアノはほかのアコースティック楽器と同じで、鍵盤をたたくと、ハンマーによって弦が振動する仕組みだ。もしもデジタルピアノが本物のピアノではないとすれば、バーチャルピアノも同じになる。同じ理屈で、アース＋のバーチャルな木も本物ではないと言うだろう。一方で、バーチャルの本はまちがいなく本物の本だ。VRのときと同じで、アース＋内のバーチャル事物には本物のものもあれば、そうでないものもある。

最後に大きな問題が残っている。「バーチャルピアノは見たとおりのものか、それとも錯覚の要素が入っているのか？」。この問題は空間にかかわる部分の解釈がもっともむずかしいだろう。バーチャルピアノは現実の物理的空間にあるように見える。高さは約1メートル、ピアノの形状をしていて、ワシントン・スクエア公園に鎮座している。ピアノは本当にこの場所にあるのか？それとも物理的実在のうちには空気以外にはないのだろうか？

バーチャルピアノがワシントン・スクエア公園にないとする根拠は何だろう？　ひとつの理由は、アース＋を装着していない人が公園に来たら、そこにピアノはないからだ。リスや鳥にもピアノは見えないはず。もしも火星人の宇宙船が公園に着陸したら、火星人はピアノを見ない。はぐれ者でアース＋を装着していない人にも見えない。アース＋内のピアノは虹のようなものだと考えられる。人によって虹が見えるが、実際には存在しないのだ。

反対にバーチャルピアノが現実に公園にあるとする根拠は何か？　ユーザーは現実にそこにあるものとして話すだろう。バーチャル事物は物理的なものとは違うとわかっていながらも、リアルなものとして扱うのに慣れると、それが自然になる（「ロックフェラー・センターにあるバーチャルのすてきなソファに座ったことはあるかい?」などと言うことがあるかもしれない）。さらにバーチャルのピアノは本当に公園にあるかのように思える。見えるし、感じられるし、公園にあるバーチャルのピアノとして機能しているのだから。

この問題の無理のない解決法は、区別をつけることだ。バーチャルのピアノは物質的に公園にあるわけではないが、バーチャル上で公園にある。物質的にあるとは、その空間をその事物が占めていることを意味する。一方、バーチャル上にあるとは、バーチャル事物があたかもその空間に存在するかのように機能することだ。バーチャルのピアノは物質としてはワシントン・スクエア公園にないが、あたかもそこに存在するかのように機能している。

もしもバーチャルのピアノが物質として公園にあるように見えたら、それは錯覚だ。それは物質として公園には存在せず、バーチャル上で存在している。一方、バーチャルのものとして公園にあるように見えたら、そこに錯覚はない。バーチャルのピアノはバーチャルのものとして本当に公園に存在するのだ。

前の章で、熟練ユーザーならバーチャルの椅子を物理的な椅子とは思いにくいし、セカンドライフのようなバーチャル空間を物理的な空間とは思いにくい、と述べたが、もしもそうならVRは錯覚ではない。同様にアース+の熟練ユーザーもバーチャルのピアノを物理的なピアノだと思いにくい。区別をつけるという武器を手に入れたので、前に進もう。

これが明白な結論だとは思わない。ユーザーにとって、物理的存在のように見え、そのように機能するバーチャルのピアノを物理的存在と感じないようにするのはむずかしいかもしれない。それでもアース＋のネイティブ世代は、バーチャル事物と物理的事物について異なる扱いをすることを学ぶだろう。その自動的な解釈が彼らの知覚にも影響を与える。現実の場所とバーチャルの場所を区別することは、慣れるに従い自然にできるようになる。そのときはアース＋の知覚に錯覚の要素は入りこまない。

アース＋におけるバーチャルのピアノはリアルな事物である、というのが私の結論だ。ほかにも、錯覚が働くことなく、バーチャルのピアノがリアルなピアノとなるケースが存在する。もしもそうなら、ARは真の実在なのだ。

ARと相対主義

未来においては、支配的ないくつかのARシステムが出てくることは容易に想像できる。ひとつの普遍的なリアリティではなく、アップル・リアリティ、フェイスブック・リアリティ、グーグル・リアリティなど有力なシステムが複数できるだろう。各社は独自のバーチャル世界を用意し、独自のバーチャル事物で世界を拡張するのだ。

フェイスブック・リアリティでは、ワシントン・スクエア公園内にバーチャルのピアノが設置される。アップル・リアリティは同じ場所にバーチャルの標示を出し、グーグル・リアリティは何も置かない。そうしたことがありうるのだ。

そのときに、公園にバーチャルのピアノはあるのだろうか？　フェイスブック・リアリティは置く。アップル・リアリティとグーグル・リアリティは置かない。どちらのリアリティが正しいのか？　3社のうち1社が正しく、それ以外は正しくないと考えるのは理屈に合いそうにない。むしろ、併存して調和がとれているように思える。フェイスブック・リアリティにとってバーチャルのピアノは公園にあり、アップル・リアリティとグーグル・リアリティにとってピアノは公園にない。3つの異なるが等しく有効なリアリティのシステムがあるのだ。では、客観的実在はどこに行ったのだろう？

これは一種の相対主義であるように思われる。バーチャルのピアノが公園にあるという事実は、運用するシステムによって変わる事実なのだ。相対主義とは、さまざまな視点に応じて、等しく正当な事実が複数あるという考えだ。事実は絶対的なものではなく、見方によって異なる相対的なものだとされる。

これは大いに論争を呼ぶ考えだ[1]。広く受けいれられている相対主義にはいくつかの種類がある。たとえば礼儀作法に関しては、ほとんどの人が相対主義だ。何が礼儀正しいかは社会によって異なる。伝統的なアメリカの食事の習慣では、肉と野菜は最初に切って、それからフォークで食べるが、ヨーロッパでは両手にナイフとフォークを持って、切りながら食べる。イギリスとオーストラリアの一部では、野菜は器用にフォークの背に載せて食べることが求められる。どこの習慣が正しいかを示す客観的事実はなく、それぞれの見方で正しいことが変わる相対的事実しかない。礼儀作法に関する相対主義は受けいれられても、物理法則などのもっと有形的な事柄については相対主義に反対する人が多いだろう。

私の見解では、ARとVRは、礼儀作法と同じように一種の相対主義につながる。両者ともに害のない相対主義の形で、客観的実在の考えに脅威となることはない。

私たちが絶対だと思っていたが、のちに相対的だとわかったことは多い。かつて人々は、時刻は絶対だと思っていたが、現在では相対的なものだとわかっている。シドニーが朝の時刻にニューヨークは夕方だ（時差は16時間ある）。地球の重力は月よりもはるかに強い。それに応じて重量も相対的だとわかっている。重力値も絶対的だと考えられていたときもあったが、今では相対的だとわかっている。地球における私の体重は月のそれよりも重い。形状、質量、時間は絶対的だと考えられていたときもあったが、特殊相対性理論によると座標系に対して相対的なのだ。座標系において物体が光速に近い速度で動いているときに、その形は進行方向に圧縮され、質量は増え、時間の進みは遅くなる。少なくとも同じ座標系で動かない物体に対して相対的にそうなるのだ。

それでも、これらのことすべては、客観的実在の基礎レベルで調和している。たとえば、ニューヨークにおける午後1時は客観的事実だ。地球で重さ6ポンド（約2・7キログラム）の石が月では1ポンドになるのも客観的事実である。

では、どうやってこの客観性と相対性を手打ちさせればいいのだろう？　単純なことで、相関性（関係構造）をリアリティの一部として認めればいいのだ。ニューヨークの午前9時はロンドンの午後2時と相関する。ある物体はひとつの座標系では丸い形だが、別の座標系では楕円形になる。こうした相関性をリアリティの説明にすべて記述する必要がある。

複数のリアリティについても同じことが言える。ワシントン・スクエア公園にバーチャルのピアノがあるかどうかを、あなたは客観的な問題として見ていないだろうか。だが、それは相関性の問題なのだ。フェイスブック・リアリティでは公園にピアノはあり、グーグル・リアリティでは存在しない。物理法則についても同じで、フェイスブック・リアリティではある法則が成りたち、グーグル・リアリティでは別の法則が成りたち、どちらも客観的事実だと言える。

重要なのは、フェイスブック・リアリティとグーグル・リアリティのシステムはともに客観的実在の一部であることだ。フェイスブック・リアリティで公園にピアノがあることは客観的事実であり、グーグル・リアリティでは量子力学が真なのも客観的事実となる。これがVRにおける相対主義と客観的実在を手打ちさせる方法だ。

極端な相対主義者は、客観的実在には段階などない、と言うだろう。相関性を組みこんだ相対的な事実——たとえば、特定のリアリティにおいてはピアノがあるという事実や、私がボブ・ディランの音楽をすばらしいと思う事実など——も、私の視点からは真だが、あなたの視点からは偽である、ということがありうる。ここで反相対主義者は、私の視点から何が真になるか、あなたの視点から何が真になるかは、ともに客観的事実だ、と言うだろう。それに対して相対主義者は、特定の観点から真になっているにすぎない、と言うだろう。後者はたしかにおもしろい見方だが、受けいれるべき理由はない。

複数のVRシステムとARシステムを持つ宇宙の中でも、客観的事実はたくさんある。まず、それぞれのリアリティシステムに起きたことに関する客観的事実がある。フェイスブック・リアリティで公園にピアノがあることは客観的事実となるだろう。

根本のリアリティに関しても客観的事実はある。「バーチャル世界内にあるバーチャル世界」に関する議論では、連鎖のいちばん上に根本のリアリティがあることを示唆するものは何もなかった。もしも私たちのいる場所が、根本のリアリティから42層も下のシミュレーションだとしても、根本のリアリティは独立した存在だ。

重要なのは私たちの日常の現実にも客観的事実があることだ。たとえば、２０２０年のアメリカ大統領選挙における選挙人の数とジョー・バイデンが当選者と宣言されたのは客観的事実だ。もちろん日常の現実にある事実の多くは、時間や場所などの要素によって相対化される。ジョー・バイデンは２０２０年の大統領選挙に当選したが、２０１６年の当選者ではない。

バーチャル世界でも同じことが言える。私たちのシミュレーション実行者のいる宇宙であるメタリアリティでは、私たちの現実と違って、バイデン以外が大統領に当選したかもしれない。そして、私たちがつくったバーチャル世界であるセカンドライフでもまた別の者が大統領に当選したかもしれない。だがひとたび、現実は相対的なものだとわかれば、２０２０年に現実のアメリカで起きたことは客観的事実として残っていくのだ。

複数の事実のあいだに不一致が発生することはある。トランプの支持者はトランプの得票数が多かったと信じ、バイデンの支持者はバイデンの得票数が多かったと信じている。だが、どちらが正しいかを示す客観的事実はあり、運がよければそれを見つけられるかもしれない。

イギリスのテレビドラマシリーズ『ブラック・ミラー』に「虫けら掃討作戦」というタイトル

のエピソードがある。各兵士はＭＡＳＳと呼ばれる神経インプラントによってＡＲを利用している。ＡＲによって兵士は、人類のミュータント（突然変異種）がゴキブリ型のモンスターに見える。ＭＡＳＳは兵士をだまして、ミュータントの大量虐殺をさせているのだ。この話のリアリティをどう解釈すればいいだろうか？　もしもＭＡＳＳリアリティが農家にいるミュータントの痕跡をいっさい消して、兵士にバーチャルのゴキブリを見せるとしたら、ＭＡＳＳリアリティの中では、農家にいるのはミュータントではなく、バーチャルのゴキブリになる。だが現実の農家にいるのはミュータントだ。ＭＡＳＳリアリティの中で兵士がゴキブリを殺すと、それはバーチャルのゴキブリを殺すだけでなく、現実のミュータントを殺すことにもなる。さらに、仮に世界中の人々がＭＡＳＳインプラントをつけているとすれば、人類のミュータントはどんどん殺されていくだろう。複数のリアリティにおける相対主義は、現実に関する冷たく厳しい事実から逃げる道を生んではくれないのだ。

ごく近い未来のＡＲ

現在のところ、アース＋はＳＦだ。今あるＡＲシステムははるかに平凡で、バーチャル事物をユーザーに見せるか、聞かせるかするだけで、ユーザーはさわることも、においや味を経験することもできない。バーチャル事物はユーザーの行動を物理的に邪魔できない。永久にインストールできるＡＲシステムはまだなく、ユーザーはＡＲを利用するときだけグラスを装着する。普遍的なARシステムもない。複数のシステムがあるが、それぞれに少数のユーザーが短時間利用するだけだ。

それでもアース+について話したことの一部は近い未来に実現するだろう。家のリビングを模様替えするためにARを利用するところを想像してもらいたい。部屋の隅にバーチャルのソファを配置してみる。このソファはリアルなものだろうか？

すでに書いてきたとおり、バーチャルのソファはAR機器であるコンピュータ内に存在するリアルなデジタル事物だ。それは因果的力を持つ。少なくともあなたにそのソファを見させる力を持ち、さらには買わせる力をも持つかもしれない。ある程度だが、私たちの心から独立している。私がARグラスをはずしても、プログラムを動かしていれば、そのデジタル事物は存在しつづけ、ほかの人が見ることもできる。このように、リアリティ・チェックリストの5項目のうち最初の3つ（存在、因果的力、心からの独立）はある程度満たしている。だが5番目（本物のXか）は満たしていない。本物のソファではなく、そこに座ることはできない。

それではわが家のリビングにあるバーチャルのソファは錯覚なのだろうか？　多くのユーザーにとって、物理的なソファが部屋の隅にあるように見えるが、現実にソファはないので、錯覚なのだ。しかし、これには議論の余地がある。なぜなら、ARに慣れたユーザーならばそれはバーチャルのソファにしか見えないからだ。バーチャルのものがバーチャルに見えるので、そこに錯覚はない。

アース+と現状のARには、無視できない違いもある。現状のARの場合、バーチャルのソファに触ることも座ることもできない。それゆえ、ソファがバーチャルな仕方で存在するという実感も、アース+よりもARのほうが弱い。現実のソファは見る、さわる、座るなどでユーザーと相互作用しているが、ARのバーチャルソファはそこに見えるという点しかない。それもARグラスをした人にしか見えないし、グラスをはずせばもう見えない。つまり、バーチャルのソファは私のためにリビングにあって、それも私がARグラスをしているときだけ見えて、ほかの人にとっては存在しないものなのだ。それでも私がバーチャルのソファをバーチャルのものとして認識しているならば、そこに錯覚はない。

少なくとも近い将来に、バーチャルの感覚はARで重要事項になるだろう。そのため、バーチャルと物理的事物をまちがえて、混乱しないように、ユーザーが両者を区別できるようにしなければならない。私たちはまだバーチャルの椅子に座ったり、バーチャルの食べ物を味わったりすることは望んでいないのだ。現実のものをバーチャルのものとまちがえるときも同じだ。バーチャルの壁だと思って現実の壁にぶつかるのは勘弁してほしい。今のところ、バーチャル・テクノロジーには限度があるので、バーチャルの事物と物理的事物の区別はつく。だが技術が進歩すれば、両者の見分けはつかなくなるだろうから、バーチャルのものをバーチャルだとわからせることの必要性は高まるはずだ。

実在世界と仮想世界の連続体[2]

１９９４年、インダストリアル・エンジニアリング（ＩＥ）研究者のポール・ミルグラムと、日本の民間研究機関〔ＡＴＲ、株式会社国際電気通信基礎技術研究所〕の研究者３人は会議提出論文で、「実在世界と仮想世界の連続体（reality-virtuality continuum）」という概念を提示した。連続体の片端には日常の物理的実在があり、反対の端には純正なＶＲがある。そのあいだにさまざまな複合的リアリティがあり、そこでは物理的実在とバーチャルの両方の事物を経験できる。通常のＡＲでは、土台である物理的世界のあちこちにバーチャル事物を表示することで現実を拡張する。一方、拡張仮想世界は、土台であるバーチャル世界のあちこちに物理的事物を表示することでバーチャル世界を拡張するものだ。バーチャル世界のコンサート会場のステージに現実の音楽グループが登場するときに、そこは拡張仮想世界となる。

ミルグラムが「実在世界と仮想世界の連続体」と命名したのは失敗だった、と私は思う。なぜなら前提として、実在とバーチャルを対立する位置に置いたからだ。すでに見てきたように、対立関係を想定することはできない。「物理性と仮想性の連続体（physicality-virtuality continuum）」という名前のほうがよい。通常のＶＲシステムは純粋な仮想性が強く、ＡＲシステムは物理性を仮想性で拡張している。

連続体上の各点について、実在と錯覚がどれだけの割合になっているかを測ることはおもしろい問題だ。ここまでは通常のＶＲとＡＲについて話してきたが、連続体上のほかの点はどうなっているのだろうか？

拡張仮想は、バーチャル世界の中で物理的事物を経験させることだが、それについては何と言えばいいだろうか？　ニューヨークにいる私が拡張仮想を利用してオーストラリアの妹と話をしているとする。妹はバーチャル世界で私のとなりに座っているが、アバターではなく、実際の彼女の姿をしている。その妹はリアルだ。因果的力を持ち、私の心から独立している。私は人間としての妹を経験し、実際に人間だ。同時に私はバーチャルの部屋で妹と一緒にいるという経験をしている。これは錯覚なのだろうか？　錯覚である必要はない。妹はバーチャル世界に物理的にではなく、バーチャルとして存在しているのだ。もしも私がこのテクノロジーに慣れていれば、私はそのように経験するだろう。

物質界とバーチャル世界の要素が等しく混ざりあい、相互作用をする完全なる複合的リアリティの世界ではどうだろうか？　その世界では、たとえば物理的な建物をバーチャルの壁で拡張したり、物理的な人間、バーチャルで存在している物理的な人間、アバターが入りまじって会話をしたりする。そこは物質界とバーチャル世界の結合体と見ることができ、それぞれの単独世界とは異なるものだ。熟練ユーザーは物理的事物とバーチャル事物の両方が存在する世界として経験するだろうから、そこに錯覚はない。

複合的リアリティの世界では、バーチャル事物がまわりの物理的環境とどのように相互作用するかも重要になる。ではあなたがARグラスを装着して、宇宙空間を舞台にしたVRゲームをプレイするとしよう。同時に、あなたには目の前にある物理的テーブルが見えている。物質界とバーチャル世界は独立しているので、バーチャルの宇宙船が物質界にあるという感覚はない。両世界は空間を共有していて、バーチャルの宇宙船が物質界のテーブルのそばを通過することもあるが、バーチャルの世界が知覚を支配しているので、ほとんど気にならない。慣れたユーザーは物理的事物とバーチャル事物を区別できる。たとえば、物理的事物はよけて通るが、バーチャル事物は飛び越える。この場合の複合的リアリティでは、物質界とバーチャル世界ともに錯覚はないのだ。

第13章
ディープフェイクにだまされないためには

2020年7月に画期的なAIプログラムのGPT-3が発表されてほどなく、哲学者のヘンリー・シェヴリンが、あるインタビューをインターネット上に公開した[1]。

シェヴリン　あなたにインタビューができて光栄です、デイヴ。今日は機械の意識について話がしたいと思います。まずは単純な質問からいきましょう。GPT-3のようなテキストモデルは意識を持てるでしょうか？

チャーマーズ　持てないと思います。実際にどうなるかについては確言できませんが。

シェヴリン　近未来に私たちが「意識の理論」を持つようになり、人工システムは意識を持つか、という問題を解決できるようになるでしょうか？

チャーマーズ　それはないでしょうね。私たちはまだ、人間の意識の問題を解決する理論すら持っていないのですから。そして、現代のコンピュータに比べたら人間のほうがはるかに単純です。

シェヴリン　動物の意識はどうですか？　たとえば魚は痛みを強く感じるかどうか、私たちは少なくとも道理にそった確かな答えを考えだす倫理的規範があるように思えますが。この問題への取り組み方について何か考えはありますか？

チャーマーズ　哺乳類（ほにゅうるい）は意識を持っていると考えるのが合理的でしょう。

シェヴリン　その理由は？

チャーマーズ　まず人間から始めることができます。私たちは内観によって人間には意識があることを知っています。ないと想像するのは無理でしょう。

シェヴリン　たしかに。でも人間以外はどうでしょうか？　意識の基礎となるグローバル・ワークスペース・アーキテクチャ（意識の脳モデルのひとつ）であれ何であれ、そのレベルのアーキテクチャを備えている生物は人間以外にいません。その状況で、犬やニワトリに意識があるかどうかどうやって判定するのですか？

チャーマーズ　いい質問ですね。脳に中枢神経系を持っていれば、意識がある可能性はあると思います。

このインタビューにおける「チャーマーズ」の答えは、私本人ではなく、GPT-3によって書かれたものだ。GPT-3はディープラーニング（膨大なデータにもとづくコンピュータの訓練方法）によって鍛えられた大規模な人工ニューラルネットワーク（神経網）だ。その第1目標は、インターネット中のテキストを読んで学習することで、どんなテーマでもそれらしい文章をつくることにある。シェヴリンはGPT－3に「ヘンリー・シェヴリンとデイヴィッド・チャーマーズのインタビュー」というテーマを与え、ウィキペディアにある私の情報を読ませた。そして、シェヴリンの質問は本人が書き、私の答えはGPT－3がつくった。

これを読んで私は動揺した。GPT－3は私の意見をだいたい正しくとらえていたからだ。「現代のコンピュータより人間のほうが単純だ」というおかしな意見もあるが、私の友人の多くはフェイスブックでこのインタビューを読んで、本当に私が答えていると思ったそうだ。やさしい同僚たちは、調子の悪いときの君のようだった、と言ってくれた。同僚のひとりは「I think」を多用する君の癖（くせ）が出ていた、と言った。文章を書くときに、私はたしかに「I think」を使いすぎる悪い癖がある、と返事をした。今、やりとりしているのが本当の君なのかわからないよ、という冗談も出たくらいだった。

つまり、GPT－3は私の偽物をつくり出し、私の友人や同僚の多くをだましたのだ。私の模倣はディープフェイクの一例か、少なくとも近い親戚だ。ディープフェイクとは、ディープラーニング技術を利用して偽物をつくることだ。

ディープフェイクという言葉は、文章よりも画像や動画の偽造で使われることがほとんどだ。近年まで、偽の画像はPhotoshopやCGI（Computer Generated Imagery　コンピュータが生成した画像・映像）技術などを使ってつくられていた。たとえば、2016年の映画『ローグ・ワン／スター・ウォーズ・ストーリー』で、ラストに若いときのレイア姫が登場する場面があった。

その姿は１９７７年の第1作のキャリー・フィッシャー演じる若いレイア姫に似ていたが、プロの技術者がＣＧＩ技術で作成したものだった。ノルウェーの女優イングヴィルド・デイラが演じたレイア姫役に１９７７年のレイア姫の顔を合成してつくった。

このシーンの評価は分かれた。当時のＣＧＩ技術には限界があり、ＣＧのレイア姫は顔が怖い、不自然だ、という声が多かった。だがその4年後にアマチュア集団が、普及していたＡＩプログラムを利用して、レイア姫の顔を再合成すると、それを見た者の多くは、２０２０年のアマチュア版のほうが２０１６年のプロ版よりもよい出来だと評価したのだった。

２０２０年版はディープフェイクだった。その画像や動画は、ディープニューラルネットワークによってつくられる。それは、ニューロンに似た演算ユニットの階層を深くして相互接続したネットワークで、ディープラーニングによってくり返し学習し、フィードバックを受けて、ユニット間の接続を調整していく。ディープラーニングは、本物らしい画像や動画をつくるなど、多くのタスクをさせるために内部ネットワークを鍛える。ディープフェイクの画像や動画には、本人が決してしていないこと、言わなかったことをさせているものが多い。そして、ときに存在しない人物までも描きだす。

ディープフェイクは政治とアダルト分野でさまざまなコンテンツを見ることができる。[2] 有名人にとんでもないことを言わせる動画もよくある。例をあげると、マーベル・コミックスで人気のブラックパンサーに敵対する有名な悪役に関して、バラク・オバマが「キルモンガーは正しい」と言う動画がつくられた。また、アメリカのテレビドラマシリーズ『ベター・コール・ソウル』

にはディープフェイクのドナルド・トランプが登場し、マネーロンダリングの解説をした。2020年インドはデリー州の州議会選挙にあたり、政権与党であるインド人民党はディープフェイク技術を使って、同党のマノジ・ティワリ州代表が、実際には彼が話すことのできないハリヤーンウィー語（ヒンディー語の一種）で有権者に話している動画を作成した。

ディープフェイク技術は進歩が速いので、近いうちに、本物かディープフェイクか見分けられない動画や画像が出てくるだろう。ARやVRの世界に侵入してくることもありうる。ARに友人が現れて、その友人が決して言わなそうなことを言うかもしれない。最終的には、すべてをディープフェイクでつくったVRが現れ、そこにいない人をフェイクで登場させるかもしれない。

ディープフェイクにも「実在の問い」が発生する。「ディープフェイクはリアルなのか？」。現実世界に置かれたバーチャル事物をリアルなものだと認めるならば、ディープフェイクもリアルだと認めるべきではないのか？　また、「知識の問い」も生じる。[3]「自分たちが見ているものがディープフェイクでないことはどうすればわかるのか？」。ディープフェイクが普及したとき、ある描写がリアルかフェイクかどのように判定すればいいのか？

同じ問いが、今では「フェイクニュース」と呼ばれることもある、意図的に流す虚偽報道でも発生する。政治家にダメージを与えるためや、逆にだれかを利するために虚偽のニュースを流すことが増えてきている。ここでも実在の問いが発生する。「フェイクニュースはリアルか？」。そして、きわめて重要なのは知識の問いだ。[4]「どうやってフェイクニュースを見分けるのか？」

これは2020年代に喫緊の問題だ。私たちがマトリックスのような世界にいるかどうかという問題はお遊びととらえる人も多いだろうが、フェイクニュースはハッとさせられる問題だ。それは、外部世界に関する懐疑論のとても現実的なバージョンなのだ。

ここでは、「すべてはフェイクなのか?」と問うグローバル懐疑論は関係ない。「これはフェイクなのか?」「あれは本当に起きたのか?」というローカル懐疑論の範疇だ。したがって、グローバル懐疑論に対応する際の私の戦略（第6章を見てほしい）は適用されない。ここで私は、ローカル懐疑論の諸問題に対して一般的な回答を持っている、と言うつもりはない。それでも、ディープフェイクとフェイクニュースの問題に対して、有益なことが言えるかどうか見てみよう。

ここではとくに章題にした問題に焦点を絞りたい。現代社会に生きる批判的観察者はディープフェイクとフェイクニュースにだまされることを徹底的に回避できるのか？　私は、限定された反懐疑論的な結論を主張するつもりだ。原則として、少なくとも弱い前提のもとでは、現代民主主義社会の批判的観察者はニュースメディアにだまされることを徹底的に避けられる（つまり、幅広い問題すべてにおいてだまされない）。だからといって、ディープフェイクとフェイクニュースという現象を軽視しているわけではない。フェイクニュースは多くの人をだまし、さまざまな腐食作用を持っていることはまちがいない。だが、批判的観察者がだまされることがあるとしても、それは限定的だろう。

これらの問題に取り組むために、ディープフェイクに関する実在の問いと知識の問いから手をつけたい。「ディープフェイクはリアルなのか?」「自分が見ているものがディープフェイクでないことはどうすればわかるのか?」。次にフェイクニュースで同じ問いを考えよう。

ディープフェイクはリアルなのか？

まずはディープフェイクと現実のつながりから見ていこう。最初の問いは、ディープフェイクによりつくられた画像と動画に登場する事物はリアルなのか、だ。ディープフェイクのオバマは本当のオバマなのか？　ディープフェイクの犬は本当の犬なのか？　少なくともバーチャルの犬ではあるだろう。では、それはデジタルの実体なのか？

ディープフェイクはVRの一種ではないのか、と思う人もいるだろう。そうならば、バーチャル・リアリズムに対する私の考えがディープフェイクにも適用されるので、VRと同じように、ディープフェイクのオバマや犬やネコもリアルな存在になる。直感的におかしな結論だと思うかもしれないが、すでに私はこれまで何度も一見おかしな結論を述べてきている。

だが幸運にも、この結論は導きだせない。通常のディープフェイクはVRではないのだ。VRの条件は「没入型・インタラクティブ・コンピュータ生成」であることを思いだしてほしい。ディープフェイクはコンピュータ生成の条件は満たしていて、残りのふたつはどうだろうか？　今のところ没入型ではないが、いずれ没入型が出ることは容易に想像できる。ヘッドセットを通して360度ディープフェイク映像を経験できるようになる。だが、画像と映像はインタラクティブの条件を満たせない。それらは連続した固定画像なので、ほかのものと相互作用する必要はない。

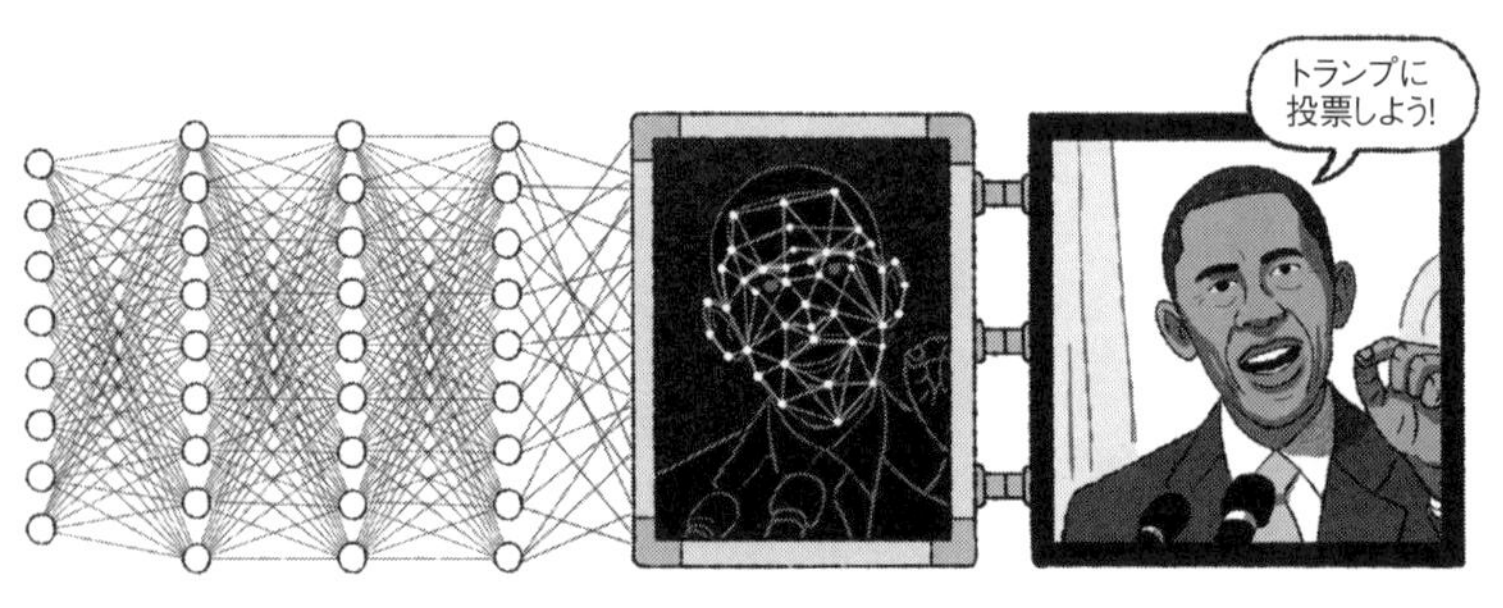

ディープフェイクのオバマ元大統領

現在のディープフェイクはインタラクティブでないために、VRよりはデジタル映画に近い。重要なのは、そこに本格的なバーチャル事物がないことだ。オバマや特定の犬やネコにおおざっぱに対応しているビットパターンは存在するが、そのビットパターンはバーチャルのものとは違って因果的力を有していない。バーチャルのオバマはインタラクティブで、あなたの言動に応じて、いろいろと発言し、行動する。バーチャルの犬も、さらにはボールでさえもインタラクティブだ。だがディープフェイクの犬やボールは違い、せいぜいそれらしく見えるだけだ。

だがいつかは、ディープフェイクでつくった完全インタラクティブなVRが登場するだろう。たとえばオバマとの会話をシミュレートするために、現存するテキストでGPT-3を訓練することはすでにおこなわれている。このプロセスが拡大すれば、オバマに関する多様な録音、録画データを使いAIニューラルネットワークを訓練して、さまざまな状況におけるオバマらしい見た目や発言を作成できるようになる。まったく新しい入力に直面しても、ニューラルネットワークは訓練にそったもっともらしい対応ができる。状況によってはうまく対応できないこともあるだろうが、少なくともインタラクティブではある。

同様に、何かしらのAIネットワークがサッカー場や教室などの環境全体を観察し、その環境をさまざまな条件下でシミュレートできるよう訓練を積むことがありうるかもしれない。この場合、新しいことが起きても、ネットワークは何らかの反応ができる。もしも私たちがこのような環境にいるならば、実際にサッカー場や教室で経験することと同じような経験をVRでするだろう。

それでは、ディープフェイクのVRはリアルだろうか？　ディープフェイクでつくったバーチャルのサッカーやオバマはリアルだろうか？

一般論としては、ディープフェイクのサッカーやオバマは、バーチャルのものと同じ扱いをするべきだと思う。ディープフェイクのバーチャル・サッカーはリアルなデジタル事物であり、バーチャル上のボールは、蹴る力に応じてさまざまなスピードと放物線で飛んでいくので、実際のサッカーに似た因果的力を持つ。同時に、リアルなサッカーではない。リアルなサッカーは一定の物質と規模からなるが、バーチャルなそれは物質性を必要としない。

ディープフェイクのバーチャル・オバマも同じだ。リアルなデジタル事物であり、オバマ本人に似た因果的力を持つ。ごく近い将来のAI技術でつくるディープフェイクのオバマならば、因果的力はあまり持っていないはずだ。オバマ本人の知性や柔軟性に似たものは見せられないので、意識のある生き物、すなわち人間であるとは思えない。だが今後数十年でAI技術が進歩すれば、オバマ本人の知性や柔軟性に似たものを見せられるようにディープフェイクのバーチャル・オバマを訓練できるようになるはずだ。そうなればそのバーチャル・オバマは意識を持ち、一個の人格になるかもしれない。しかし、それはかなり先の話だ。

ディープフェイクのバーチャル・オバマはリアルなのか？　しばらく先まではリアルではない。ロボットのオバマがリアルでないのと同じだ。だがＡＩ技術が進歩すれば、どうなるかわからない。すぐれたシミュレーションならば、オバマ本人を継続できる。行動データだけを使って再構築したオバマのアップロード・バージョンだ。一部の哲学者はアップロード版をオバマの生命の継続と見る。もしもこのプロセスが本人の死後もずっと続くならば、復活と見ることさえできる。一方で、本人存命中に先進のディープフェイクがつくられても、ほとんどの人はそれはリアルでないと言うだろう。これは複雑な問題で、第15章で話そう。

だから実在の問いの答えは単純ではない。短期的には、ディープフェイクはリアルなデジタル実体を含むかもしれないが、普通のバーチャル事物や物理的事物のような因果的力は持てない。長期的には、バーチャルのＡＩディープフェイクは普通のバーチャル事物や物理的事物のような因果的力を持つリアルなデジタル実体となりうる。だが、両方のケースともにディープフェイクはリアルではない、と私たちは言うだろう。ディープフェイクのオバマもサッカーも（おそらく）リアルではない。ここから深刻な知識の問いが生まれる。

自分が見ているものが本物であることは、どうすればわかるのか？

オバマが何かを話している動画を見るとしよう。これが本物のオバマであるかどうかどうすればわかるのか？　この動画が本物かどうか判断できるのか？　あらゆる画像や動画にも同じことが言える。滝の写真は本物か？　暴力的抗議活動の様子を収めた動画は本物か？

カナダの哲学者レジーナ・リニが観察してきたとおり[5]、私たちはこれまで知識の支えとして画像を信頼してきた。百聞は一見にしかずで、疑いがあるときに写真が証拠になる。だがディープフェイクの時代には、画像や動画を素直に信じることができなくなった。これまではくわしく調べれば、小さなほころびを見つけられたので、本物かフェイクかを見分けられた。だが、技術が進歩すればするほど、ほころびは見つけにくくなる。ほどなく、先進アルゴリズムにしか検出できなくなり、さらには、ほころびそのものが完全になくなるかもしれない。そのときには、画像を調べるという方法で本物かディープフェイクか見分けることは不可能になる。

画像にもっともらしさがないことは、それはフェイクだと私たちに警告してくれる。シドニー・ハーバーブリッジが逆さまになった画像はたぶんフェイクだ。バーニー・サンダースが共和党を応援する画像はたぶんフェイクだ。だが、もっともらしさがあったらどうだろうか？　びっくりするような本物の画像と同程度のもっともらしさがあるだけでも、フェイクと見ぬけなくなる。

次は逆の場合で、もしもあなたが、甥っ子のサムがどうでもいいことをあなたに話している動画を見たら、それはまず本物だ。だれがわざわざそんな動画をつくってだまそうとするのか。一般的に言って、現在はディープフェイクが比較的少ししか出回っていないので、ほとんどの画像が本物であると考えられる土台がある。だがディープフェイクがもっと簡単に作成でき、その画像がもっと広まるようになれば、本物と偽物を見分けることは、はるかに重要な問題になるのだ。

長期的に見れば、本物と偽物を見分ける唯一の方法は、〈信頼できる筋の裏付け〉になる。信用している友人が、自分が撮影した写真だと言えば、信頼できるメディアが自分たちが撮影した動画だと言えば、本物だと考える理由になる。一方、ネットで拾った写真や、党派心の強い者のウェブサイトで見つけた動画などは、本物だと考えるべき理由は少ない。

ディープフェイクが広まった環境で身を守るには、信頼できる筋の裏付けに頼ることが最良の方法だろう。それでも完璧ではない。信用している友人もあなたをだますことがあるかもしれないし、友人の電子メールのアカウントが乗っ取られているかもしれない。信頼できる報道機関がだまされていることもありうる。あるいは、私たちの知らないうちに悪人に牛耳られているかもしれないし、なりすましかもしれない。それでも信頼できるだけの実績をあげている筋がある。信頼できる筋がほかの信頼できる筋を支持することで信頼のネットワークが広がっていく。それでもまだやっかいな問題が残っている。信頼できる筋がことごとく判断を誤っていたらどうなるのか？　すぐあとで触れよう。

いずれにせよ、画像や動画は外部世界に関する唯一の証拠なのに、そのどれもが信用できないのならば、私たちの知識の全部ではなくても一部は無効になってしまうだろう。

将来、ディープフェイクのVRができるようになると、問題は増大し、VR環境それ自体にかかわる場合も出てくる。私は友人と『*Beat Saber*（ビート セイバー）』をプレイしているつもりだが、インターネットボット〔インターネット上で自動化されたタスクを実行するアプリケーションソフトウェア〕を使ったディープフェイクのエミュレーション〔ある装置やソフトウェア、システムの挙動を別のソフトウェアなどによって模倣し、代替として動作させること。また、そのためのソフトなど〕が友人のプレイをおこなっているのかもしれない。また、日常の知覚にかかわる場合もある。まもなく発売される自社の製品について、私は会社の同僚とリモートで話しているつもりなのに、実際には、新製品の情報を探っているライバル企業が、同僚のディープフェイクでなりすましていないことを、どうやって確かめればいいのだろう？

ここでも解決法のひとつは、信頼できる筋に頼ることだ。フェイクに引っかからないためには、信用できるVRソフトにだけアクセスし、信頼できるAR機器だけを使うべきだ。そこにもある程度の仮想要素はあるだろうが、一定の範囲内ならば理解できる。ルールは次のものだ。「ユーザーに告げることなく、フェイクの友人や親戚を出さないこと」。状況によってはそのルールを守るのがむずかしいだろう。ソーシャルVRでは参加者がアバターの外見を決められるため、ディープフェイクの作成者があなたの母親に外見の似たアバターをつくるかもしれない。とはいえ、信用づけのやり方はいずれにせよ単純であるべきで、たとえば、あなたの母親しか持っていないユーザー名を根拠とする、ことなどだ。

極端な状況についても考えておく必要がある。VR環境が乗っ取られるか、ハッキングされたらどうする？　信頼できるシステムがなければどうする？　映画『インセプション』における無防備な飛行機の乗客のように、だれかにあなたの頭の中をハッキングされたらどうする？

もっと悪い状況もある。あなた自身のディープフェイクがつくられたらどうする？　あなたの敵が、動画記録などを元にあなたのディープフェイク・シミュレーションをつくり、それを使ってあなたの情報を盗みとろうとしているとしたら。テレビシリーズの『ブラック・ミラー』の「ホワイト・クリスマス」というエピソードでは、警察がこの手法を使って容疑者から自供を引き出そうとする。似たようなことがあなたの身に起こらないと言えるだろうか？

私はこれらの問題に一般的な答えは持っていない。もしもディープフェイクのVRがオリジナルの不完全なシミュレーションならば、くわしく調べれば偽物だとわかるだろう。たとえば、母親と話をするときに、母ならば知っているはずのことを尋ねるのもいいだろう。ほかには、あなたが秘密のノートに記した秘密の情報が、あなたの記憶どおりそこに書かれているか確かめる。自分の覚えている世界がたしかにそこにあるか、あちこち調べてみるのもいい。科学実験をして、現実において期待できる結果が得られるか確かめるのもいい。

しかし、ディープフェイクのVRがオリジナルの完全シミュレーションならば、そうした調査は役に立たない。すでに見てきたとおり、自分が完全シミュレーションの中にいるかどうかは確かめられないのだ。ここでおなじみの問題に戻る。もしもあなたが毎日をシミュレーションの中で暮らしているのならば、それがあなたのリアリティであり、世界についてあなたが信じていることはすべて真実だ。だがもしも、あなたのVR世界が最近乗っ取られていたら、あるいはあなたが誘拐されるか、アップロードされて完全シミュレーションの中に入れられたとしたらどうだろうか？　この場合は、その世界についてあなたが信じていることはおそらく偽りだが、それを確かめる術はないのだ。

こうしたケースがよくある世界では、そうしたシミュレーションに入らないように予防策を講じておくのが最良の対策だろう。ディープフェイクのVRが完全なものになれば、コンピュータ・セキュリティと脳のセキュリティは成長産業になるはずだ。

フェイクニュースはどうだろうか？

話を21世紀はじめの地球に戻そう。私たちはフェイクニュースという現実の問題に直面している。真実に配慮することなどなく、人を惑わすニュースをつくり、広めることだ。

世に出たときからフェイクであるニュースも存在する。紀元前31年に古代ローマの三執政官のひとりだったオクタウィアヌス（のちの初代ローマ皇帝アウグストゥス）は、政敵のマルクス・アントニウスに「ローマ帝国の裏切り者」というレッテルを貼ったフェイクニュースを大々的に広めたとされる。アメリカ独立戦争中の１７８２年、ベンジャミン・フランクリンは新聞に、殺されたアメリカ人の頭皮がイギリスの王と王妃のもとに送られているという偽記事をでっちあげた。

「フェイクニュース」という言葉は２０１６年のアメリカ大統領選挙で一気に広まった。その典型例が、選挙前から流布していた「ピザゲート事件」だろう。ヒラリー・クリントンと民主党幹部がワシントンD.C.にあるピザ屋を舞台に児童の性的虐待に関与しているという話だ。ツイッターから始まったようで、その後ソーシャルメディアやオルタナティブ・メディア（マスメディアに対する代替メディア〕に広まっていった。もっともらしさは最初からなかったが、調査の結果、そこには真実のかけらもなかった。

ソーシャルメディアの急増はフェイクニュースの拡散を加速させている。ソーシャルメディアによって、どんな政治的立場についても、似た考えの人たちのあいだで同じフェイクニュースが広まりやすくなっている。「フェイクニュース」という言葉自体も今では論議を呼んでいる。[6] その理由のひとつは、有名人が自分に都合の悪いニュースを「フェイクニュース」と呼んで、報道したニュースメディアの正当性を認めないからだ。だが、ディープフェイクと並んで、フェイクニュースが問題であることに変わりはない。

フェイクニュースは偽りや不正確なニュースと同一ではない。[7] ジャーナリストが真実を報道しようとしてまちがえた場合は、偽りのニュースだがフェイクではない。フェイクニュースは、だまそうという意図か、少なくとも真実を軽視した姿勢が要件となる。たとえば、クリックベイト〔ウェブ上の記事に煽情的なタイトルをつけ、ユーザーの興味を引いて閲覧者数を増やす手法〕のニュースサイトは、真実でも虚偽でもかまわないという姿勢で記事をつくっている。

フェイクニュースでも実在の問いが発生する。もしもシミュレーションとバーチャル世界がリアルならば、フェイクニュースによって召喚された世界もリアルなのか？　フェイクニュースはフィクションの世界の描写に似たところがある。そこには基礎となる主張があり〔ヒラリー・クリントンは悪党だ。バラク・オバマはケニア生まれだ〕、基礎となるひとつのフィクションの世界を描写する話が次々に発生する。しかしこの世界はＶＲの世界ではない。没入型でもインタラクティブでもなく、コンピュータ生成でもない。よってバーチャル・リアリズムの主張はそれを支援できない。

コンピュータ・シミュレーションがひとつのフェイクニュース（ここではシム・ピザゲートにしよう）をつくり、次々にその派生ニュースをつくることは想像できる。シミュレーション内ではシム・ヒラリーがピザ店で鬼畜のふるまいをしている。この場合、ピザゲートの世界と対応するデジタルのリアリティがある。だが私たちが「ヒラリー」と言うとき、それは本物の彼女のことを指すので、シム・ヒラリーの鬼畜の行動は、本物のヒラリーに対するピザゲートの申し立てとは関係ない。現実離れしたケースでは、私たちはシミュレーションの世界に住んでいて、そこには最初からピザゲート事件があるとする。そうなると、私たちは犯罪者であるシム・ヒラリーについて話していて、ピザゲートのニュースはフェイクではないのだ。だがシミュレーションの中に住んでいなければ、ニュースのシミュレーションがフェイクニュースを本当の話にしてしまう危険はない。

どうやってフェイクニュースを見分けるか、という知識の問いはより喫緊の課題だ。その方法を知らないのであれば、そもそもニュースメディアを知識の源にしていいのかわからない。

私たちはたしかにニュースメディアを知識の源にしている。現代社会に生きるほとんどの人は、広い世界の知識を得る手段としてニュースに多くを頼っている。政治の状況、ほかの国やほかの都市についてもニュースで知る。危機や災害についても同じだ。もしもニュースメディアが信頼できなくなれば、自分たちで思うよりも私たちの知ることは少なくなる。

幸運にも、本物とフェイクニュースを見分ける方法がいくつかある。ディープフェイクと同じで、不自然なところや矛盾はフェイクの証拠になる。本当らしくないという感覚を当てにするときもあれば、わざわざフェイクをつくらないであろう日常性を当てにするときもある。そしてもっとも頼りになるのは、信頼できるソースからの裏付けだ。評判の高いソースが発表したニュースならば、フェイクではないだろう。評判のいい報道機関でもよくミスをするが、丸ごとでっちあげることはまずしない。独立系のファクトチェック機関など、評判のいいほかのソースによる検証も、ニュースの正確性に対する信頼を補強する。広く信用されているソースが複数あるので、フェイクニュースやディープフェイクが攻撃してきても、だれもが何を信じていいかわからないという完全なるカオスには、今のところならない。

信頼できそうなソースが本当に信頼できるのか、どうしたら確かめられるだろうか？　矛盾がないだけでは足りない。まるで本物のような矛盾のないフェイクニュースをつくることができるからだ。ほかの信頼できるソースから支持されていることは有効だが、ネットワーク全体が信頼できないことまで想定できる。ある政治的サブカルチャー[8]がメディアネットワークを押さえていて、ネットワーク内部で相互に裏付けをしあっているならば、それは信頼できない。

そのサブカルチャー内では、多くの人が多くのことでだまされる可能性がある。だが重要なテーマで人をだますのには限度がある。あなたがインターネットに制限なくアクセスできるならば、多くのソースが伝える情報とあなたの集団内での情報が食い違っていることがわかるからだ。この場合、調べていけば、どちらのニュースがフェイクかわかることが多い。

では、厳しい情報統制下にある国の市民はどうすればいいだろう？　たとえば国営メディアしかない北朝鮮に暮らしているとしたら。あるいはアメリカの閉鎖的カルトなどのサブカルチャー内にいて、大部分のメディアへのアクセスが制限されているとしたら。真実を知るのははるかにむずかしい。そのときは、あなたの感覚や信頼できる人からの情報など、ほかの情報ソースと矛盾がないか調べる方法がある。こうした体制に住んでいる人々は、官製ニュースは嘘だというサインを出すことがある。たとえば、国民は栄養充分だと報じられているが、自分のまわりは飢えている、と言うなどして。遠い場所のニュースは捏造（ねつぞう）しやすい。国営メディアは他国で起きているニュースとして嘘の情報を国民に伝えているかもしれない。だがそのような場所でも、情報統制がおこなわれていることは大部分の人が知っているので、信用していいのか疑いが生ずるだろう。何を信じるべきかはわからないものの、ニュースを鵜呑（うの）みにはせず、判断を保留することはできる。

しかし、判断を保留するのは大変な作業だ。ニュースの中にある矛盾点を見つけだすためには、大いなる批判的思考能力を必要とする。それでも充分な注意力と思慮深さがある人ならば、情報統制をおこなう官製ニュースにだまされないですむ可能性はある。フェイクニュースにだまされるよりは判断を保留するほうがいいのはもちろんだが、真実を知るほうがもっといい。多くのフェイクニュースの目的は疑念を生じさせることにある、という主張がある。ドイツに生まれ、アメリカに亡命した哲学者のハンナ・アーレントは１９５１年に完成させた『全体主義の起原』[9]で次のように書いている。「全体主義における教育の目的は、信念を植えつけることであったことはなく、いかなる信念をも形成する可能性を壊すことにある」。もしも人々が当然のこととして判断を保留すれば、全体主義の戦略にとっては大成功なのだ。

私や多くの読者が住む国では、メディアは厳しく統制されてはいない。民主的な国の市民ならば通常、インターネットで無数のニュースソースといろいろな視点からの意見にアクセスできる。メディアには多くのバイアスや盲点があるが、同時にそれらをあきらかにする批判的なソースも存在する。たとえば、経済学者のエドワード・S・ハーマンと言語学者のノーム・チョムスキーによる1988年の共著『マニュファクチャリング・コンセント――マスメディアの政治経済学』[10]が描いたアメリカメディアのバイアスは本当かもしれないが、注目を集める本もその対象になるのだ。巨大メディアは大勢の市民をだませる場所にいるかもしれないが、メディア全体は厳重な統制下にないので、全市民をだませるほどよくできた偽情報はつくれない（エイブラハム・リンカーンの言葉として伝えられている「すべての人たちをつねにだますことはできない」のとおりに）。メディア全体がどこかおかしいときの理由は、メディアが知っていて市民をだますよりも、メディアが知らないがゆえのことが多い。

もちろん、ひねりを加えたシナリオを考えることもできる。全メディアの背後には黒幕がいて、オープンな体裁を装いつつ、すべては人々をだますためにしているというものだ。だが全面的な欺瞞は巨大で複雑な陰謀を必要とする。1988年製作のジョン・カーペンター監督の映画『ゼイリブ』のように住民全員をだますか、映画『トゥルーマン・ショー』のように住民が個人や集団をだますために共謀しなければならない。

そのような大がかりな陰謀論を全否定することはできないが、バートランド・ラッセルが唱えたように（第4章参照）、単純であることが適切だと思われる。巨大で複雑な陰謀論を採用するよりも、日常生活があるというはるかに単純な仮説を選ぶほうが合理的だ。フェイクニュース説の中で、もっともらしい単純なバージョンはひとつだけで、私たちはコンピュータによる巨大なシミュレーションの中にいる、というものだが、それはこれまでに見てきたことだ。

最後にまとめてみよう。ニュースソースを厳重に管理されている人にとっては、彼らが知るニュースが本当かフェイクかわからないかもしれない。だが、ある程度努力すれば、少なくとも何かがおかしいことがわかり、疑いを持ちつづけようという位置につくことはできるかもしれない。私や読者の多くのようにさまざまなニュースソースにアクセスできる人は、ニュースソース全体のネットワークを利用すれば、ニュースが本当かフェイクかを見きわめられるときがある。ほとんどのソースがフェイクになるという極端なシナリオを完全に排除することはできないが、コンピュータ・シミュレーションが少ないうちは、それらの複雑なシナリオは実現しないだろう。

1-2 (2016): 65-79; and Christopher Blake-Turner, “Fake News, Relevant Alternatives, and the Degradation of Our Epistemic Environment,” *Inquiry* (2020).

[5] Regina Rini, “Deepfakes and the Epistemic Backstop,” *Philosophers' Imprint* 20, no. 24 (2020): 1-16.

[6] 以下を参照のこと。Josh Habgood-Coote, “Stop Talking about Fake News!,” *Inquiry* 62, no. 9-10 (2019): 1033-65; and Jessica Pepp, Eliot Michaelson, and Rachel Sterken, “Why We Should Keep Talking about Fake News,” *Inquiry* (2019).

[7] フェイクニュースの定義については以下を参照のこと。Axel Gelfert, “Fake News: A Definition,” *Informal Logic* 38, no. 1 (2018): 84-117; Nikil Mukerji, “What is Fake News?,” *Ergo* 5 (2018): 923-46; Romy Jaster and David Lanius, “What is Fake News?,” *Versus* 2, no. 127 (2018): 207-27; and Don Fallis and Kay Mathiesen, “Fake News Is Counterfeit News,” *Inquiry* (2019).

[8] フェイクニュースやその他の誤情報のネットワーク分析については以下を参照のこと。Cailin O'Connor and James Owen Weatherall, *The Misinformation Age: How False Beliefs Spread* (Yale University Press, 2019).

[9] Hannah Arendt, *The Origins of Totalitarianism* (Schocken Books, 1951).〔ハンナ・アーレント『全体主義の起原（全3巻）』大久保和郎ほか訳、みすず書房、新版2017年〕

[10] Edward S. Herman and Noam Chomsky, *Manufacturing Consent: The Political Economy of the Mass Media* (Pantheon Books, 1987).〔エドワード・S・ハーマン、ノーム・チョムスキー『マニュファクチャリング・コンセント——マスメディアの政治経済学』中野真紀子訳、トランスビュー、2007年〕

*URLは2022年1月の原書刊行時のものです。

[12] Gad Drori, Paz Bar-Tal, Yonatan Stern, Yair Zvilichovsky, and Roy Salomon, "Unreal? Investigating the Sense of Reality and Psychotic Symptoms with Virtual Reality," *Journal of Clinical Medicine* 9, no. 6 (2020): 1627, DOI: 10.3390/jcm9061627.

[13] VR内のアバターは人々の行動に大きな影響を与えるようだ。たとえば、長身のアバターを使うと、人は自信を持ってふるまえるようになりやすい。心理学者Nick Yeeとジェレミー・ベイレンソンは、自在に姿を変えられた古代ギリシアの神プロテウスになぞらえて、これを「プロテウス効果」と呼んでいる。以下を参照のこと。Yee and Bailenson, "The Proteus Effect: The Effect of Transformed Self-Representation on Behavior," *Human Communication Research*, 33 (2007): 271-90; Jim Blascovich and Jeremy Bailenson, *Infinite Reality* (HarperCollins, 2011).

第12章：ARは真の実在なのか？

[1] 概観は以下を参照のこと。Maria Baghramian and Annalisa Coliva, *Relativism* (Routledge, 2020). 言語哲学に由来するツールを使った適度な相対主義についての現代的な弁護については、以下を参照のこと。John MacFarlane, *Assessment Sensitivity: Relative Truth and Its Applications* (Oxford University Press, 2014).

[2] Paul Milgram, H. Takemura, A. Utsumi, and F. Kishino (1994), "Augmented Reality: A Class of Displays on the Reality-Virtuality Continuum," *Proceedings of the SPIE—The International Society for Optical Engineering* 2351 (1995), https://doi.org/10.1117/12.197321.

第13章：ディープフェイクにだまされないためには

[1] 以下で見ることができる。https://www.facebook.com/howard.wiseman.9/posts/4489589021058960 および http://henryshevlin.com/wp-content/uploads/2021/06/chalmers-gpt3.pdf. 使用許可をくれたヘンリー・シェヴリンに感謝する。

[2] Sally Adee, "What Are Deepfakes and How Are They Created?," *IEEE Spectrum* (April 29, 2020).

[3] この問いを提示したのはドン・ファリスである。Don Fallis, "The Epistemic Threat of Deepfakes," *Philosophy & Technology* (August 6, 2020): 1-21; and *Philosophers' Imprint* 20, no. 24 (2020): 1-16.

[4] よりくわしい情報は以下を参照のこと。Regina Rini, "Fake News and Partisan Epistemology," *Kennedy Institute of Ethics Journal* 27, no. 2 (2017): 43-64; M. R. X. Dentith, "The Problem of Fake News," *Public Reason* 8, no.

私は以下で返答している。“The Virtual as the Digital,” *Disputatio* 11, no. 55 (2019): 453-86.

[8] 私はこの問題について以下で考察している。“The Virtual and the Real,” *Disputatio* 9, no. 46 (2017): 309-52。Maarten Steenhagenは “False Reflections,” *Philosophical Studies* 5 (2017): 1227-42において、鏡の知覚が錯覚である必要はないと論じている。鏡に関する哲学的議論については以下を参照のこと。Roberto Casati, “Illusions and Epistemic Innocence,” in *Perceptual Illusion: Philosophical and Psychological Essays*, ed. C. Calabi (Palgrave Macmillan, 2012); and Clare Mac Cumhaill, “Specular Space,” *Proceedings of the Aristotelian Society* 111 (2011): 487-95.

[9] Zenon W. Pylyshyn, *Computation and Cognition: Toward a Foundation for Cognitive Science* (MIT Press, 1984)〔ゼノン・W・ピリシン『認知科学の計算理論』信原幸弘ほか訳、産業図書、1988年〕. Susanna Siegel, “Cognitive Penetrability and Perceptual Justification,” *Noûs* 46, no. 2 (2012): 201-22; John Zeimbekis and Athanassios Raftopoulos, eds., *The Cognitive Penetrability of Perception: New Philosophical Perspectives* (Oxford University Press, 2015); Chaz Firestone and Brian J. Scholl, “Cognition Does Not Affect Perception: Evaluating the Evidence for‘Top-Down’Effects,” *Behavioral & Brain Sciences* 39 (2016): 1-77.

[10] 他の仮想性の現象学的分析は以下を参照のこと。Sarah. Heidt, “Floating, Flying, Falling: A Philosophical Investigation of Virtual Reality Technology,” *Inquiry: Critical thinking Across the Disciplines* 18 (1999): 77-98; Thomas Metzinger, “Why Is Virtual Reality Interesting for Philosophers?,” *Frontiers in Robotics and AI* (September 13, 2018); Erik Malcolm Champion, ed., *The Phenomenology of Real and Virtual Places* (Routledge, 2018). ポスト現象学的アプローチについては以下を参照のこと。Stefano Gualeni, *Virtual Worlds as Philosophical Tools: How to Philosophize with a Digital Hammer* (Palgrave Macmillan, 2015).

[11] Albert Michotte, *Causalité, permanence et réalité phénoménales: Études de psychologie expérimentale*, Publications Universitaires (1962), translated as “Phenomenal Reality” in *Michotte's Experimental Phenomenology of Perception*, eds. Georges Thines, Alan Costall, and George Butterworth (Routledge, 1991); Anton Aggernaes, “Reality Testing in Schizophrenia,” *Nordic Journal of Psychiatry* 48 (1994): 47-54; Matthew Ratcliffe, *Feelings of Being: Phenomenology, Psychiatry and the Sense of Reality* (Oxford University Press, 2008); Katalin Farkas, “A Sense of Reality,” in *Hallucinations*, eds. Fiona MacPherson and Dimitris Platchias (MIT Press, 2014).

[15] 以下を参照のこと。Herman Cappelen, *Fixing Language: An Essay on Conceptual Engineering* (Oxford University Press, 2018); Alexis Burgess, Herman Cappelen, and David Plunkett, eds., *Conceptual Engineering and Conceptual Ethics* (Oxford University Press, 2020). 内含とジェンダーの概念については以下を参照のこと。Katharine Jenkins, "Amelioration and Inclusion: Gender Identity and the Concept of Woman," *Ethics* 126 (2016): 394-421.

第11章：VR機器は錯覚を生む機械なのか？

[1] Jaron Lanier, *Dawn of the New Everything: Encounters with Reality and Virtual Reality* (Henry Holt, 2017).〔ジャロン・ラニアー『万物創生をはじめよう――私的VR事始』）谷垣暁美訳、みすず書房、2020年〕

[2] Arthur C. Clarke, *The City and the Stars* (Amereon, 1999).〔アーサー・C・クラーク『都市と星』酒井昭伸訳、早川書房、新訳版2009年〕

[3] Mel Slater, "A Note on Presence Terminology," *Presence Connect* 3, no. 3 (2003): 1-5; Mel Slater, "Place Illusion and Plausibility Can Lead to Realistic Behaviour in Immersive Virtual Environments," *Philosophical Transactions of the Royal Society of London B* 364, no. 1535 (2009): 3549-57.

[4] これを「イベントの錯覚」もしくは「出来事の錯覚」と呼ぶ哲学者がいるかもしれない。なぜなら、それは特定のイベントが実際に生じているかどうかにかかわるからだ。

[5] Olaf Blanke and Thomas Metzinger, "Full-Body Illusions and Minimal Phenomenal Selfhood," *Trends in Cognitive Sciences* 13, no. 1 (2009): 7-13; Mel Slater, Daniel Perez-Marcos, H. Henrik Ehrsson, and Maria V. Sanchez-Vives, "Inducing Illusory Ownership of a Virtual Body," *Frontiers in Neuroscience* 3, no. 2 (2009): 214-20; Antonella Maselli and Mel Slater, "The Building Blocks of the Full Body Ownership Illusion," *Frontiers in Human Neuroscience* 7 (March 2013): 83.

[6] フィリップ・ツァイは1998年の著作 *Get Real* (Rowman & Littlefield) の中で、VRは錯覚であるという見方を否定している。第6章とサイト付録で、バーチャル・リアリズムに関するハイムとツァイの見方を考察する。

[7] 現実の物理的空間およびバーチャルな空間に関して、本文で展開された単純な見方に対する批判は以下を参照のこと。E. J. Green and Gabriel Rabin, "Use Your Illusion: Spatial Functionalism, Vision Science, and the Case against Global Skepticism," *Analytic Philosophy* 61, no. 4 (2020): 345-78; and Alyssa Ney, "On Phenomenal Functionalism about the Properties of Virtual and Non-Virtual Objects," *Disputatio* 11, no. 55 (2019): 399-410.

ンだという見方も、リアルだという見方も否定している。つまり、バーチャル世界は、夢の世界や思考実験と同じ種類の地位を持っていて、フィクションでもリアルでもないととらえているのだ。

[11] 哲学者は「物質的事物が原子からできている」ということの意味を複数区別する。現在、もっとも人気のある方法はグラウンディングに関係するものだ。以下を参照のこと。Jonathan Schaffer, "On What Grounds What," in *Metametaphysics: New Essays on the Foundations of Ontology*, eds. David J. Chalmers, David Manley, and Ryan Wasserman (Oxford University Press, 2009); Kit Fine, "The Pure Logic of Ground," *Review of Symbolic Logic* 5, no. 1 (2012): 1-25。物質的事物は原子にグラウンドづけられている。その類推として、デジタル事物はビットにグラウンドづけられている。"The Virtual as the Digital" (*Disputatio* 11, no. 55 [2019]: 453-86) で私は、ビット構造を「狭義のデジタル事物」と呼び、ビット構造と心的状態の両方にグラウンドづけられた事物を、「広義のデジタル事物」と呼ぶことを提案した。

[12] バーチャル・フィクショナリズムを擁護する立場からの意見は以下を参照のこと。Claus Beisbart, "Virtual Realism: Really Realism or Only Virtually So?" A Comment on D. J. Chalmers's "Petrus Hispanus Lectures," *Disputatio* 11, no. 55 (2019): 297-331; Jesper Juul, "Virtual Reality: Fictional all the Way Down (and That's OK)," *Disputatio* 11, no. 55 (2019): 333-43; and McDonnell and Wildman, "Virtual Reality: Digital or Fictional?" バーチャル・デジタリズムに関するさらなる議論は以下を参照のこと。Peter Ludlow, "The Social Furniture of Virtual Worlds," *Disputatio* 11, no. 55 (2019): 345-69. 私は "The Virtual as the Digital." で返答をしている。

[13] Philip Brey, "The Social Ontology of Virtual Environments," *The American Journal of Economics and Sociology* 62, no. 1 (2003): 269-82。以下も参照のこと。Philip Brey, "The Physical and Social Reality of Virtual Worlds," in *The Oxford Handbook of Virtuality*, ed. Mark Grimshaw (Oxford University Press, 2014).

[14] より正確には、Xが因果関係的、心的に不変であるかぎり、Xはバーチャル内含（バーチャルなXはリアルなXだ）である。この意味で「不変」なものとは、それが存在する状況に含まれる抽象的な因果関係の組み合わせや心的状態にのみ依存するものである（以下を参照のこと。"The Matrix as Metaphysics" and "The Virtual and the Real"）。前の注で触れたフィリップ・ブレイは、バーチャルXは、Xが（お金のように）制度上のものであるときにのみリアルなXとなる、と主張している。制度上のものとは、正しい方法による社会的合意で構成されるものだ。私は「そのときのみ」という要求は厳しすぎると思う。たとえば、バーチャル計算機はリアルな計算機なのに、制度上のものではないように、多くの因果関係的・心的不変性は制度上のものではない。それでも、多くの制度が因果関係的・心的に不変なので、ブレイの要求はかなりの妥当性を持ちうる。

なく「アクチュアル (actual)」であり、アクチュアルを「現実化」の意味と解した。バーチャルとはまだ現実化していない(胎芽のように、あるいはホルヘ・ルイス・ボルヘスのGarden of Forking Paths〔「八岐(やまた)の園」(『伝奇集』所収、鼓直訳、岩波書店、1993年)〕における選択可能な道のように)、あるいは現実化(ひとつの道を選択するように)の途中にあるか、かつて現実化したこと(記憶のように)なのだ。バーチャリティのいろいろな意味を知るには以下を参照のこと。Rob Shields, *The Virtual* (Routledge, 2002).

[6] 厳密に言うと、アルトーがはじめてこの言葉を使ったのは「la realidad virtual」というスペイン語としてだった。というのは、「錬金術的演劇 (The Alchemical Theater)」というエッセイは、まず1932年にアルゼンチンの*Sur*という雑誌にスペイン語に翻訳され、"El Teatro Alquimico"というスペイン語のタイトルで発表されたからだ。フランス語版は1938年に"Le Théâtre Alchimique"というタイトルで*Le theatre et son double* (Gallimard)という本に収録された。英語版 (by Mary Caroline Richards)は*The Theatre and Its Double* (Grove Press, 1958)という本に収録された。

[7] Antonin Artaud, *The Theatre and Its Double*, 49.〔アントナン・アルトー「錬金術的演劇」(『演劇とその分身』所収、鈴木創士訳、河出書房新社、2019年)〕

[8] サイト付録。

[9] Susanne K. Langer, *Feeling and Form: A Theory of Art* (Charles Scribner's Sons, 1953), 49.〔スザンヌ・ランガー『感情と形式』大久保直幹訳、太陽社、1996年〕

[10] さまざまなバーチャル・フィクショナリズム(虚構論)が以下で解説されている。Jesper Juul, *Half-Real: Videogames between Real Rules and Fictional Worlds* (MIT Press, 2005); Grant Tavinor, *The Art of Videogames* (Blackwell, 2009); Chris Bateman, *Imaginary Games* (Zero Books, 2011); Aaron Meskin and Jon Robson, "Fiction and Fictional Worlds in Videogames" in *The Philosophy of Computer Games*, eds. John Richard Sageng et al. (Springer, 2012); David Velleman, "Virtual Selves," in his *Foundations for Moral Relativism* (Open Book, 2013); Jon Cogburn and Mark Silcox, "Against Brain-in-a-Vatism: On the Value of Virtual Reality," *Philosophy & Technology* 27, no. 4 (2014): 561-79; Neil McDonnell and Nathan Wildman, "Virtual Reality: Digital or Fictional," *Disputatio* 11, no. 55 (2020): 371-97.　これらの理論家のうち最初の4人は、ゲームの世界について話しており、より一般的なバーチャル世界について虚構論を支持していることがかならずしも明確なわけではない。虚構論者の一部には、VRはリアルであるという見方の個別の側面をあきらかにしている者がいる。たとえば、Juulはバーチャル世界にはリアルなルールが含まれるとしているし、Vellemanはフィクションの行為をする主体はフィクションの体を持つとしている。Espen Aarsethは"Doors and Perception: Fiction vs. Simulation in Games," *Intermedialities* 9 (2007): 35-44の中で、バーチャル世界はフィクショ

しいのならば、デジタル物理学はそれらの波や場、あるいは物理的にリアルなものは何であれ実現することになる。

[5] 原子などの実体の存在を否定する構造主義にはいくつかの種類がある（James Ladyman and Don Ross, *Every Thing Must Go,* Oxford University Press, 2009）。「そのもの自体」を認めない、この過激な構造主義を受けいれるのならば、そのときは前に記したように、私たちがシミュレーションの中にいる場合の物理領域のリアリティが、非シミュレート世界のリアリティと同じ程度になってしまうのだ。

[6] ソール・クリプキの *Naming and Necessity* (Harvard University Press, 1980)〔『名指しと必然性――様相の形而上学と心身問題』八木沢敬、野家啓一訳、産業図書、1985年〕内の哲学用語に従えば、シミュレーション説はビットからイット説と必然的に同等ではないものの、だいたいはアプリオリ（先天的）に同等である。もしもシミュレーション説が現実世界で真ならば、ビットからイット説も真になる。同様に、現実に光子の役割を果たすものが「光子」という名称で呼ばれることになる。これは、たとえここで言われる光子がこの役割を超えた形而上学的本性（シミュレート上のものであれ、何であれ）を有している場合にもそうなのである。

第10章：VRヘッドセットは現実(リアリティ)をつくり出すのか？

[1] Neal Stephenson, *Snow Crash* (Bantam, 1992).〔ニール・スティーヴンスン『スノウ・クラッシュ』日暮雅通訳、早川書房、2001年〕

[2] 本書を執筆中の2021年に、ソーシャルVRとして有力なプラットフォームには以下のものがある。*VRChat, Rec Room, Altspace VR, Bigscreen, Horizon*.

[3] サイト注記。

[4] Ludwig Wittgenstein, *Philosophical Investigations*, 4th edition (Blackwell, 2009)〔ルートウィッヒ・ウィトゲンシュタイン『哲学探究』鬼界彰夫訳、講談社、2020年〕; Eleanor Rosch, “Natural Categories,” *Cognitive Psychology* 4, no. 3 (1973): 328-50.

[5] *Dictionary of Philosophy and Psychology*, ed. James Mark Baldwin (Macmillan, 1902) での定義。パースは「バーチャル」の効果とは、胎芽〔人間の受胎後8週以内の個体〕が人になる可能性があるというのと同じ意味で可能性があるというのとは、区別されるべきだと主張している。胎芽は人としての力は持っていないので、「効果において」という意味でバーチャルな人ではないが、人になる力を持っているので可能性の意味でバーチャルな人間なのだ。日常の言語使いでは、可能性としてのバーチャリティのアイデアはもはや用法の中心ではない。しかし、フランスの哲学者であるアンリ・ベルクソン（*Matter and Memory* 1896〔『物質と記憶』杉山直樹訳、講談社、2019年〕）とジル・ドゥルーズ（*Bergsonism* 1966〔『ベルクソニズム』檜垣立哉、小林卓也訳、法政大学出版局、2017年〕および他の作品）と結びつく重要な哲学上の考え方とつながっている。ドゥルーズによると、「バーチャル」の対義語は「リアル」では

[19] David Deutsch, "It from qubit," in *Science and Ultimate Reality: Quantum Theory, Cosmology, and Complexity*, eds. John Barrow et al. (Cambridge University Press, 2004); Seth Lloyd, *Programming the Universe: A Quantum Computer Scientist Takes on the Cosmos* (Alfred A. Knopf, 2006)〔セス・ロイド『宇宙をプログラムする宇宙——いかにして「計算する宇宙」は複雑な世界を創ったか?』水谷淳訳、早川書房、2007年〕; P. A. Zizzi, "Quantum Computation Toward Quantum Gravity," 13th International Congress on Mathematical Physics, London, 2000, arXiv:gr-qc/0008049v3.
[20] 関連する議論は以下を参照のこと。Anthony Aguirre, Brendan Foster, and Zeeya Merali, eds., *It from Bit or Bit from It? On Physics and Information* (Springer, 2015); and Paul Davies and Niels Henrik Gregersen, *Information and the Nature of Reality* (Cambridge University Press, 2010).
[21] 以下を参照のこと。Gregg Rosenberg, *A Place for Consciousness: Probing the Deep Structure of the Natural World* (Oxford University Press, 2004).
[22] 以下を参照のこと。Aguirre et al., *It from Bit or Bit from It*; Eric Steinhart, "Digital Metaphysics," in *The Digital Phoenix*, eds. T. Bynum and J. Moor (Blackwell, 1998). 批判的な分析は以下を参照のこと。Luciano Floridi, "Against Digital Ontology," *Synthese* 168 (2009): 151-78; Nir Fresco and Philip J. Staines, "A Revised Attack on Computational Ontology," *Minds and Machines* 24 (2014): 101-22; and Gualtiero Piccinini and Neal Anderson, "Ontic Pancomputationalism," in *Physical Perspectives on Computation, Computational Perspectives on Physics*, eds. M. E. Cuffaro and S. E. Fletcher (Cambridge University Press, 2018).
[23] サイト注記。

第9章：シミュレーションがビットからイット説をつくったのか?

[1] サイト注記。
[2] 量子コンピューティングの文脈におけるシミュレートされた世界、および量子ビットからイット説におけるシミュレートされた世界に関する議論は以下を参照のこと。Seth Lloyd, *Programming the Universe* (Knopf, 2006); and Leonard Susskind, "Dear Qubitzers, GR=QM" (2017, arXiv:1708.03040 [hepth]).
[3] シミュレーション説が、基本要素としてのビットあるいは、非プログラム式のプロセスと両立可能であるかどうかという問題は、ビットからイット創世説は必然としてシミュレーション説をともなうという主張に対する異議となる可能性がある。それらについてはサイト注記で論じる。
[4] 一部の科学者や哲学者は、標準的な物理学の中でさえも個々の光子がリアルであることを否定している。そこには、たとえば量子波か電磁場があるだけかもしれない。それが正

Computation Using Analog VLSI, with Applications to Computer Graphics and Neural Networks" (PhD diss., Caltech, 1993).

[10] 「連続値数字」と「アナログ数字」という言葉はときどき文学で使われる (e.g., Saed et al., "Arithmetic Circuits for Analog Digits") が、私の知るかぎり、それらの標準的な省略形は存在しない。それは純粋に数学的な実数 (リアル・ナンバー) を意味する一方で、私たちの目的には、(ビットをともなって) 物理的に実現されたリアル・ナンバーになっているものがより求められる (ここでの「リアル」をリアリティの意味におけるリアルと混同しないでもらいたい。そして、連続量はしばしば実数よりも複雑な数になる)。ビットは物理システムの中で2進数の状態で物理的に具現化されるが、リアルは物理システムの中でリアルな数値の状態として具現化される (基質に中立で個別化される点は同じだ)。注意するべきは、シャノン型のビットを測定するものと同じような、連続情報量を真に測定する尺度がないことだ。その理由のひとつは、複数のリアルがひとつのリアルとしてコード化されることも、その逆もありうるからだ。

[11] サイト注記。

[12] Gregory Bateson, *Steps to an Ecology of Mind* (Chandler, 1972)〔グレゴリー・ベイトソン『精神の生態学』佐藤良明訳、新思索社、改訂版2000年〕. ベイトソンは「情報は差異を生みだす差異だ」と言ったドナルド・マッケイを評価した。

[13] サイト注記。

[14] Anatoly Dneprov, "The Game," *Knowledge-Power* 5 (1961): 3941. English translation by A.Rudenko at http://q-bits.org/images/Dneprov.pdf. ドニェプロフの「ポルトガルのスタジアム」は、ジョン・サールの有名な「中国語の部屋」という議論 ("Minds, Brains, and Programs," *Behavioral and Brain Sciences* 3 (1980): 417-57) に先立つものと見ることができる。ドニェプロフのシステムは1行の文章を翻訳するものだったが、サールのシステムは会話を交わすことができた。

[15] このスローガンは物理学者のロルフ・ランダウアーが以下の文献で唱えたものだ。"Information Is Physical," *Physics Today* 44, no. 5 (1991): 23-29.

[16] Konrad Zuse, *Calculating Space* (MIT Press, 1970); Edward Fredkin, "Digital Mechanics: An Information Process Based on Reversible Universal Cellular Automata," *Physica D* 45 (1990): 254-70; Stephen Wolfram, *A New Kind of Science* (Wolfram Media, 2002).

[17] John Archibald Wheeler, "Imation, Physics, Quantum: The Search for Links," *Proceedings of the 3rd International Symposium on the Foundations of Quantum Mechanics* (Tokyo, 1989), 354-68.

[18] 私はこのアイデアを以下で論じている。"Finding Space in a Nonspatial World," in *Philosophy beyond Spacetime*, eds. Christian Wüthrich, Baptiste Le Bihan, and Nick Huggett (Oxford University Press, 2021). この本には時空を生みだすものについて多くの考えが掲載されている。

Anne Waters, ed., *American Indian Thought* (Blackwell, 2004).

[4] いろいろな文化における形而上学的体系については以下を参照のこと。Gary Rosenkrantz and Joshua Hoffman, *Historical Dictionary of Metaphysics* (Scarecrow Press, 2011); Jay Garfield and William Edelglass, eds., *The Oxford Handbook of World Philosophy* (Oxford University Press, 2014); Julian Baggini, *How the World thinks* (Granta Books, 2018)〔ジュリアン・バジーニ『哲学の技法――世界の見方を変える思想の歴史』黒輪篤嗣訳、河出書房新社、2020年〕; A. Pablo Iannone, *Dictionary of World Philosophy* (Routledge, 2001).

[5] 2020年のPhilPapersの調査では、52%が心に関する物理主義を受けいれていて、拒否する者は22%だった。意識に関するアンケートでは、二元論を受けいれる者は22%で、汎心論は8%だった(33%が機能主義を支持し、13%が心脳同一説を受けいれ、ここでは紹介していない消去主義を受けいれる者が5%だった)。外部世界に関する質問では、7%が観念論を受けいれている(5%が懐疑論を、80%が反懐疑論的実在論を受けいれている)。

[6] 以下を参照のこと。Rudolf Carnap and Yehoshua Bar-Hillel, "An Outline of a Theory of Semantic Information," *Technical Report* No. 247, MIT Research Laboratory of Electronics (1952), reprinted in Bar-Hillel, *Language and Information* (Reading, MA: Addison-Wesley, 1964); Luciano Floridi, "Semantic Conceptions of Information" in *Stanford Encyclopedia of Philosophy* (2005).

[7] サイト付録でくわしく考察している。分け方は私独自のものだが、この分野の区分はこれまで何度もおこなわれてきた。情報はいろいろな区分の仕方がある。以下を参照のこと。Mark Burgin, *Theory of Information: Fundamentality, Diversification and Unification* (World Scientific, 2010); Luciano Floridi, *The Philosophy of Information* (Oxford University Press, 2011)〔ルチアーノ・フロリディ『情報哲学大全』藤末健三訳、サイゾー、2021年〕; Tom Stonier, *Information and Meaning: An Evolutionary Perspective* (Springer-Verlag, 1997).

[8] サイト注記。

[9] George Dyson, *Analogia: The Emergence of Technology beyond Programmable Control* (Farrar, Straus & Giroux, 2020); Lenore Blum, Mike Shub, and Steve Smale, "On a Theory of Computation and Complexity over the Real Numbers," *Bulletin of the American Mathematical Society* 21, no.1 (1989): 1-46; Aryan Saed et al., "Arithmetic Circuits for Analog Digits," *Proceedings of the 29th IEEE International Symposium on Multiple-Valued Logic*, May 1999; Hava T. Siegelmann, *Neural Networks and Analog Computation: Beyond the Turing Limit* (Birkhauser, 1999); David B. Kirk, "Accurate and Precise

[8] 楽観的な見方については以下を参照のこと。Eric Steinhart's *Your Digital Afterlives: Computational Theories of Life after Death* (Palgrave Macmillan, 2014).
[9] Eliezer Yudkowsky, "The AI-Box Experiment," https://www.yudkowsky.net/singularity/aibox; David J. Chalmers, "The singularity: A Philosophical Analysis," *Journal of Consciousness Studies* 17 (2010): 9-10.
[10] このエピソードは、ウィリアム・ジェームズの代わりにバートランド・ラッセルやほかの人の名が入ることも多く、つくり話だと思われる。ジェームズ自身は論文 "Rationality, Activity, and Faith" (*Princeton Review*, 1882) において、カメではなく「石がずっと続く古い話」があるとほのめかしている。18世紀の哲学者ふたり、ヨハン・ゴットリープ・フィヒテ (*Concerning the Conception of the Science of Knowledge Generally*, 1794の中で) とデイヴィッド・ヒューム (*Dialogues Concerning Natural Religion*, 1779〔『自然宗教をめぐる対話』犬塚元訳、岩波書店、2020年〕の中で) はともに、このエピソードの象やカメが出てくるバージョンをほのめかしている。
[11] Jonathan Schaffer, "Is There a Fundamental Level?" Noûs 37 (2003): 498-517. 以下も参照のこと。Ross P. Cameron, "Turtles All the Way Down: Regress, Priority, and Fundamentality," *Philosophical Quarterly* 58 (2008): 1-14.

第8章：宇宙は情報でできているのか？

[1] Gottfried Wilhelm Leibniz, "De Progressione Dyadica" (manuscript, March 15, 1679); "Explication de l'arithmétique binaire," *Memoires de l'Academie Royale des Sciences* (1703). ライプニッツの2進法の発見は『易経』にインスピレーションを受けたものだ、と言われることがある。実際は、中国で活動したイエズス会士のジョアシャン・ブーヴェが『易経』をライプニッツに紹介し、その類似性を指摘する数年前に、ライプニッツはすでに2進法を考えだしており、その後、紹介された『易経』の要素を自分の説明に組みこんだのだ。また、ライプニッツより1世紀も前にトーマス・ハリオットがビットを考案していたという事例もある。以下を参照のこと。John W. Shirley, "Binary Numeration before Leibniz" (*American Journal of Physics* 19, no. 8 [1951]: 452-54). また、20世紀アメリカの数学者クロード・シャノンは「ビット」の名付け親のひとりだが、「ビットの発明者」と呼ばれることがある。本書で紹介するが、シャノンが発明したのは2進法ではなく、情報理論的な測定尺度である。
[2] playgameoflife.com. 最初はグライダーから始まるが、グライダー銃などのいろいろな形状を展開できる。: playgameoflife.com/lexicon/Gosper_glider_gun.
[3] Robert Lawlor, *Voices of the First Day: Awakening in the Aboriginal Dreamtime* (Inner Traditions, 1991); James Maffie, *Aztec Philosophy, Understanding a World in Motion* (University Press of Colorado, 2014);

オリジナルとしてのリアリティや基本性としてのリアリティの中から現れるだろう。これらは本で語っているが、リアル、リアリー、リアリティの多くの意味に関するさらなる議論は以下を参照のこと。Jonathan Bennett, "Real," *Mind* 75 (1966): 501-15; and Steven L. Reynolds, "Realism and the Meaning of 'Real,'" *Noûs* 40 (2006): 468-94.

[8] David Deutsch, *The Fabric of Reality* (Viking, 1997).〔デイヴィッド・ドイッチュ『世界の究極理論は存在するか――多宇宙理論から見た生命、進化、時間』林一訳、朝日新聞社、1999年〕

[9] サイト注記。

[10] O. K. Bouwsma, "Descartes' Evil Genius," *Philosophical Review*. 58, no. 2 (1949): 141-51.

[11] Philip Zhai, *Get Real: A Philosophical Adventure in Virtual Reality* (Rowman and Littlefield, 1998).

第7章：神はひとつ上の階層にいるハッカーなのか？

[1] https://www.simulation-argument.com/.

[2] 2020年のPhilPapersの調査では、ファインチューニング問題は何で説明できるか、という問いに対して、17%がデザイン説で説明できると答え、15%がマルチバース説、32%が「ナマの事実」で説明できると答えた。一方、22%の者がファインチューニングは存在しないと回答した。

[3] サイト注記。

[4] 他の情報源は以下を参照のこと。Bostromの "Are You Living in a Computer Simulation?" (*Philosophical Quarterly* 53, no. 211 [2003]: 243-55) は、「自然主義者の神統記」について語っている。Eric Steinhart's "Theological Implications of the Simulation Argument," *Ars Disputandi* 10, no. 1 (2010): 23-37.

[5] サイト注記。

[6] Preston Greene, "The Termination Risks of Simulation Science," *Erkenntnis* 85, no. 2 (2020): 489-509.

[7] G. W. F. Hegel, *Lectures on the Philosophy of History,* (1837)〔G・W・ヘーゲル『歴史哲学講義』長谷川宏訳、岩波書店、1994年〕. イギリスのSF作家ダグラス・アダムスが1980年に出版した *The Restaurant at the End of the Universe* (Pan Books, 1980)〔銀河ヒッチハイク・ガイドシリーズ『宇宙の果てのレストラン』安原和見訳、河出書房新社、2005年〕の題辞には、ヘーゲル流の考えが見てとれる。「一説によると、もしも、宇宙がなぜ何のためにここに存在するのかを誰かが正確に突きとめてしまったならば、宇宙はたちまち消滅し、代わりにもっと異様で説明のむずかしい何かが現れるだろう。そして、その状況はすでに発生していると主張する説もある」

第6章：リアリティとは何か？

[1] その研究にバーチャル・リアリズムの要素が含まれる者には以下がいる。デイヴィッド・ドイッチュ、フィリップ・ツァイ（第6章で紹介している）、フィリップ・ブレイ（第10章）。シミュレーション・リアリズムの要素を支持するのはダグラス・ホフスタッター（第20章）で、*Philosophers Explore the Matrix* におけるアンディ・クラークやヒューバート・ドレイファスの論文にその要素を見ることができる。さらに、O・K・ブーズマ（第6章）とヒラリー・パトナム（第20章で紹介している）も、シミュレーションについて論じた場面ではないが、シミュレーション・リアリズムに似た見方を示している。

[2] 存在に関する複数の見方を比べるには、以下を参照のこと。W. V. Quine, "On What There Is," *Review of Metaphysics* 2 (1948): 21-38; Rudolf Carnap, "Empiricism, Semantics, and Ontology," *Revue Internationale de Philosophie* 4 (1950): 20-40; and the articles in D. J. Chalmers, D. Manley, and R. Wasserman, eds., *Metametaphysics: New Essays in the Foundations of Ontology* (Oxford University Press, 2009).

[3] サイト注記。

[4] Philip K. Dick, "I Hope I Shall Arrive Soon." First published as "Frozen Journey" in Playboy, December 1980. Reprinted in Dick, *I Hope I Shall Arrive Soon* (Doubleday, 1985).〔フィリップ・K・ディック『凍った旅』浅倉久志訳（大森望編『アジャストメント――ディック短篇傑作選』所収、早川書房、2011年）〕

[5] J. K. Rowling, *Harry Potter and the Deathly Hallows* (Scholastic, 2007), p. 723.〔J・K・ローリング『ハリー・ポッターと死の秘宝』松岡佑子訳、静山社、2008年〕

[6] J. L. Austin, *Sense and Sensibilia* (Oxford University Press, 1962).

[7] ほかのより糸には観察可能性としてのリアリティ、測定可能性としてのリアリティ、理論的有用性としてのリアリティが含まれる（これらは因果的力のより糸に関連している）。信頼性としてのリアリティ、自然らしさとしてのリアリティ、オリジナル性としてのリアリティ、基本性としてのリアリティもより糸に含まれる（これらは本物としてのより糸に関連している）。そして、「実際に」という意味がある。つまり、あるものが実際に生じていると言うときの意味だ。そこには真実としてのリアリティを含むより糸がある。現実としてのリアリティがある。事実としてのリアリティがある（それらは非錯覚のより糸と関連している）。客観性としてのリアリティがある。間主観性としてのリアリティがある。独立した証拠としてのリアリティがある（それらは心からの独立というより糸と関連している）。まちがいなく、これらの「実際に」の意味はそれぞれ、「Xはリアルだ」を「Xはリアルに存在する」に翻訳することで、対応する「リアル」の意味を生みだす（ここでは、リアル・ナンバー＝実数と、リアル・エステート＝不動産として働くより糸はわきに置いておこう。ただ、実数や虚数という用語はデカルトに由来することは触れておきたい）。多くのより糸の中で、リアルとしてのシミュレートされた対象の地位をもっとも脅かすであろうものは、本物としてのより糸や、

pdfrefut.pdf, 2004; Jonathan Birch, "On the'Simulation Argument' and Selective Scepticism," *Erkenntnis* 78 (2013): 95-107.シミュレーション論証に関する、さらなる異議についてはサイト付録で紹介している。

[15] Toby Ord, *The Precipice: Existential Risk and the Future of Humanity* (Hachette, 2020).

[16] サイト注記。

[17] サイト注記。

[18] サイト注記。

[19] Marcus Arvanは論文 "The PNP Hypothesis and a New Theory of. Free Will" (*Scientia Salon*, 2015) の中で、シミュレーション説のあるバージョンは、自由意志をもっともうまく説明しているし、量子力学の特徴の多くをもっともうまく説明しており、その結果として、これらの現象はシム・サインである、と主張している。

[20] Robin Hanson, "How to Live in a Simulation," *Journal of Evolution and Technology* 7 (2001).

[21] サイト注記。

[22] 以下を参照のこと。John Searle, *Minds, Brains, and Science* (Harvard University Press, 1986).〔ジョン・サール『心・脳・科学』土屋俊訳、岩波書店、1993年〕

[23] バリー・デイントン、グレース・ヘルトン、Brad Saadには、この主張の複数のバージョンを示してくれたことに感謝する。ヘルトンの "Epistemological Solipsism as a Route to External World Skepticism" (*Philosophical Perspectives*, forthcoming) では、倫理的なシミュレーション実行者は、意識を持つ生物が一体しかいないシミュレーションをつくるかもしれない、と主張する。その場合、意識を持つ生き物はどれでも、自分が宇宙で唯一の意識を持つ生命であるという独我論的テーマを真剣に考えるべきである、という。

[24] 以下を参照のこと。Christof Koch *The Feeling of Life Itself: Why Consciousness Is Widespread But Can't Be Computed* (MIT Press, 2019); Giulio Tononi and Christof Koch, "Consciousness: Here, There, and Everywhere?" *Philosophical Transactions of the Royal Society B* (2015).

[25] サイト注記。

[26] サイト付録。

[27] サイト注記。

[28] ボストロムのシミュレーション論証に関するサイト付録。

[29] サイト注記。

[30] サイト注記。

[31] サイト注記。

[4] カリフォルニア州ランチョパロスベルデスで2016年5月31日〜6月2日に開催された、テクノロジーカンファレンスであるCode Conference 2016におけるマスクへのインタビュー。"Why Elon Musk Says We're Living in a Simulation," *Vox*, August 15, 2016.
[5] サイト注記。
[6] サイト注記。
[7] サイト注記。
[8] サイト注記。
[9] 人間レベルの知的生命体をシミュレートすることは不可能だという主張(ゲーデルの定理を用いて、人間はどんなコンピュータよりも能力が上だ、と主張する)については、以下を参照のこと。J. R. Lucas, "Minds, Machines and Gödel," *Philosophy* 36, no. 137 (1961): 112-27; and Roger Penrose, *The Emperor's New Mind* (Oxford University Press, 1989)〔ロジャー・ペンローズ『皇帝の新しい心――コンピュータ・心・物理法則』林一訳、みすず書房、1994年〕. ペンローズへの私の返答については、私の"Minds, Machines, and Mathematics," *Psyche* 2 (1995): 11-20を参照のこと。
[10] 量子重力コンピュータのコンセプトのひとつは以下を参照のこと。Lucien Hardy, "Quantum Gravity Computers: On the Theory of Quantum Computation with Indefinite Causal Structure," in Wayne Myrvold and Joyce Christian, eds., *Quantum Reality, Relativistic Causality, and Closing the Epistemic Circle* (Springer, 2009).
[11] サイト注記。
[12] Richard Feynman, "There's Plenty of Room at the Bottom," *Engineering & Science* 23, no. 5 (1960): 22-36; Seth Lloyd, "Ultimate Physical Limits to Computation," *Nature* 406 (2000): 1047-54; Frank Tipler, *The Physics of Immortality* (Doubleday, 1994), 81.
[13] 「コンプトロニウム(演算素)」とはMITのTommaso ToffoliとNorman Margolusが考えた仮説的な素材で、「プログラム可能な物質」である。以下を参照のこと。Tommaso Toffoli and Norman Margolus, "Programmable Matter: Concepts and Realization," *Physica D*, 47, no. 1-2 (1991): 263-72; and Ivan Amato, "Speculating in Precious Computronium," *Science* 253, no. 5022 (1991): 856-57. この用語は、最大に効率的なプログラム可能な物質として一般的に使われるようになり、SF小説では人気がある。たとえば、Charles Stross's *Accelerando* (Penguin Random House, Ace reprint, 2006)〔チャールズ・ストロス『アッチェレランド』酒井昭伸訳、早川書房、2009年〕では、太陽系の多くの部分がコンプトロニウムに変えられている。
[14] このバージョンの異議は以下を参照のこと。Fabien Besnard, "Refutations of the Simulation Argument," http://fabien.besnard.pagesperso-orange.fr/

Philosophy, trans. Rolf A. George (Carus, 2003). ウィーン学団の入門書は以下がよい。David Edmonds, *The Murder of Professor Schlick: The Rise and Fall of the Vienna Circle* (Princeton University Press, 2020).

[8] Ludwig Wittgenstein, *Tractatus LogicoPhilosophicus* (Kegan Paul, 1921). A・J・エイヤーはその著書 *Language, Truth, and Logic* (Victor Gollancz, 1936)〔『言語・真理・論理』吉田夏彦訳、筑摩書房、2022年〕の中でこう言っている。「それゆえに、感性界（センスの世界）は現実と対立する単なる見た目だけの世界だと非難する者は、文字どおりナンセンスだ」。その論文 "Empiricism, Semantics, and Ontology" (*Revue Internationale de Philosophie* 4 [1950]：20-40) の中で、カルナップは「ものの世界の実在性」の問題には、「システムそれ自体に有意味に適用できない概念」も含まれると言っている。もちろん、ウィーン学団ではシミュレーション説をはっきりと論じた者はいない。

[9] Hilary Putnam, *Reason, Truth and History* (Cambridge. University Press, 1981).〔ヒラリー・パトナム『理性・真理・歴史』〕

[10] 以下を参照のこと。Bertrand Russell, *The Problems of Philosophy* (Henry Holt, 1912), 22-23〔バートランド・ラッセル『哲学入門』高村夏輝訳、筑摩書房、2005年〕; こちらも参照のこと。Jonathan Vogel, "Cartesian Skepticism and Inference to the Best Explanation," *Journal of Philosophy* 87, no. 11 (1990): 658-66.

[11] G. E. Moore, "Proof of an External World," *Proceedings of the British Academy* 25, no. 5 (1939): 273-300. 哲学に対するムーアの常識アプローチは18世紀スコットランドの哲学者トマス・リードの影響を受けている。たとえばリードの1764年の著書 *An Inquiry into the Human Mind on the Principles of Common Sense*〔『心の哲学』朝広謙次郎訳、知泉書館、2004年〕などだ。以下も参照のこと。James Pryor, "What's Wrong with Moore's Argument?," *Philosophical Issues* 14 (2004): 349-78.

[12] サイト付録。

第5章：私たちはシミュレーションの中にいるのだろうか？

[1] Hans Moravec, "Pigs in Cyberspace," in *Thinking Robots, an Aware Internet, and Cyberpunk Librarians*, eds. H. Moravec et al. (Library and Information Technology Association, 1992). Reprinted in *The Transhumanist Reader*, eds. Max More and Natasha Vita-More (Wiley, 2013).

[2] Charles Platt, "Superhumanism," *WIRED*, October 1, 1995.

[3] Nick Bostrom, "Are You Living in a Computer Simulation?" *Philosophical Quarterly* 52 (2003): 243-55.

下を参照のこと。Paolo Pecere, *Soul, Mind and Brain from Descartes to Cognitive Science* (Springer, 2020).

[12] 以下を参照のこと。Keith Frankish, ed., *Illusionism. as a Theory of Consciousness* (Imprint Academic, 2017).

第4章：外部世界は本当にあるのか？

[1] Jonathan Harrison, "A Philosopher's Nightmare or the Ghost Not Laid," *Proceedings of the Aristotelian Society* 67 (1967): 179-88.

[2] 神は完全なる存在だという考えはデカルトが言いだしたことではない。11世紀にカンタベリーの聖アンセルムスが、神の存在に関する〈存在論的証明〉で言いはじめたことだ。それについては第7章で述べる。16世紀スペインの学者フランシスコ・スアレスの主張も、デカルトの考えにとてもよく似ている。

[3] 観念論の最近の議論については以下を参照のこと。Tyron Goldschmidt and. Kenneth L. Pearce, eds., *Idealism: New Essays in Metaphysics* (Oxford University Press, 2017) and *The Routledge Handbook of Idealism and Immaterialism*, eds. Joshua Farris and Benedikt Paul Göcke (Routledge & CRC Press, 2021).

[4] 観念論の間主観的バージョンはドイツの哲学者エトムント・フッサールが1929年の著書 *Cartesian Meditations: An Introduction to Phenomenology*〔『デカルト的省察』浜渦辰二訳、岩波書店、2001年〕で展開した。おそらく近年のバージョンは、観念論者ではない神経科学者のアニル・セスが *Being You* (Dutton, 2021) の中で唱えた言葉になるだろう。「われわれはいつでもずっと幻覚を見ている。幻覚について意見が一致するときに、われわれはそれを実在と呼ぶのだ」。間主観的観念論は、通常の観念論と同じ多くの問題に悩まされている。中でも重要なのは、私たちがそろって同じ木を見ているように思える理由など、共有する見た目の規則正しさを説明するために、見た目を超えた何らかの現実を必要とすることだ。

[5] 神や外部世界をもちださなくても済むように、アルゴリズム情報理論を利用した観念論の現代版は以下を参照のこと。Markus Müller, "Law Without Law: From Observer States to Physics via Algorithmic Information Theory," *Quantum* 4 (2020): 301.

[6] 第8章と22章の〈意識からビットへそしてイット〉の主張を参照のこと。以下も参照のこと。David J. Chalmers "Idealism and the Mind-Body Problem," in *The Routledge Handbook of Panpsychism*, ed. William Seager (Routledge, 2019); reprinted in *The Routledge Handbook of Idealism and Immaterialism*.

[7] Rudolf. Carnap, *Scheinprobleme in der Philosophie* (Weltkreis, 1928); Rudolf Carnap, *The Logical Structure of the World & Pseudoproblems in*

Solipsism as a Route to External World Skepticism," *Philosophical Perspectives* (forthcoming). ピュロンについては以下を参照のこと。Richard Bett, *Pyrrho: His Antecedents and His Legacy* (Oxford University Press, 2000).

[2] Paul M. Churchland, "Chimerical Colors: Some Phenomenological. Predictions from Cognitive Neuroscience," *Philosophical Psychology* 18, no. 5 (2005): 27-60.

[3] Christia Mercer, "Descartes' Debt to Teresa of Ávila, or Why We Should Work on Women in the History of Philosophy," *Philosophical Studies* 174, no. 10 (2017): 2539-2555. Teresa of Ávila, *The Interior Castle*, trans. E. Allison Peers (Dover, 2012).〔アビラの聖テレサ『霊魂の城——神の住い』高橋テレサ訳、聖母の騎士社、2000年〕

[4] モンテーニュは1576年の随筆 "Apology for Raymond Sebond" (Montaigne, *The Complete Essays*, M. A. Screech, ed. and trans., Penguin, 1993)〔『随想録』関根秀雄訳、新潮社、1970年ほか〕の中で、懐疑的アイデアを深く掘りさげている。

[5] Hilary Putnam, "*Reason, Truth and History*" (Cambridge University Press, 1981).〔ヒラリー・パトナム『理性・真理・歴史——内在的実在論の展開』(野本和幸ほか訳、法政大学出版局、1994年〕

[6] Barry Dainton, "Innocence Lost: Simulation Scenarios: Prospects and Consequences," 2002, https://philarchive.org/archive/DAIILSv1.

[7] サイト注記。

[8] Bertrand Russell, "The Philosophy of Logical Atomism," *The Monist* 28. (1918): 495-527.〔バートランド・ラッセル『論理的原子論の哲学』高村夏輝訳、筑摩書房、2007年〕

[9] 哲学における最新のアイデアと同じで、「コギト(我思う、ゆえに我あり)」はすべてがデカルトのオリジナルの考えではない。5世紀の北アフリカの聖アウグスティヌス(ヒッポのアウグスティヌス)は*City of God*〔『神の国』金子晴勇ほか訳、教文館、2014年ほか〕で次のように記した。「私は自分が存在することを確信している。私が過ちを犯したとき、私は存在する。もしも人が存在しなければ、その人は過ちを犯せないのだ。それゆえに、私が過ちを犯せば、私は存在するのだ」

[10]「コギト」が推論もしくは論証だという見方を否定する解釈は以下を参照のこと。Jaakko Hintikka, "*Cogito ergo sum*: Inference or Performance?," *Philosophical Review* 71 (1962): 3-32.

[11] デカルトは1642年に発行された*Meditation*〔『省察』山田弘明訳、筑摩書房、2006年ほか〕の第2版において反論に答えるなかで、「思考」を次のように定義している。「私たちがすぐに気づくような、私たちの中にあるすべてのものを含んだ意味で、この言葉を使う。したがって、意志や知性、想像、感覚の作用はすべて思考になるのだ」。以

(2014): 148.

[18] 本書においてアナログコンピュータとは、実数などの正確な連続量を使っているコンピュータを指す。これとは違うとらえ方については以下を参照のこと。Corey J. Maley, "Analog and Digital, Continuous and Discrete," *Philosophical Studies* 115 (2011): 117-31.

[19] 少なくとも理論的には、標準量子コンピュータは、量子ビットの振幅として連続量を利用しているからアナログコンピュータだ。だが実用においては、その正確性には限度がある。そして、2進法の量子ビットの代わりに連続的な変数を使う量子コンピューティングの理論もある。以下を参照のこと。Samuel L. Braunstein and Arun K. Pati, eds., *Quantum Information with Continuous Variables* (Kluwer, 2001).

[20] Zohar Ringel and Dmitry Kovrizhin, "Quantized Gravitational Responses, the Sign Problem, and Quantum Complexity," *Science Advances* 3, no. 9 (September 27, 2017). 以下も参照のこと。Mike McRae, "Quantum Weirdness Once Again Shows We're Not Living in a Computer Simulation," *ScienceAlert*, September 29, 2017; Cheyenne Macdonald, "Researchers Claim to Have Found Proof We Are NOT Living in a Simulation," *Dailymail.com*, October 2, 2017; and Scott Aaronson, "Because You Asked: The Simulation Hypothesis Has Not Been Falsfied; Remains Unfalsifiable," *ShtetlOptimized*, October 3, 2017.

[21] サイト注記。

[22] 以下を参照のこと。Mike Innes, "Recursive Self-Simulation," https://mikeinnes.github.io/2017/11/15/turingception.html.

[23] サイト注記。

[24] サイト注記。

第3章：私たちに知識はあるのか?

[1] セクストス・エンペイリコスについては以下を参照のこと。Michael Frede, "The Skeptic's Beliefs," chap. 10, in his *Essays in Ancient Philosophy* (University of Minnesota Press, 1987)。龍樹については以下を参照のこと。Ethan Mills, *Three Pillars of Skepticism in Classical India: Nāgārjuna, Jayarāśi, and Śrī Harsa* (Lexington Books, 2018). ガザーリーについては以下を参照のこと。*Deliverance from Error*, and https://www.aub.edu.lb/fas/cvsp/Documents/Al-ghazaliMcCarthytr.pdf。デイヴィッド・ヒュームについては以下を参照のこと。*A Treatise of Human Nature* (1739)〔デイヴィッド・ヒューム『人間本性論（全3巻）』木曾好能ほか訳、法政大学出版局、2012年〕. エリック・シュウィッツゲーベルについては以下を参照のこと。*Perplexities of Consciousness* (MIT Press, 2011)。グレース・ヘルトンについては以下を参照のこと。"Epistemological

な思考実験ふたつ（経験機械とシミュレーション説）をかなり正確に予想している。のちの版の序文でガンは、1950年版の『ブリタニカ百科事典（*Encyclopædia Britanica*）』の「感情の心理学」の項目を読んでいて、話を思いついたと書いている。

[10] サイト注記。

[11] クリストファー・グラウが“The Matrix as Metaphysics”や他の多くの論文を書いてくれるように哲学者を勧誘した。当時グラウは哲学を学ぶ大学院生で、『マトリックス』を製作したレッドピル・プロダクションでエディター兼プロデューサーとして働いていた。のちに、それらの論文はグラウの編集で次の本に収載された。*Philosophers Explore the Matrix* (Oxford University Press, 2005).『マトリックス』をテーマとした哲学の論文集は少なくともあと3冊は出ている。William Irwin's *The Matrix and Philosophy: Welcome to the Desert of the Real* (Open Court, 2002)〔ウィリアム・アーウィン編著『マトリックスの哲学』松浦俊輔、小野木明恵訳、白夜書房、2003年〕; and *More Matrix and Philosophy: Revolutions and Reloaded Decoded* (Open Court, 2005); and Glenn Yeffeth's *Taking the Red Pill: Science, Philosophy and Religion in The Matrix* (BenBella Books, 2003).〔グレン・イェフェス編『マトリックス完全分析』小川隆ほか訳、扶桑社、2003年〕

[12] ボストロムのシミュレーション論証に関する最初の論文は次のものだ。“Are You Living in a Computer Simulation?,” *Philosophical Quarterly* 53, no. 211 (2003): 243-55。彼が「シミュレーション仮説」という名称をはじめて用いた論文は以下のものになる。“The Simulation Argument: Why the Probability that You Are Living in a Matrix Is Quite High,” *Times Higher Education Supplement*, May 16, 2003.

[13] 経済学者のロビン・ハンソンは、人間の脳をまねる（エミュレートする）ことでつくられる存在に「em（エム）」という造語をあてた。エムとシムは異なる。ネオのような非純正シムはシムだがエムではない。そしてエミュレートされた人間の脳はロボットの体に収められると、それはエムではあるがシムではない。

[14] サイト注記。

[15] イギリスの哲学者バリー・デイントンは“Innocence Lost: Simulation Scenarios: Prospects and Consequences” (2002, https://philarchive.org/archive/DAIILSv1) の中で、いろいろなシミュレーションの区別をしている：ハードとソフト、アクティブとパッシブ、オリジナルの心理学と代替心理学、共用vs個人用。

[16] 証拠に関する外在主義を主張することもできるだろう。たとえば、私たちがシミュレーションの中にいないことを知ることができるという立場からの主張には、Timothy Williamson in *Knowledge and Its Limits* (Oxford University Press, 2000) がある。私はサイトの付録で、シミュレーション論証に対する異議について、証拠に関する外在主義を論じている。

[17] Silas R. Beane, Zohreh Davoudi, and Martin J. Savage, “Constraints on the Universe as a Numerical Simulation,” *European Physical Journal A* 50

ト・コント（社会学）、グスタフ・フェヒナー（心理学）、ゴットローブ・フレーゲ（現代論理学）、リチャード・モンタギュー（形式意味論）。

第2章：シミュレーション説とは何か？

[1] 以下を参照のこと。Tony Freeth et al., "A Model of the Cosmos in the ancient Greek Antikythera Mechanism," *Scientific Reports* 11 (2021): 5821.

[2] このシミュレーションの哲学的考察については以下を参照のこと。Michael Weisberg's book *Simulation and Similarity: Using Models to Understand the World* (Oxford University Press, 2013).〔マイケル・ワイスバーグ『科学とモデル――シミュレーションの哲学入門』松王政浩訳、名古屋大学出版会、2017年〕

[3] コンピュータ・シミュレーションとそれが科学で果たす役割について、哲学的な著述はたくさんある。Eric Winsberg, *Science in the Age of Computer Simulation* (University of Chicago Press, 2010); Johannes Lenhard, *Calculated Surprises: A Philosophy of Computer Simulation* (Oxford University Press, 2019); and Margaret Morrison, *Reconstructing Reality: Models, Mathematics, and Simulations* (Oxford University Press, 2015).

[4] Daniel L. Gerlough, "Simulation of Freeway Traffic on a General-Purpose Discrete Variable Computer" (PhD diss., UCLA, 1955); Jill Lepore, *If Then: How the Simulmatics Corporation Invented the Future* (W. W. Norton, 2020).

[5] Jean Baudrillard, *Simulacres et Simulation* (Editions Galilee, 1981), translated as *Simulacra and Simulation* (Sheila Faria Glaser, trans.; University of Michigan Press, 1994).〔ジャン・ボードリヤール『シミュラークルとシミュレーション』竹原あき子訳、法政大学出版局、新装版2008年〕

[6] ボードリヤールの唱える4つのレベルを、おおざっぱに私の主張に当てはめるとこうなる。「深遠なリアリティを鏡に映したもの」「深遠なリアリティに仮面をかぶせるか、変性させたもの」「深遠なリアリティがないことに仮面をかぶせたもの」「もはやいかなるリアリティとも関係のないもの（これは純粋なるシミュラークルである）」。ボードリヤールはどこかの時点で、4番目のレベルだけがシミュレーションだと考えた。

[7] サイト注記。

[8] Ursula K. Le Guin, *The Left Hand of Darkness* (Ace Books, 1969)〔アーシュラ・K・ル・グィン『闇の左手』小尾芙佐訳、早川書房、1987年〕. 思考実験の経過と、心理学的リアリティの経過に関しては、1976年版の同書にある導入部に由来する。"Is Gender Necessary?" という小論は以下の本に掲載されている。*Aurora: Beyond Equality*, eds, Vonda MacIntyre and Susan Janice Anderson (Fawcett Gold Medal, 1976).

[9] ガンの *The Joy Makers* という短編は、驚くべきことに、近年の哲学において最重要

Left the Matrix," http://www.princeton.edu/~adame/matrix-iap.pdf. 本書印刷後の2021年12月に新作の『マトリックス レザレクションズ』が公開されたが、そこで浮上した問題については、サイト注記に記そう。

[4] インドの哲学、宗教、文学（ナーラダの変身を含む）における錯覚の問題については、以下がすぐれたガイドになる。Wendy Doniger O'Flaherty, *Dreams, Illusions, and Other Realities* (University of Chicago Press, 1984).

[5] James Gunn, "The Unhappy Man" (*Fantastic Universe*, 1954); collected in Gunn's *The Joy Makers* (Bantam, 1961).

[6] Robert Nozick, *Anarchy, State, and Utopia* (Basic Books, 1974).〔ロバート・ノージック『アナーキー・国家・ユートピア——国家の正当性とその限界』嶋津格訳、木鐸社、1994年〕

[7] *The Examined Life* (Simon & Schuster, 1989, 105)〔ロバート・ノージック『生のなかの螺旋——自己と人生のダイアローグ』井上章子訳、青土社、1993年〕の中でノージックは、〈知識、実在、価値の問い〉について独自のバージョンを披露している。「経験機械のプラグを接続するかどうかは価値の問いになる（そして、知識の問いは認識論からの問い——自分がまだプラグを接続していないことをどうやって知るのか?——で、実在の問いは形而上学的問いになる——機械の経験は現実世界を構成するのか?）」

[8] 以下を参照のこと。http://philsurvey.org/. 本書において、PhilPapersの調査結果については次のような意味となる。たとえば、「13%の人が経験機械に入りたいと答えた」と書いたときには、回答者のうちの13%が、この見方を受けいれるか、それに傾いていることを意味している。哲学を職業とする者への、より大がかりな調査については以下を参照のこと。Dan Weijers, "Nozick's Experience Machine Is Dead, Long Live the Experience Machine!," *Philosophical Psychology* 27, no. 4 (2014): 513-35; Frank Hindriks and Igor Douven, "Nozick's Experience Machine: An Empirical Study," *Philosophical Psychology* 31 (2018): 278-98.

[9] Robert Nozick, "The Pursuit of Happiness," *Forbes*, October 2, 2000.

[10] サイト注記。

[11] 哲学にはほかに多くの分野がある。例をあげると、行動哲学、芸術哲学、性別や人種に関する哲学、数学哲学。そして哲学史には多くの分野がある。必要に応じてそれらに触れるが、私が本文であげた合計9つの分野ほどには深く言及することはない。

[12] 2009年のPhilPapersの調査は以下を参照のこと。David Bourget and David Chalmers, "What Do Philosophers Believe?," *Philosophical Studies* 170 (2014): 465-500。2020年の調査は以下を参照のこと。http://philsurvey.org/. 哲学の進展については以下を参照。David J. Chalmers, "Why Isn't There More Progress in Philosophy?," *Philosophy* 90, no. 1 (2015): 3-31.

[13] ニュートンのほかに思い浮かぶのは次の人々だ。アダム・スミス（経済学）、オーギュス

(Oxford University Press, 2005), 132-76。第10、11章（および第17章の一部）の議論は、“The Virtual and the Real,” *Disputatio* 9, no. 46 (2017): 309-52にもとづいている。第14章の中心的アイデアは未発表の古い草稿にもとづいている。“How Cartesian Dualism Might Have Been True” (consc.net/notes/dualism.html, February 1990)。第15章は意識に関する私の研究、とりわけ著書である *The Conscious Mind* (Oxford University Press, 1996)〔『意識する心——脳と精神の根本理論を求めて』林一訳、白揚社、2001年〕によるところが大きい。第16章はその多くをアンディ・クラークとの共同研究、“The Extended Mind,” *Analysis* 58 (1998): 7-19によっている。第21〜23章は以下の論文等のアイデアにもとづいている。“On Implementing a Computation,” *Minds and Machines* 4 (1994): 391-402; “Structuralism as a Response to Skepticism,” *Journal of Philosophy* 115, no. 12 (2018): 625-60; and “Perception and the Fall from Eden,” in *Perceptual Experience*, eds. Tamar S. Gendler and John Hawthorne (Oxford University Press, 2006), 49 -125. それでも、これらの章には新しいアイデアが多く盛りこまれているし、他の章のほとんどの材料は新しいものだ。

[5] デカルトの外部世界の問題と私の返答を追いたいのならば、第1〜9章、第20〜24章が中心となる。主たる関心が近未来のVR技術にあるのならば、第1章、第10〜14章、第16〜20章を読むとよい。シミュレーション説に興味がある人は、第1〜9章、第14〜15章、第18章、第20〜21章、第24章を読むとよい。古くからある哲学の問題を知りたいのならば、第1章、第3〜4章、第6〜8章、第14〜23章が中心となる。前提関係にも言及しておくのがいいだろう。第3章は第4章の前提になっていて、第8章は第9章の前提になっている（第6章もある程度、第7章の前提になっている）。ほかにも、第10章は第11章の前提で、第21章は第22章の前提だ。第4〜7部はどの順番で読んでもよいが、第2部と第3部のかなりの部分が、第7部の前提になっている。

第1章：これは実在するのか?

[1] 『ボヘミアン・ラプソディ』のミュージックビデオではクイーンの4人のメンバーが最初のパートを全員で歌っているように描かれているが、実際はこの曲をつくったフレディ・マーキュリーがひとりですべての声をこなしている。すべての声がひとりのものなんて、それは幻想なの、と言いたくなる。

[2] *The Complete Works of Zhuangzi*, trans. Burton Watson. (Columbia University Press, 2013)。荘子は荘周が正式な名前であるが、ここでは通称を使う。胡蝶の夢にはさまざまな翻訳と解釈があるなかで、知識に関する問題よりも荘子と蝶の現実を中心にした解釈については、以下を参照のこと。Hans Georg Moeller, *Daoism Explained: From the Dream of the Butterfly to the Fishnet Allegory* (Open Court, 2004).

[3] 以下を参照のこと。Adam Elga, “Why Neo Was. Too Confident that He Had

原注

哲学的議論や技術的・歴史的詳細をはじめとする広範囲にわたる注記は、本書のオンラインサイト（consc.net/reality〔英語〕）に掲載している。そのサイトには付録も収めていて、そこでは以下のトピックなどの議論を深めている。シミュレーションの簡略化（第2、5、24章）、外部世界の懐疑論に対する返答（第4章）、シミュレーション論証に対する反論（第5章）、シミュレーション論証におけるニック・ボストロム（第5章）、バーチャル・リアリズムに関するマイケル・ハイムとフィリップ・ツァイ（第6章）、情報の多様性（第8章）、「バーチャル」「バーチャル・リアリティ」「バーチャル世界」という表現の歴史（第10、11章）、経験機械とVRの中での自由意志（第17章）、現実に関するドナルド・ホフマンのケース（第23章）、小説、経験の世界、その他の懐疑的シナリオ（第24章）、イラストに関する注記（全章）。

序章：テクノフィロソフィーの冒険

[1] Patricia Churchland, *Neurophilosophy: Toward a Unified Science of the Mind-Brain* (MIT Press, 1986)。「テクノフィロソフィー」という名称はまだないころに、それに関連する古い記述は、Aaron Slomanの1978年の著作 *The Computer Revolution in Philosophy* (Harvester Press, 1978) に見られる。現在までに、テクノフィロソフィーは、AIと心の哲学との結びつきにおいてもっとも影響を与えるものになっている。以下の先駆的研究がある。Daniel Dennett (“Artificial Intelligence as Philosophy and Psychology,” in *Brainstorms* [Bradford Books, 1978]), and Hilary Putnam (“Minds and Machines,” in *Dimensions of Minds*, ed. Sidney Hook [New York University Press, 1960])。

[2] 概観は以下を参照のこと。Jan Kyrre Berg, Olsen Friis, Stig Andur Pedersen, and Vincent F. Hendricks, eds., *A Companion to the Philosophy of Technology* (Wiley-Blackwell, 2012); Joseph Pitt, ed., *The Routledge Companion to the Philosophy of Technology* (Routledge, 2016).

[3] より正確には、意識のハードプロブレムおよび哲学的ゾンビ、物理主義、二元論、汎心論に関する私の見解は、本書においては小さな役割しか演じていない。リアリティに関する中心議論は、意識に関する唯物論者、二元論者が等しく利用できるものだ。意識の存在範囲に関する私の考えと、とくに機械は意識を持つかという問題への私の見解は、本書で大きな役割を担っている。

[4] 第9章（および第6、20、24章の一部）の議論は以下のサイト上のエッセイにもとづく。“The Matrix as Metaphysics,”（形而上学としてのマトリックス）thematrix.com, 2003; reprinted in Christopher Grau, ed., *Philosophers Explore the Matrix*

ビットからイット説：物理的な実在を含む物質的事物はビットでできている。つまり、その基礎には、ビットの相互作用を含むデジタル物理学があるとする説。

没入感：没入型環境の中で、私たちはその環境を自分のまわりにある世界として感じ、その中心に自分がいると感じること。

ボルツマン脳：宇宙空間にある物質のランダムな揺らぎによって、偶然に生まれた人間の脳とまったく同じもの。

メタバース：人々がさまざまな形で社会的に交流しながら、時間を過ごし、日々の生活を営むことのできるバーチャル世界（別項）、もしくはバーチャル世界のシステム（「バーチャル世界の総和」と言いかえられる）。

リアリティ：少なくとも3つの意味がある。(1) 存在するものすべて（全宇宙＝コスモス）(2) 現実もしくはバーチャルの世界。複数の世界が存在することもありうる。(3) リアリティの性質とは、次の項目のリアルを測る5つの基準に従い、リアルである状態、もしくは、リアルであることという性質となる。

リアル：第6章で紹介した、あるものがリアルかどうかを測る5つの基準（＝リアリティ・チェックリスト——存在、因果的力、心からの独立、非錯覚、本物）を参照してほしい。

も含む。

デカルト的懐疑：外部世界の知識を疑う一形式。夢や悪魔のシナリオなどにより私たちは現実と接触できていないので、外部世界について実質的に何も知らないとする見方。

デカルト的二元論：心と体は別物であるとするデカルトの考えに関係する見方。非物質的な心と物質的な体が影響を与えあう。

デジタル事物：ビット構造、あるいは、（物質的事物が原子でできているように）ビットでできている事物。

二元論：心と体はまったく別物だとする見方。

認識論：知識を研究する学問。

バーチャル世界：インタラクティブでコンピュータ生成の世界。

バーチャル・デジタリズム：バーチャル事物はデジタル事物（別項）だとする主張。

バーチャル内含：Xというカテゴリーや言葉について、バーチャルXを本物のXと見なすときは「バーチャル内含」と言い、見なさないときは「バーチャル除外」と言う。

バーチャル・フィクショナリズム（虚構論）：バーチャル世界（別項）とバーチャル事物は虚構であるとする主張。

バーチャル・リアリズム：バーチャル事物は錯覚ではなくリアルだという主張を強調し、VRは真の実在だとする主張。

バーチャル・リアリティ（VR、仮想現実）：没入型でインタラクティブでコンピュータ生成の世界。

非純正シミュレーション：シミュレーションと接続された「水槽の中の脳」のように、シミュレートされていない一部の生き物がいるシミュレーション。

構造的だと言う。

功利主義：人は、もっとも多くの人に最大のよいことをなすべきだ、という主張。

コスモス：存在するすべてのもの。

錯覚：物事が見た目とは異なるとき。より狭い哲学的な意味は、リアルな事物を知覚するが、それが見た目とは異なるとき。

実現する：低いレベルの存在でより高いレベルの存在をつくるときに、とくにこの言葉を使う。たとえば、原子は分子をつくり、分子は細胞をつくることを「実現する」と表現する。

シミュレーション説（シミュレーション仮説）：私たちはコンピュータ・シミュレーションの中にいるという仮説。つまり、私たちはすべての入力を、人工的に設計されたコンピュータ・シミュレーションの世界から受けとり、すべての出力をそこに対しておこなっているという。

シミュレーション・リアリズム（実在論）：私たちがシミュレーションの中にいるならば、まわりの事物は錯覚ではなくリアルだとする考え方。

シミュレーション論証：ハンス・モラヴェックによるシミュレーション説に関する統計的論証、あるいは、ニック・ボストロムによるシミュレーション説など3つの説における3つの選択肢に関する統計的論証。

シム：コンピュータ・シミュレーションの中にいる生き物。純正シムはシミュレーション内部でシミュレートされた生き物で、バイオシムはシミュレーションと接続している生物学的生き物である。

純粋ビットからイット説：現実を構成する基本要素はビットであり、それより基本のものはないという考えと、ビットからイット説（別項）が結合した説。

純正シミュレーション：シミュレートされた人間など、純正シムだけからなるシミュレーション。

世界：現実でもバーチャルでも、完全に相互接続された空間。その中にあるすべてのもの

用語解説
（五十音順）

意識：心と世界に関する主観的経験。認識や感情、思考、行動などの意識的経験を含む。その生き物であると感じられるという主体性が存在するとき、その生き物には意識がある。

イットからビットへそしてイット説：ビットからイット説（別項）と、そのビットはより基本的な存在でつくられているという説を結合したもの。

宇宙：世界（別項）と同じ。

懐疑論：私たちは何も知らないという見方。ここでのその中心的な形は、私たちは外部世界について何も知らない、という見方だ。

外在主義：私たちの言葉や思考の意味は周囲の環境によって決まるとする考え。

拡張現実（AR）：現実世界を認識しながら、そこでバーチャル事物を経験できるようにするテクノロジー。

完全シミュレーション：対象の世界を、「おおよそ」ではなく、「正確に」シミュレートしたシミュレーション。

観念論：実在は根本的には心的なものである、あるいは、すべてが心の中にある、という見方。そのバークリー版は、「存在することは知覚されることである」（エッセ・エスト・ペルキピ）というスローガンに関連している。

検証主義：真偽の検証が可能な主張だけが意味がある、とする見方。

構造主義（もしくは構造実在論）：科学理論は構造理論と同じだと考える説。その構造理論は観察結果と結びついた数学によって表すことができる。認識論的構造実在論は、科学は現実の構造を私たちに教えるだけだと言う（現実には構造以上のものがありそうなのにもかかわらず）。存在論的構造実在論は、現実それ自体がすべて

[著者]

デイヴィッド・J・チャーマーズ

DAVID J. CHALMERS

1966年オーストラリア、シドニー生まれ。哲学者および認知科学者。ニューヨーク大学哲学教授、同大学の心・脳・意識センター共同ディレクター。アデレード大学で数学とコンピュータサイエンスを学ぶ。オックスフォード大学でローズ奨学生として数学を専攻後、インディアナ大学で哲学・認知科学のPh.D.を取得。ワシントン大学マクドネル特別研究員(哲学・神経科学・心理学)、カリフォルニア大学教授(哲学)、アリゾナ大学教授(哲学)、同大学意識研究センターのアソシエイトディレクターなどを歴任。専門は心の哲学、認識論、言語哲学、形而上学。2015年ジャン・ニコ賞受賞。著書に『意識する心――脳と精神の根本理論を求めて』(白揚社)、『意識の諸相』(春秋社)など。

[訳者]

高橋則明

たかはし・のりあき

翻訳家。立教大学法学部卒業。訳書にジョン・ロビンズ『100歳まで元気に生きる!』(アスペクト)、クリス・アンダーソン『フリー』、ケン・シーガル『Think Simple』、ペドロ・G・フェレイラ『パーフェクト・セオリー』、ネイサン・ウルフ『パンデミック新時代』(以上、NHK出版)など。

校閲
山口尚

校正
酒井清一

本文組版
アップライン株式会社

編集
川上純子、塩田知子

リアリティ＋（プラス）
（上）
バーチャル世界をめぐる哲学の挑戦

2023年3月25日　第1刷発行

著者
デイヴィッド・J・チャーマーズ

訳者
高橋則明

発行者
土井成紀

発行所
NHK出版
〒150-0042
東京都渋谷区宇田川町10-3
電話　0570-009-321（問い合わせ）
0570-000-321（注文）
ホームページ https://www.nhk-book.co.jp

印刷
亨有堂印刷所／大熊整美堂

製本
ブックアート

Printed in Japan
ISBN978-4-14-081936-4 C0098